# FUGUE POLONAISE

BEATA DE ROBIEN

# FUGUE POLONAISE

roman

ALBIN MICHEL

*À Elie
qui m'a souvent demandé
comment nous avions survécu
durant ces années-là…*

Cette année-là, tout s'est passé comme les autres années, ou presque. J'ai rempli la baignoire et lâché le poisson. La carpe s'est mise à nager en rond. J'ai réduit le pain en miettes et lui ai donné à manger en secret. Elż bieta, notre nounou, lui changeait l'eau matin et soir afin qu'elle se nettoie le tube digestif et ne sente pas la vase. Durant trois jours, je me suis lavée dans une cuvette sous le regard de la carpe dans lequel je sentais un reproche. Tout à fait justifié d'ailleurs, j'étais responsable de sa captivité. Pour avoir une chance de trouver le traditionnel poisson pour le dîner de Noël, je m'étais imposé ce défi. J'ai été la première debout, bien avant Grand-Mère qui se levait pourtant très tôt. Les magasins ouvraient à sept heures mais on commençait à faire la queue dès six heures.

Je frissonnais sous la morsure du vent glacial, il faisait encore plus froid que les autres années. Les flocons de neige collaient à mes cils, me piquaient le visage comme des coups d'épingle. Mon manteau trop court ne couvrait pas mes jambes, mes mains serrées dans les poches étaient complètement engourdies, j'étais partie sans mes moufles.

Après une heure d'attente, j'ai réussi à pénétrer à l'intérieur du magasin et à me réchauffer un peu. J'ai patienté près d'une heure avant d'arriver au comptoir. La carpe pesait trois livres, j'ai payé et je l'ai fourrée dans mon filet. Elle ouvrait grand la bouche et cherchait à aspirer de l'air. Pour économiser sur le tramway, je suis rentrée à pied. Sur le chemin du retour plusieurs personnes m'ont arrêtée et, montrant la carpe, m'ont demandé où je l'avais achetée.

« Au moins Grand-Mère ne va pas rester des heures dans la neige, ai-je pensé, elle a déjà suffisamment de soucis. » Pourtant – et cela ne cessait de m'étonner – elle ne manifestait aucune impatience dans les queues et laissait même passer les tricheurs, alors que moi, j'enrageais. Elle semblait ne pas accorder la moindre attention à la goujaterie des gens qui nous entouraient. Au contraire, elle leur souriait comme si de rien n'était.

Cependant, depuis quelque temps, son visage strié de rides comme une noix séchée avait pris une expression difficile à définir, comme le pli d'amertume de ceux qui, après avoir lutté toute leur vie, finissent par se résigner.

– Pourvu que les choses n'empirent pas, répétait-elle souvent.

À cinquante-quatre ans, elle avait déjà connu quatre régimes différents puisque son enfance s'était déroulée au temps de l'empereur autrichien François-Joseph, son adolescence entre les deux guerres sous Piłsudski, sa vie de femme mariée sous l'occupation soviétique et nazie, et maintenant, son veuvage sous le communisme. Elle parlait à peu près toutes les langues d'Europe, avec une préférence pour le français, non seulement parce qu'elle l'avait étudié à la Sorbonne, mais parce que, selon elle, « c'était la langue qui exprimait le mieux l'élégance ».

Depuis qu'elle avait rejoint l'équipe d'une nouvelle maison d'édition, dirigée par *pan*[1] Zeller, où elle était supposée dénicher dans les textes les sous-entendus menaçant le régime actuel, j'avais remarqué que ses cheveux blanchissaient à vue d'œil. Peut-être parce qu'elle se faisait réprimander comme une élève à l'école.

– *Pani* Zborawska, combien de fois dois-je vous le répéter ! On vous paie pour ça ! Pour que nos auteurs n'écrivent pas ce qui leur passe par la tête ! Vous ne luttez pas assez contre l'infiltration des idées capitalistes.

Je regrettais son poste précédent, celui de correctrice d'orthographe pour les auteurs du Parti dont les livres pullulaient dans les librairies. Les auteurs venaient alors souvent à la maison à la tombée de la nuit, déposaient un jambon, une poule, un *kabanos*[2] ; ils étaient discrets et humbles, s'essuyaient bien les pieds sur le paillasson, baisaient la main de Grand-Mère, la remerciaient chaleureusement. Alors que maintenant, elle vivait dans la peur permanente qu'une investigation ne dévoile ses détestables origines sociales.

En voyant mon trophée, Grand-Mère m'a félicitée pour ma débrouillardise, j'étais fière de moi. Je m'attendais une fois encore à une allusion à la France. Cela n'a pas manqué :

– C'est en France que j'ai mangé les meilleurs poissons.

---

1. Formes de politesse *pan, pani, panna* : monsieur, madame, mademoiselle.
2. Sorte de long saucisson fumé.

Elle avait pour habitude de commencer une phrase sur deux : « En France ceci, en France cela, les Français faisaient comme ci, les Français faisaient comme ça. »

– Dans n'importe quel pays, il y aurait déjà des manifestations, en France au moins une révolution. Ils ont déjà bien muselé la société.

Et comme un refrain, elle a ajouté :

– Pourvu que les choses n'empirent pas.

Au matin du 24 décembre, Marek, le concierge, a apporté un sapin et l'a fixé sur un trépied en bois de sa fabrication. Le sapin penchait fortement d'un côté mais il était inutile de demander à Marek de le rectifier. Lui-même penchait en alternance tantôt d'un côté, tantôt de l'autre. Visiblement il avait commencé à fêter Noël de bonne heure.

Marek était un homme corpulent, aux traits rudes de paysan. Il portait, été comme hiver, un chandail tricoté qui sentait la transpiration et le moisi.

– Il est là, p'tit docteur ? a-t-il demandé en jetant des coups d'œil circulaires par-dessus l'épaule de Grand-Mère. J'ai quelqu'chose à l'faire déguster. Travail artisanal.

– Monsieur Marek, je vous l'ai déjà dit : laissez mon fils tranquille. En plus, aujourd'hui, vous avez eu largement votre dose d'après ce que je vois.

– *Pani professorova*[1] ne veut tout de même pas que j'boive seul ! Cela, p'tite dame, ce serait signe d'alcoolisme, s'est-il écrié avec une indignation non feinte en retenant

---

1. Madame le professeur ou plutôt : madame la femme du professeur.

avec ses doigts une prothèse en plastique que chaque mot risquait d'expulser de sa bouche.

– Venez nous donner un coup de main pour la carpe.

Grand-Mère lui a glissé un billet dans la main. Son tarif habituel correspondait à un demi-litre de *Czysta*[1].

– J'vais l'assommer vite fait et dans les règles de l'art.

Je l'ai conduit dans la salle de bains. La carpe, comme si elle savait que son heure avait sonné, s'est arrêtée de nager. Ses yeux vitreux, immobiles et glauques semblaient fixer Marek. Il a retroussé les manches de son tricot feutré, immergé ses mains et saisi le poisson. La carpe a fait un bond et s'est libérée en quelques mouvements de la queue, éclaboussant Marek de la tête aux pieds.

– *Kurwa mac'*[2] ! a juré Marek.

Ses grosses mains plongées dans l'eau poursuivaient la carpe de nouveau et, de nouveau, elle lui a échappé. À la quatrième tentative, il a réussi à la sortir de l'eau mais aussitôt elle lui a glissé des mains pour sauter sur le sol et s'est faufilée sous la baignoire. Marek s'est mis à quatre pattes et, en alternant des jurons à l'adresse tantôt de la mère, tantôt du père de la carpe, est finalement parvenu à la saisir par la queue.

Il lui a annoncé avec haine :

– Tu vas voir comme je vais te crever la gueule.

Ce combat inégal m'avait fait rire aux larmes. J'ai cessé de rire quand le couteau de Marek a tranché la tête du poisson, laissant sur ses doigts et sur son chandail du sang

---

1. Prononcer : *tchysta* qui signifie pure, vodka bon marché en Pologne communiste.

2. Prononcer : *Kourva matchi* (putain de ta mère).

mêlé de bave. La tête de la carpe est tombée sur le ciment au-dessous du lavabo tandis que son corps se tortillait à mes pieds. J'ai eu envie de vomir et je me suis précipitée vers les toilettes.

– *Panna* Bashia fera moins la mijaurée tout à l'heure quand elle l'aura dans son assiette, a crié Marek derrière moi en essuyant le couteau sur son pantalon. Moi, je garde une écaille, ça porte bonheur.

J'ai commencé à décorer le sapin. J'ai retiré des boîtes à chaussures les boules en verre soufflé et je les ai accrochées. Et, comme je trouvais que le sapin manquait d'allure, j'ai entrepris de fabriquer de la neige artificielle. J'ai chauffé de la colle, ajouté un peu d'eau et en ai badigeonné les branches à l'aide d'un pinceau. Puis, j'ai disposé des morceaux de coton – apporté de l'hôpital par Père. Pour parfaire la scène, j'ai déposé au pied de l'arbre une crèche en bois et planté des allumettes afin de fabriquer une clôture. Comme il ne restait plus de coton, j'ai utilisé du sucre glace pour faire la neige, j'en ai saupoudré généreusement le toit de la crèche et les pointes d'allumettes. Ma foi, l'effet était plutôt réussi.

Je n'ai jamais aimé Noël ni lorsque j'étais enfant ni aujourd'hui. Et même si, à ma manière, j'aimais chaque membre de ma famille séparément, réunis, je les détestais tous. J'ai guetté l'apparition de la première étoile dans le ciel, signe que nous pouvions nous mettre à table. Tradition oblige, il y avait une place réservée à l'invité de dernière minute. Je priais secrètement pour que ma mère arrive un jour de France. J'avais appris depuis longtemps à dissimuler mes pensées. On ne parlait jamais d'elle, c'était un sujet tabou.

Les bougies à moitié consumées étaient de l'année dernière mais Grand-Mère a dit qu'elles feraient l'affaire pour cette année encore. De toute façon, dans les magasins on n'en trouvait pas.

Père m'a adressé quelques civilités, comme toujours d'un ton badin, puis s'est assuré de la propreté de mes oreilles, comme si j'avais six ans et non seize. Quand il m'a pincé la joue, j'ai senti son haleine chargée d'alcool. Grand et mince, les cheveux en arrière, il avait ce regard d'une douceur infinie que donne la consommation régulière d'alcool. Je me demandais souvent comment il se faisait que non seulement Grand-Mère, mais aussi tous les employés de l'hôpital, ses collègues, subordonnés comme supérieurs, le regardassent avec indulgence. Comment ses défauts, haïssables chez d'autres, pouvaient-ils être acceptables chez lui ? Ce grand gamin incapable de se prendre en main, il était impossible de le détester.

Ce jour de Noël, j'ai pensé pour la première fois que s'il buvait, c'était peut-être pour cacher un chagrin. Est-ce qu'on boit juste pour boire ?

— Tu deviens chaque jour plus jolie, a-t-il dit avec fierté comme si ma beauté s'accomplissait grâce à lui.

Je savais bien qu'il ne me faisait ce compliment que pour me faire plaisir car j'étais loin d'être jolie avec mes cheveux filasse, mon nez retroussé, couvert de taches de rousseur, et mes sourcils presque inexistants.

Puis, selon la tradition polonaise, Père a rompu l'*opłatek*[1], fait le tour de la table et chacun en a pris un

---

1. Sorte de pain azyme, un peu comme une hostie, que les Polonais partagent le 24 décembre avant le dîner de réveillon appelé *wigilia*.

morceau. Il a formulé les vœux, m'a embrassée sur le front, a fait le baisemain à Grand-Mère et déposé un baiser furtif sur la joue de sa sœur qui, exceptionnellement, s'est laissé faire. Jadwiga[1] ne se départait jamais de son regard lointain et froid même un jour comme celui-ci. Père a ensuite tendu la main à son frère sans pouvoir retenir une horrible grimace. L'oncle Roman était tout l'opposé de Père. C'était un de ces tourmentés fatals, chers à Dostoïevski. Depuis toujours j'aimais observer les visages. On y découvre une multitude de secrets. Celui de Roman était légèrement asymétrique. L'abus de sarcasmes peut-être... Malgré la clarté de ses yeux, son regard était ombrageux et sa bouche pincée.

Père a terminé ses vœux par notre nounou qu'il a serrée très fort contre lui. Elżbieta était toute menue, sa tête lui arrivait à peine à la poitrine. Chaque fois que son cher petit Karol lui parlait, Elżbieta se mettait à pleurer, elle le vénérait depuis son enfance. Vêtue de plusieurs gros tricots, elle tremblait pourtant de froid. Père a ajouté du charbon au poêle en faïence puis il est allé chercher un plaid de laine dont il a entouré les épaules d'Elżbieta. Je voyais de grosses larmes couler sur ses joues creuses, elle n'avait guère l'habitude de faire l'objet de telles attentions. Après s'être mouchée bruyamment, elle s'est attardée à se curer chaque narine, puis elle a regardé le mouchoir. Il était taché de sang. L'idée qu'il s'agissait peut-être du dernier Noël d'Elżbieta m'a soudain attristée. Je n'imaginais pas notre vie sans elle.

Comme de coutume, Grand-Mère a servi le bortsch avec des *uszka*, ces petits raviolis aux cèpes. La carpe

---

1. Prononcer : Yadviga.

avait bel et bien été préparée en *gefilte fish* mais le souvenir de son douloureux trajet jusqu'à notre table m'avait ôté l'appétit. Pourtant, comme toute la famille, moi aussi, j'avais jeûné depuis le matin. Le 24 décembre, une archaïque tradition interdisait, même à celui qui les préparait, de goûter aux plats « car il avait eu toute l'année pour apprendre à cuisiner ». Le dessert, nommé *koutia*[1], était tout bonnement infect. Je ne comprenais pas pourquoi au nom d'une coutume stupide, Grand-Mère sortait cette vieille recette compliquée, qui lui venait de sa famille viennoise. Elle faisait cuire du pavot pendant des heures, le mélangeait avec du blé, des noix, du sucre, des raisins secs. Il en résultait – selon la formule de l'oncle Roman – une espèce d'« étouffe-chrétien ». Je remerciais Dieu de ne fêter qu'un Noël par an.

Même les cadeaux ne me mettaient pas de meilleure humeur. Pourtant j'avais reçu une paire de gants en laine, de vrais gants avec une place pour les cinq doigts. Mais notre regard à tous s'attardait sur un gros paquet déposé par M. Czesław[2], le fiancé de Jadwiga.

Sans se presser, ma tante a enlevé le papier marron entouré d'une ficelle. J'ai vu d'abord un tube, puis une grosse boîte en bakélite avec des lettres en cyrillique : « URAL-53 ». Comme ce n'était pas vraiment une surprise pour elle, Jadwiga a expliqué qu'il s'agissait d'un radiogramophone. Un engin pareil permettait d'écouter des 78-tours mais aussi de capter les ondes de la radio. C'était un

---

1. Ce dessert est une spécialité de Noël en Galicie, dans l'est de la Pologne.
2. Prononcer : *tchesouave*.

prototype, un modèle introuvable dans le commerce. Czesław l'avait rapporté d'URSS. C'était le premier Noël avec un cadeau aussi somptueux, j'en avais le souffle coupé.

— Ça présage la fin des soucis pour la nouvelle année 1953, a dit Grand-Mère, se forçant à donner une note d'optimisme à sa voix.

À la fin du dîner, nous avons éteint le lustre, les bougies finissaient de se consumer. Il était encore trop tôt pour aller à la messe de minuit et l'oncle Roman a entamé un cantique : *Loulaï je Jezuniou, loulaï*[1]. Père s'est embrouillé dans les paroles et Grand-Mère a repris en allemand *Stille Nacht, heilige Nacht*. Notre nounou a tenté de l'accompagner de sa voix aiguë mais a été interrompue par une violente quinte de toux. Alors j'ai entonné en français *Il est né le divin enfant* que Grand-Mère m'avait appris quand j'étais encore une petite fille. Elżbieta a commencé à débarrasser la table. J'ai voulu brancher le gramophone quand soudain j'ai aperçu des flammes sur le bord de la nappe. J'ai poussé un cri strident.

— Au feu ! Au feu !

Mais déjà les flammes s'étaient propagées au sapin. Les allumettes de ma clôture de la crèche sautaient l'une après l'autre comme des marrons grillés sur une poêle à trous. Je me suis ruée sur le balcon mais le courant d'air a attisé les flammes et le feu s'est transmis aux rideaux. Roman a perdu son sang-froid, il a arraché le plaid du dos d'Elżbieta, l'a jeté sur le sapin qu'il a, sans attendre, fait basculer par-dessus la rampe du balcon. Père a titubé en

---

1. *Dors bien petit Jésus, dors bien.*

direction de la cuisine, il avait déjà bu une bonne quantité de vodka, ce qui gênait non seulement sa démarche mais aussi sa vision. En tâtonnant, il a fini par trouver un robinet mais, ne dénichant pas de récipient pour transporter l'eau, il a rempli un petit samovar en cuivre qu'il a rapporté dans la salle à manger et vidé inutilement sur la table.

Nous avons entendu une sirène et quelques minutes plus tard les pompiers ont dirigé un tuyau vers toutes les fenêtres du premier étage, bien que le feu ait déjà été maîtrisé. La pression a cassé les vitres, des trombes d'eau se sont déversées dans la salle à manger, le salon et la chambre. Père, ruisselant, était blême. Assis au bord du sofa trempé, il a pris son pouls comme il l'aurait fait pour un patient. Le résultat ne devait pas être dans la norme car il s'est levé et est allé prendre son remède favori dans la crédence. Il a bu deux grands verres et est retombé sur le sofa. Une sonnette a retenti. Je suis allée ouvrir, pensant que c'était le concierge ou un des voisins inquiets mais deux hommes en uniforme bleu-gris de la Milice m'ont poussée brutalement et ont pénétré dans l'appartement.

– Vous êtes accusés de jeter des objets enflammés sur la voie publique, a crié à la cantonade celui qui avait un V brodé sur ses épaulettes.

Grand-Mère a tenté d'expliquer la situation.

– On ne sait même pas comment ça a pu arriver. Nous étions encore à table quand tout à coup, ma petite-fille a vu le feu.

– Vos papiers, citoyenne !

– Ah non ! Ce n'est pas le moment ! Après tous ces dégâts, les vitres cassées en plein hiver, les tonnes d'eau !

– Papiers d'identité ! *Melofunek*[1]. Allez ! Tout le monde !
La vieille aussi !

Le milicien montrait du doigt Elżbieta qui grelottait en
portant un mouchoir à ses lèvres.

La première à montrer ses papiers a été Jadwiga.
Grand-Mère a fouillé dans son sac, sa carte d'identité était
tout écornée. J'ai donné ma carte de lycéenne. L'autorisation de séjourner à Cracovie d'Elżbieta était périmée et le
milicien, très satisfait, a sorti un formulaire de sa sacoche,
glissé entre les feuilles un papier carbone et a commencé à
le remplir en mouillant le crayon avec sa salive :

– Nom, prénom, profession, date de naissance, lieu de
naissance.

– Elżbieta Ogon, domestique... née en 1901 à Lvov, a
réussi à articuler Elżbieta entre deux quintes de toux.

– Citoyenne soviétique ? a demandé le milicien.

– Lvov était une ville polonaise avant la guerre, est intervenue Grand-Mère, annexée aujourd'hui par les Soviétiques au cas où vous ne le sauriez pas.

Père s'est approché en titubant et a mis sous le nez du
milicien un livret que je n'avais jamais vu auparavant.
L'homme a étouffé un juron, s'est levé et a salué Père :

– Mille excuses, camarade docteur, on savait pas, il fallait le dire tout de suite...

Il l'a salué de nouveau, a froissé le formulaire, fait signe
à son collègue et ils sont sortis rapidement. Après avoir
entendu la voiture de la Milice démarrer, je suis allée der-

---

1. *Meldunek* : tampon délivré par le Bureau municipal du logement après l'enregistrement du domicile, obligatoire en Pologne
pendant toute la période communiste, même pour un court séjour.

rière la cuisine, j'ai frappé les deux coups habituels sur la porte du placard à charbon qui donnait sur l'escalier de service et j'ai murmuré :

– Ils sont partis, tu peux sortir, oncle Roman.

– Qu'est-ce que c'est que ce livret que tu leur as montré ? a demandé Grand-Mère.

– Rien... un papier sans importance...

Père bafouillait comme un collégien attrapé avec une antisèche.

– Tu ne t'es pas tout de même pas inscrit à leur Parti ?

Le regard de Grand-Mère était devenu hostile. Père a gardé le silence.

– Et tu t'étonnes, après cela, que ton frère ne t'adresse plus la parole !

Père a tenté de se justifier :

– Vous voulez peut-être que je quitte le Parti pour me réconcilier avec mon frère ? Ne me demandez pas de gestes héroïques. Le Parti se vengerait tôt ou tard. Ce n'est pas le moment...

– J'ignore si c'est un bon ou un mauvais moment pour quitter le Parti, l'a coupé sèchement Grand-Mère, mais ce qu'il ne fallait pas, c'était y entrer.

« Père a peur, lui aussi, ai-je pensé, comme nous tous. Et il se croit protégé par son livret du Parti. Il a peut-être raison quand il répète : "Dans la vie, il faut une âme élastique." La mienne est trop rigide, elle me fera toujours souffrir. »

Quant aux querelles fraternelles, il était vain de vouloir réconcilier Père avec son frère. Chaque rencontre se transformait en affrontement. Roman reprochait à Karol son opportunisme et Karol reprochait à Roman sa «vie de parasite».

— Je ne demande qu'une chose, c'est qu'on me laisse tranquille, disait l'un. Dans ce pays, on n'a besoin ni de ton cerveau, ni de ton cœur, ni de ta conscience, ni de ton savoir-faire, ni de ton intelligence. Rien d'autre que de ta volonté d'accepter ce qu'ils attendent de toi.

— Alors, fais semblant d'accepter, répondait l'autre.

— Je ne peux pas accepter un régime pareil. De toute façon, Lolek[1], l'avenir est sombre.

— Qu'entends-tu par «sombre»? L'alcool sera rationné? s'est inquiété son frère.

— Idiot!

— Il y aura une nouvelle guerre? La fin du monde?

— Pas ça.

— Quoi alors?

— Il y aura ce qu'il y a déjà.

---

1. Diminutif de Karol.

Dans ce nouveau pays qu'était devenu la Pologne communiste, ne pas travailler était condamnable. L'oncle Roman, alors âgé de trente-quatre ans, était un paria de la société. Pourtant il ne demandait rien à personne, rien à la société, rien à l'État. Tel qu'il était, en pyjama rayé, à peine rasé, tout à l'écoute de la radio étrangère, cela faisait huit ans qu'il attendait la troisième guerre mondiale. Il voulait être prêt, espérant que l'Europe et l'Amérique se réveilleraient et feraient un bras d'honneur à Moscou.

Père, lui, n'espérait rien, ni de l'Amérique ni de l'Europe. Il n'attendait pas le général Anders sur son cheval blanc. Il disait que Roosevelt et les Anglais avec leur ligne Curzon avaient permis à Staline d'amputer la Pologne d'un tiers de ses terres orientales. Quant à la France, si l'on devait compter sur elle, la Pologne ressemblerait au duché de Varsovie sous Napoléon : un pois chiche sur la carte de l'Europe.

— Il faut être un idiot dans le style de mon frère pour souhaiter une nouvelle guerre après cinq ans d'occupation allemande. Mieux vaut une humiliation. Il faut seulement survivre, c'est tout.

Père, le plus bel ivrogne que la terre ait porté, était gai et sociable, tutoyait les hommes du Parti, les acteurs, les journalistes, les écrivains, mais aussi le concierge Marek, le voisin Salawa, le plombier Pastuszek, le cordonnier Botchiek, le postier *pan* Andrzej. On aurait dit que la moitié des habitants de Cracovie étaient ses compagnons de beuverie.

Son penchant pour l'alcool n'altérait en rien sa notoriété, au contraire, il l'augmentait peut-être – en Pologne c'est une maladie socialement reconnue. Même en pleine soûlographie, Père pouvait donner le nom latin de chaque maladie et de son remède aussi. En sa qualité de chirurgien et de proctologue, il s'était vu confier le rectum d'un grand chef du Parti qui souffrait d'hémorroïdes. Les autres pontes du Parti, bien qu'une clinique privée leur fût réservée, préféraient, Dieu sait pourquoi, s'adresser à lui pour leur derrière comme pour leur devant.

Il arrivait aussi que des voisins ou des connaissances viennent chez nous pour des consultations privées, en cachette évidemment, car il fallait une autorisation spéciale pour une pratique privée. La gentille Elżbieta les faisait entrer dans le petit salon où une table d'examen en similicuir était dissimulée sous un napperon. Grand-Mère prenait ses manuscrits et ses dictionnaires et s'en allait travailler dans la salle à manger.

Pour Père, tous les maux venaient d'une mauvaise digestion. Ses premières questions tournaient autour du nombre de selles hebdomadaires émises par ses éminents patients. Parfois, en remerciement d'une intervention chirurgicale, on lui apportait des présents : essentiellement des bouteilles d'alcool étranger, achetées dans les magasins où on payait en dollars. Il disait que l'alcool lui était indispensable pour se nettoyer l'intérieur de la tête vu ses responsabilités lourdes et étendues. Je me demandais si cet état d'ébriété ne lui permettait pas plutôt de mieux supporter la situation.

C'était un homme facile à vivre. Son optimisme allait de pair avec son endurance. Il était capable de tenir une beuverie ininterrompue pendant de longues semaines. Mais quelle que soit la quantité d'alcool qu'il avait ingurgitée la veille, il se présentait à l'heure à l'hôpital et opérait comme si de rien n'était.

– Si un jour je confonds une veine du rectum avec un polype, plaisantait-il, au pire on me transférera dans une ville d'eaux et je deviendrai généraliste pour vieilles dames à varices. Et elles seront toutes folles de moi, ajoutait-il avec un sourire canaille.

Après l'annexion de Lvov par les Soviétiques et après une multitude d'épreuves, nous nous étions, sauf Grand-Père disparu au goulag, retrouvés dans l'appartement de la rue Floriańska, propriété de Grand-Mère qui lui venait de sa famille autrichienne. De ses origines viennoises, Grand-Mère était particulièrement fière. Je la soupçonnais d'être monarchiste car elle s'étalait souvent sur les qualités de ce moustachu, l'empereur Franz Joseph. Son portrait figurait d'ailleurs parmi les rares tableaux qu'elle n'avait pas encore vendus. En tout cas, elle ne manquait pas de souligner à la moindre occasion qu'elle était à cheval sur trois cultures : autrichienne, hongroise et polonaise. Bref, à l'opposé des Polonais de pure souche qu'elle taxait de « chauvins par manque d'horizons ».

L'appartement occupait tout le premier étage d'un immeuble sale et décrépit qui en comptait trois. Sur la porte se trouvait une plaque en cuivre terni que personne n'astiquait, portant l'inscription : *Karol Zborawski, docteur en médecine.*

Selon Grand-Mère, l'appartement n'arrivait pas à la cheville de celui de Lvov :

– Ce n'est qu'une vaste porcherie qui ne tardera pas à devenir une pétaudière. Depuis qu'ils ont tout nationalisé, le *Kwaterunek*[1] nous menace d'expulsion, nous avons trop de mètres carrés. Dans le meilleur des cas, ils nous imposeront des locataires plébéiens, comme ils l'ont déjà fait chez la baronne Konopka. Et nous n'y pourrons rien.

Et en effet, fin décembre, un employé municipal est venu rue Floriańska. Il a respectueusement appelé Grand-Mère « madame le professeur » et lui a fait le baisemain. Par fidélité à la tradition autrichienne, à Cracovie, on ne s'adressait jamais à quelqu'un autrement qu'en lui donnant un grade ou un titre. Veuve d'un professeur de l'université, Grand-Mère restait pour tous *pani professorova* bien que son statut présent fût différent.

L'homme a arpenté le salon à grands pas, de la porte au balcon et du petit salon à la salle à manger. Il a noté quelque chose dans un cahier et a demandé à voir les autres pièces : les chambres, la cuisine, la salle de bains, les toilettes, la chambre de service.

– C'est grand chez vous, au moins cent quatre-vingts mètres carrés, a-t-il jugé en connaisseur.

---

1. Le Bureau municipal du logement.

Il se montrait courtois et compatissant mais il fallait que Grand-Mère le soit aussi.

– Les gens affluent à Cracovie, a-t-il dit, ils n'ont pas le moindre toit au-dessus de la tête, et vous vous prélassez dans un palais, seule avec votre fils parasite, votre fille qui ne travaille qu'à mi-temps, votre petite-fille et votre bonne, bonne à rien. Quant au docteur Zborawski, on ne sait pas s'il habite vraiment là, il découche bien souvent... a-t-il ajouté avec un sourire entendu.

Il s'est attardé longtemps sur un lit en cuivre et a dit que c'était un bon travail de forgeron autrichien. Pour les meubles, il a cité le nom de Biedermeier et dit qu'il s'agissait de modèles rares. Puis il a fait de nouveau un baise-main à Grand-Mère, dit « *Do widzenia pani professorova*[1] » et ajouté qu'on aurait bientôt de ses nouvelles. Je l'ai accompagné et dès le claquement de la porte j'ai entendu Grand-Mère souffler :

– Que le diable l'emporte ! Rien de bon n'en sortira. À moins que Czesław ne nous sorte de là grâce à ses relations.

Le mariage de tante Jadwiga avec Czesław Pawlikowski prévu pour le premier samedi du mois de mars nous a mis en émoi bien que tous, à l'exception de Père, nous désapprouvions son choix. Passe encore que le fiancé n'ait rien d'un Adonis, qu'il ne soit pas tout jeune, qu'il soit veuf et pourvu d'une grosse fille appelée Jolanta[2] et d'une mère qui se mêlait de tout. Mais qu'il soit un ancien officier de

---

1. Au revoir, madame le professeur.
2. Prononcer : Yolanta.

l'Armée rouge devenu un pilier du nouveau gouvernement polonais, voilà qui dérangeait vraiment.

Grand-Mère avait bien essayé de dissuader sa fille :

– Avant la guerre, tu n'aurais même pas regardé un homme comme lui.

– Avant la guerre c'était avant la guerre, j'étais fiancée à Władysław, la vie était joyeuse et insouciante, lui a répondu Jadwiga. Vous avez dit vous-même que choisir Czesław était un moindre mal parmi tous ces nouveaux maîtres.

– Après tout, tu as peut-être raison, a dit Grand-Mère, gênée d'avoir réveillé chez sa fille le douloureux souvenir de son amoureux mort pendant l'insurrection de Varsovie. Au moins tu n'useras pas ta santé dans d'interminables files d'attente. Après le mariage tu t'achèteras tous les produits que tu voudras dans les boutiques aux rideaux jaunes[1]. Comme les autres hauts fonctionnaires...

De tous les membres de la famille, Jadwiga s'était montrée la plus perspicace. Elle avait compris avant les autres que les changements étaient définitifs. Qu'il fallait se tourner du côté des communistes, se faire des relations. Que les anciens temps ne reviendraient jamais.

La mort de son fiancé en 44 l'avait plongée dans une profonde hébétude et rendue indifférente à la vie. Insensible tant aux plaisirs qu'aux souffrances. C'était à l'école, où deux soirs par semaine elle donnait des cours d'orthographe aux miliciens désirant une promotion, que Jadwiga avait fait la connaissance de Czesław. La cour assidue qu'il s'était mis à lui faire avait redonné un peu de couleur à ses

---

1. Magasins spéciaux réservés à la nomenklatura et dont les vitrines étaient cachées par des rideaux jaunes.

joues. Elle s'était fait une permanente, avait commencé à utiliser du rouge à lèvres. Toute la famille avait remarqué la transformation, mais ni sa mère ni ses frères ne s'attendaient à la voir épouser un communiste.

Dès le premier soir où Czesław est passé rue Floriańska, il a été la cible de ricanements alors que les trois étoiles brodées de fil d'argent sur les épaulettes de son uniforme caca d'oie auraient inspiré à d'autres la crainte ou le respect. Pas chez nous. Roman a même dit que l'on pouvait voir à l'œil nu qu'il était communiste, de ses cors aux pieds jusqu'au haut de son crâne roux.

Le crâne de Czesław était en effet roux, de ce roux soutenu qui donne des complexes. Sa peau luisait un peu et était parsemée de taches rouges, probablement sous l'effet de l'émotion, mais on aurait dit de l'eczéma. Son menton fuyait loin en arrière de la bouche.

– Signe de manque de confiance ! triomphait Roman.

Grand-Mère a essayé de persuader Roman du bien-fondé de la décision de sa sœur. Mais rien n'y a fait. Roman s'enfermait dans sa chambre dès que Czesław venait rue Floriańska.

– Il est inadmissible que tu refuses de serrer la main de ton futur beau-frère ! Où sont tes bonnes manières ? Et ton savoir-vivre en société ?

– Il n'y a plus de société, répondait invariablement Roman.

Aucun argument ne réussissait à lui faire entendre raison car la raison était la dernière chose que Roman possédait. Depuis toujours j'entendais la nounou se lamenter : « Et où il était, Monsieur Roman, quand le bon Dieu distribuait la raison ? »

Ce n'était pas à trente-quatre ans qu'il allait la retrouver ! « Quand on est bête, c'est pour la vie », pensais-je, amère.

Chaque matin j'attendais mon tour pour aller aux toilettes. Je verrouillais la porte et entreprenais la lecture du journal de la veille coupé en petits carrés accrochés au clou. *La Tribune du peuple* était toujours ennuyeuse. Elle parlait des « efforts productifs », de l'« échelle des progrès », du plan quinquennal qui était atteint à cent dix pour cent. En revanche, le monde occidental était au dernier stade de la décadence morale et économique. On ne pouvait faire confiance à personne, même la Yougoslavie s'était avérée être un nid d'espions et de traîtres. Néanmoins, la Pologne avait encore quelques amis puisqu'un titre annonçait qu'elle se préparait à des « rencontres amicales avec les représentants des pays frères ».

Les lettres des lecteurs étaient plus intéressantes. Plusieurs dénonçaient les pénuries. Même les petits pots contenant la bouillie à la pomme pour nourrissons avaient disparu des étalages. Le rédacteur du journal expliquait aux ignorants que ces manques étaient dus au fait que les dames un peu mûres se ruaient dessus pour conserver jeunesse et beauté, parce qu'ils étaient vitaminés. Il fallait ne pas posséder de conscience socialiste pour ôter ainsi leur pitance aux pauvres bébés ! L'article était long, j'avais réussi à le comprendre bien qu'il manquât un rectangle. C'était probablement une photo du premier secrétaire. Je soupçonnais l'oncle Roman de l'avoir choisie expressément pour se torcher. Chaque jour c'était pareil : dans la liasse des feuillets manquait la première page avec les portraits officiels.

On tambourinait à la porte. J'ai dû céder la place malgré mon envie de lire le *Kraj Rad*[1]. Les journaux étant indigestes, les journalistes, pour les rendre plus attrayants, faisaient l'effort d'aborder d'autres sujets. Le sexe prenait la vedette. Ou encore les conseils matrimoniaux. La semaine précédente, un long essai sur la vie sexuelle en Amérique était illustré de la photo d'un sein nu. Le journaliste assurait qu'une femme est physiquement programmée pour atteindre jusqu'à une douzaine d'orgasmes par nuit. Père, qui semblait en savoir long sur la question, a tout de suite affirmé qu'il s'agissait sans aucun doute d'une femme américaine :

– En ce qui concerne les femmes polonaises, et je sais de quoi je parle, elles sont capables d'avoir une charge émotionnelle plus forte en admirant une paire de chaussures. Moi, si j'étais journaliste au *Kraj Rad*, j'écrirais plutôt un article sur « L'orgasme à la polonaise ». Les Polonaises sont des êtres incompréhensibles, elles peuvent vivre sans liberté, sans viande, sans justice, sans mari, mais pas sans souliers à la mode. Je ne sais pas si Père possédait la capacité de lire dans mes pensées, mais à cette époque, oubliant tout le reste, comme j'ai pu rêver de souliers à la mode !

Dès que la date du mariage a été fixée, Czesław a montré qu'il savait jouer de ses relations. Il a emmené Père chez le tailleur du Parti où il s'est fait faire un nouveau costume sur mesure et Grand-Mère, un ensemble coupé dans la meilleure laine venant d'Angleterre. Quant à moi,

---

1. Hebdomadaire russe édité en langue polonaise sur un papier plus fin, rare à l'époque.

j'ai reçu les vêtements que sa fille Jolanta, forçant un peu trop sur le lait et la brioche, ne pouvait plus mettre. Je lui étais très reconnaissante car même ma culotte partait en lambeaux. Je l'ai montrée à Grand-Mère :

– On dirait l'étendard de l'armée napoléonienne après la Berezina !

– C'est une garantie de ta vertu. Au moins tu ne la laisseras voir à aucun garçon. Dans la vie des femmes, tout ce qui est bon est interdit soit par la morale, soit par la loi, soit par la religion. Hélas, tout le reste fait grossir...

Grand-Mère a poussé un soupir entendu.

Le matin suivant, elle m'a emmenée faire les courses. Nous avons commencé par la rue Grodzka. Sur le premier magasin, une immense pancarte représentant de joyeux maçons en train de se passer des briques couvrait la façade. La porte affichait un écriteau *Fermé pour cause d'inventaire*, mais on voyait bien qu'il n'y avait personne à l'intérieur. Rue Sławkowska, une banderole en travers de la rue annonçait un avenir radieux pour bientôt.

L'avenir serait peut-être radieux, mais le présent ne l'était pas. La boucherie, avec ses crochets vides, ressemblait à un vestiaire. Dans le magasin d'alimentation, il n'y avait rien d'autre que de la moutarde, du vinaigre et de la pâte dentifrice. Grand-Mère en a acheté dix tubes.

– Il sera très utile pour rendre sa blancheur à la cuvette des W-C, depuis un an au moins je n'ai plus vu de crème à récurer. Quant à tes dents, tu n'auras qu'à les brosser avec du bicarbonate de soude, c'est plus efficace.

Une longue queue qui ne comptait que des hommes serpentait devant un magasin de spiritueux encore fermé.

Sur Rynek[1], dans la devanture du magasin Galux aux vitres sales, se dressait un mannequin chauve auquel il manquait un bras. Il était vêtu d'une robe d'été à pois. De l'autre côté, à l'endroit où se trouvait auparavant un stand de jouets, quelques poupées aux visages abrutis voisinaient pêle-mêle avec des bonnets à pompons et des soutiens-gorge de la taille de ballons de foot. J'ai glissé sur le dallage maculé de flaques d'eau formées par la neige ramenée par les clients qui entraient, regardaient, posaient des questions et sortaient. Les plus âgés évoquaient le temps d'avant. Quatre vendeuses bavardaient entre elles en buvant du thé dans des verres à moutarde.

– Avez-vous une culotte pour mademoiselle ? a demandé Grand-Mère.

– Oui, il m'en reste une en taille 52.

– Et une combinaison ?

– Oui, taille 54.

– On ne fabrique plus que des sous-vêtements pour les gens au-dessus de cent kilos à présent ? s'est étonnée Grand-Mère. Il vous reste peut-être un collant ?

– En laine, mais si c'est pour mademoiselle, il sera trop p'tit.

– Non, pas en laine ! Je veux du nylon, ai-je dit.

– Mais voyons, il y a bien longtemps que nous avons plus rien en nylon, a-t-elle asséné comme une évidence.

– Vous avez des draps ? a demandé brusquement Grand-Mère.

– Des blancs, en gros-grain.

– Donnez-m'en deux, s'il vous plaît.

---

1. Place principale de la ville, cœur de Cracovie.

– Il en reste qu'un, le dernier, a dit la vendeuse mécontente d'être obligée de se lever.

Grand-Mère a dit dans la rue :

– On le teindra et Salawowa te coudra une jaquette pour le mariage. Allons te chercher des souliers.

– Avec des talons aiguilles ! Comme ceux de la fille de Czesław !

Malheureusement, dans le magasin rue Sienna, il n'y avait qu'un seul type de chaussures : en skaï noir. Je les ai à peine regardées. Une cliente les essayait pour chausser sa défunte mère dans son cercueil. Elle nous a dit qu'elle avait vu des chaussures blanches à talons dans le magasin Dom Towarowy, rue Sainte-Anne, sur le stand « Tout pour les jeunes mariés ».

– Allons-y, a dit Grand-Mère.

Là encore, quand nous sommes arrivées, il ne restait qu'une paire que j'ai emportée sans même l'essayer. Il était inutile d'espérer trouver mieux, il n'y avait rien d'autre, ni robe ni veste, ni chemisier ni bas, ni linge ni gants. En revanche on y vendait des bottes en caoutchouc, des cendriers et des parapluies.

– Bien utiles pour les cérémonies de mariage, a ricané Grand-Mère.

Les chaussures seraient probablement trop petites. « Après tout, le skaï, ça se détend », me suis-je consolée.

Au moment de payer, la vendeuse a demandé :

– Avez-vous le certificat ?

– Quel certificat ?

– Du bureau de l'état civil, voyons !

– Pour quoi faire ?

Grand-Mère était parfois lente à comprendre.

– Mais le certificat prouvant que mademoiselle va convoler. Nous ne vendons qu'aux jeunes mariés. Vous n'avez pas vu l'enseigne ?

Grand-Mère perdait patience :

– Et ne faut-il pas par hasard un acte de décès pour s'habiller en noir ?

– Comme les gens sont devenus agressifs ! s'est exclamée la vendeuse en prenant ses collègues à témoin.

– Assez, a dit Grand-Mère dans la rue. Allons voir ce qu'Elżbieta a réussi à se procurer pour déjeuner.

À la maison, nous avons trouvé Elżbieta en pleurs. Elle avait traversé Cracovie en long et en large à la recherche de farine, de sucre, de beurre.

– Il n'y avait même pas de carottes, ni de choux-fleurs, comment je vais faire une soupe ? se lamentait-elle.

J'ai coupé deux tranches de pain, je les ai tartinées de saindoux.

– Comme j'aimerais, avant de mourir, avoir un de ces interminables dîners français où l'on parle de nourriture avec science et volupté, a soupiré Grand-Mère.

En avalant ma tranche de pain au saindoux je me jurai que jamais, au grand jamais, cet ingrédient ne figurerait à mon menu plus tard, lorsque je réussirais enfin à quitter ce pays qui nous avait réduits à cette triste pitance. Car dans ma tête, l'idée de partir coûte que coûte germait chaque fois que Grand-Mère racontait sa vie d'avant.

Un jour ou l'autre, je trouverais la faille dans ce régime prison et je m'enfuirais.

Dans l'après-midi, le concierge Marek nous a prévenus qu'il y avait eu une livraison de harengs dans les *Delicatessy* de la rue Szewska. Chose étonnante, car depuis quelque temps, ce poisson de la Baltique était devenu extrêmement rare.

– Cela ne vous étonne pas que Marek soit toujours au courant des choses avant les autres ? a dit Roman.

– C'est son rôle de concierge, qu'est-ce que tu vas chercher là ? C'est gentil de sa part nous signaler des denrées aussi rares, l'a grondé Grand-Mère. Quand je pense qu'il n'y a pas très longtemps, le hareng était qualifié de nourriture pour les pauvres...

– Vous ne vous êtes jamais demandé pourquoi un pays qui depuis mille ans n'a jamais connu la famine, même pendant la plus cruelle des guerres, manque de tout aujourd'hui ? s'énervait Roman que personne n'écoutait. Un jour, par le plus grand des mystères, la moutarde disparaît de tous les magasins. Un autre, c'est la farine et le sucre. Un autre encore, le vinaigre ou le sel sont introuvables, tandis que la récolte de chicorée s'avère exceptionnelle !

– Ne perdez pas de temps, allez-y tous les deux, nous a pressés Grand-Mère.

La queue n'était pas très longue, une cinquantaine de personnes. Les harengs baignaient dans la saumure.

– Donnez-nous-en deux kilos, a demandé Roman quand notre tour est arrivé.

– C'est à l'unité. Deux poissons par client.

– Alors nous en prendrons quatre, a indiqué Roman en me montrant du doigt.

La vendeuse a sorti les poissons du tonneau et, les tenant par la queue, les a tendus à Roman.

Une grimace de dégoût est apparue sur le visage de mon oncle.

– Enveloppez-les d'abord dans du papier !

– Nous en avons plus. On n'a pas été livrés.

– Donnez-moi le livre de réclamations, s'il vous plaît.

La vendeuse, mécontente, lui a passé un livre crasseux, au dos usé. Roman en a arraché plusieurs pages puis en a enveloppé les harengs avant de payer et de sortir dignement du magasin.

À la maison, la cérémonie de mariage de tante Jadwiga était au centre des conversations. Le matin du 5 mars, je trépignais d'impatience, aussi je suis entrée très tôt dans sa chambre. Jadwiga approchait son visage du miroir et scrutait ses rides avec une attention particulière. Le fait de ne pas en trouver ne changeait rien à son air soupçonneux. Elle a souri à son image dans la glace, a examiné ses dents et plissé les yeux :

– À trente-deux ans, ça commence par des pattes-d'oie autour des yeux, puis viennent les plis entre le nez et la bouche, tu verras…

Je l'ai regardée avec admiration. Comme j'aurais aimé avoir son visage ! Ses cheveux bruns, ses yeux verts, ses longs cils !

Avec mes dents de lapin, mon nez retroussé, mes taches de rousseur, je savais que je ne serais jamais une beauté. J'étais trop petite, je n'avais pas de poitrine, mes cheveux n'étaient ni vraiment blonds ni vraiment châtains. Non, je ne lui ressemblerais jamais, je n'aurais jamais cette allure distinguée. Et même si dans le visage infiniment délicat de

Jadwiga je surprenais parfois quelque chose de dur, vite dissimulé sous un trait d'ironie, cela me peinait.

Ma tante a encore examiné son front, puis ses cheveux, mèche par mèche, sans en découvrir de blancs.

– Il faut éviter de trop rire, a-t-elle poursuivi. Quand tu ris, les rides se creusent davantage. D'ailleurs, il n'y a pas de quoi rire dans cette foutue vie, tu le vois bien.

Elle s'est remis un peu de rouge à lèvres et a enfilé sa nouvelle robe, cadeau de Czesław. La robe était un peu trop légère pour la saison, mais lui allait à merveille.

– Pourvu qu'il ne neige pas cet après-midi, a-t-elle dit en regardant par la fenêtre.

Roman nous a appelées de la chambre voisine :

– Hey ! les filles, venez vite !

De la radio posée sur la table de nuit émanaient des bruits parasites à vous trouer les tympans. On distinguait à peine la voix du speaker : « Vous écoutez une émission en polonais de Radio Wolna Europa[1]. »

Roman tournait le bouton, l'oreille collée au poste :

– Penser que même pendant la guerre, on arrivait à capter en secret les ondes de la BBC. Depuis l'entrée des Soviétiques en Pologne, voilà ce qu'on a !

– Alors, laisse tomber ! dit sa sœur. Tu sais bien que suivre des émissions de l'étranger entraîne des poursuites judiciaires.

– Tsst, écoute ! Il a fini par claquer ! Tu entends ? Il a crevé ! Pour de bon ! Je suis si heureux ! Si heureux ! Où est maman ? Elle devrait déjà être là !

---

1. C'est-à-dire Radio Free Europe.

Grand-Mère est arrivée juste à ce moment-là avec ses cabas :

– Que se passe-t-il ?

– Fermez la porte, maman, a ordonné Jadwiga. Roman l'a entendu à la BBC : il n'est pas malade, il est mort. Vraiment mort.

– Enfin, a dit Grand-Mère.

Roman a répété en boucle :

– Je suis si heureux, si heureux, puis il a pris sa mère dans ses bras et l'a entraînée dans une valse joyeuse.

Je me suis précipitée en courant vers la rue Copernic, je voulais être la première à partager cette grande nouvelle avec Père. Étrangement, il n'y avait personne à la porte de l'hôpital, pas plus le réceptionniste que l'habituel gardien. Je suis passée par le couloir désert. Derrière les portes on entendait des gémissements, des cris et les supplications des malades qui appelaient en vain au secours.

J'ai vu un attroupement devant le cabinet de mon père et j'ai senti mon cœur battre la chamade. Depuis quelque temps Père prenait souvent son pouls et se plaignait du cœur. « Pourvu qu'il ne lui soit rien arrivé ! »

Enfin je l'ai aperçu, au milieu de ses collègues, j'ai été soulagée. Il entourait le portrait de Staline d'un voile de crêpe noir, son cabinet était transformé en chapelle ardente. Je me suis approchée, personne ne faisait attention à moi. Une jeune anesthésiste a dit avec fierté que c'était elle qui avait offert ce tissu noir, son mari le lui avait rapporté de l'étranger pour qu'elle s'en fasse une robe pour le bal de la Saint-Sylvestre.

Quelqu'un a cherché à la hâte des allumettes, quelqu'un d'autre a allumé des cierges, certaines ont commencé à écrire des mots au défunt. On déposait déjà des fleurs. Les infirmières et les filles de salle pleuraient. La réceptionniste dit à travers ses larmes :

– Qu'allons-nous devenir ? Mon Dieu, qu'allons-nous devenir sans Lui ?

Une femme de ménage a articulé entre deux sanglots :

– C'est comme si j'avais perdu mon père. Si même de tels géants meurent, alors qu'espérer pour nous, simples mortels ?

– Et ils ont publié son analyse d'urine comme si c'était l'un de nous ! s'est indignée l'infirmière en chef. Et tous ces maudits malades, ils n'ont même pas la décence de se taire un jour pareil !

Étant donné les circonstances, le mariage de Jadwiga et Czesław n'a pas eu lieu le samedi suivant. Nous n'avons même pas pu fixer une date ultérieure.

– Même quand la période de deuil sera levée, s'est excusé Czesław, dans ma position il serait indécent de fêter quoi que ce soit alors que la Nation vient de perdre son père.

J'ai observé le visage de Jadwiga. J'y ai détecté une inquiétude mêlée de soulagement devant ce nouvel obstacle. « Encore un instant, monsieur le bourreau », semblait-il dire.

Toute la journée, la radio n'a cessé de diffuser de la musique funèbre. Les gens dans la rue pleuraient ou faisaient semblant. Grand-Mère a dit qu'un jour pareil, ça se fêtait, et elle a proposé d'aller au restaurant. Entre femmes puisque Roman n'était toujours pas habillé. J'ai passé en revue les restaurants que Père fréquentait, aucun n'était du goût de Grand-Mère.

– Et si nous allions dans un restaurant juif ? a proposé Jadwiga. Il paraît qu'il y en a un rue Sławkowska, Czesław m'en a parlé.

J'ai pensé : «Encore de la carpe farcie.» Mais je n'ai rien dit pour ne pas altérer la bonne humeur de ma grand-mère et de ma tante. Une sortie, quelle qu'elle soit, était un événement suffisamment rare pour ne pas être gâché.

– On pourra trinquer à la bonne nouvelle avec de la *slivovitz*. Ce sera plus discret que le champagne, a tranché Grand-Mère.

Nous avons parcouru la rue Sławkowska en long et en large mais à part quelques modestes cafés, aucun restaurant. Jadwiga a arrêté un passant qui sortait un chien tout pelé.

– Excusez-moi, monsieur. Y a-t-il un restaurant juif par ici ?

– Pourquoi ? Vous êtes youpines ? a demandé l'homme nous toisant. Vous n'en avez pourtant pas l'air.

– Rentrons, a dit sèchement Grand-Mère, il m'a coupé l'appétit. Nous trouverons bien une bouteille de champagne parmi toutes les boissons de ton père.

J'ai rapidement déniché la bouteille dissimulée derrière un manteau. Sur l'étiquette il y avait une inscription en lettres cyrilliques : *champanskoïe*. Grand-Mère a verrouillé la porte. Roman a ôté le papier d'argent entourant le bouchon, dévissé la protection en métal, soulevé le bouchon en plastique blanc qui a sauté comme une fusée laissant jaillir un liquide jaune sur le tapis. Il l'a versé dans des verres évasés.

– Tfff, c'est dégueulasse, a-t-il dit.

Le goût m'a rappelé l'orangeade : tiède, sucré et avec des bulles.

– Tel défunt, tel toast, a éructé Grand-Mère.

Pour moi, c'étaient de beaux jours : les cours avaient été annulés pour respecter la période de deuil national. Au bout d'une semaine, les esprits se sont un peu calmés en ville mais pas au lycée où notre professeur de biologie, Mlle Polony, est apparue en grand deuil, des pieds jusqu'à ses cheveux fadasses cachés par un foulard noir noué sous le menton.

Pendant la récréation, j'ai voulu, comme d'habitude, faire rire la classe. Montée sur l'estrade j'ai lu la première phrase de la dissertation : «Que ressens-tu après la mort du camarade Staline ?»

– Après la mort du camarade Staline je ressens la même chose que la nation polonaise tout entière.

Incitée par l'éclat de rire de la classe et quelques applaudissements, j'ai annoncé :

– Et maintenant, écoutez une oraison funèbre écrite pour la circonstance par la grande poétesse Bashia... pardon Barbara Karolina Zborawska, élève du lycée de Cracovie rebaptisé lycée Molotov au lendemain du décès de la Lumière des Prolétaires...

Puis, en faisant une profonde révérence, j'ai ajouté :

– ... dont nous embrassons le culte, bien sûr.

*Petit Père des peuples, ô grand tsar, ô doux guide*
*Icône bienfaisante dont jamais une ride*
*Ne vient plisser le doux regard si bienveillant*
*Tu insuffles en nous, grâce à ton cœur vaillant*
*Le goût du bon travail, de la belle besogne*

*Tu es l'astre brillant qui conduit la Pologne,*
*Et ton œil paternel nous rappelle au devoir*
*De l'usine au bureau, du labour au pressoir.*

J'ai fermé les yeux et continué à réciter avec emphase, encouragée par le silence de la classe :

*Puisses-tu caresser de ta main pateline*
*Les belles filles de toutes nations*
*Et nous faire de beaux rejetons*
*Qui continueront dans la même ligne*
*À honorer ta moustache et ton menton.*

Soudain une gifle retentissante a claqué sur ma joue.

– Comment oses-tu ? s'est écriée Mlle Polony. Staline t'a tout donné ! Ton enfance heureuse, ta patrie libre, la possibilité d'étudier !

J'ai baissé la tête et regardé mes pieds avec intensité comme si je ne les avais jamais vus auparavant. En parodiant des poèmes parus dans les journaux, je ne pensais pas aller trop loin.

– J'attends ton autocritique ! a hurlé le professeur.

Le directeur, alerté par le cri strident de Mlle Polony, a passé la tête par la porte.

– Regardez, monsieur le directeur ! C'est une honte d'écrire des vers aussi odieux sur celui qui nous a libérés.

Mlle Polony m'a arraché les feuilles des mains.

– Cela ne m'étonne pas, a coupé sèchement le directeur. Elle appartient à une famille qui exploitait les paysans avant la guerre.

La situation a pris un tour encore plus mauvais dans

l'après-midi quand Mlle Polony est allée aux toilettes réservées aux professeurs et en est ressortie aussi blême que si elle avait vu le diable en personne. Attrapant une éponge, elle y est retournée en courant suivie par toute la classe. Avant qu'elle ait pu refermer la porte, les élèves ont pu apercevoir un graffiti sur le mur du cabinet :

*Chie si tu veux sur le cercueil de Lénine*
*Chie si tu veux sur le cercueil de Staline*
*Chie sur ce gouvernement de merde*
*Tu n'as rien à perdre.*
*Mais ne chie pas sur cette planche !*

— C'est sûrement l'œuvre de cette Zborawska, a crié Mlle Polony avec haine. Cette fois-ci, elle a vraiment dépassé les bornes, c'est elle ou moi dans cet établissement !

Avant même que j'aie eu le temps de dire que je n'y étais pour rien, le directeur a pointé son doigt vers moi :

— Zborawska, dis à ton père de venir me voir et ne te montre pas en classe avant.

C'était ce que je redoutais le plus. Le Paternel, joyeux ivrogne que j'adorais, se trouvait juste en pleine soûlographie. Pendant qu'il cuvait sa vodka, il fallait marcher sur la pointe des pieds et parler tout doucement. Après la phase ascendante, arrivait toujours la dépression post-éthylique et j'ai dû patienter encore. Des litres de café ou des seaux d'eau n'auraient pas eu d'effet.

Le seul qui soit venu me rendre visite était Piotr Weisman. Il m'a apporté les devoirs à faire et a tenté de me consoler :

— Ne t'en fais pas. Notre directeur, c'est un brave type au fond. Je vais te raconter quelque chose en secret. Tu

45

sais, mon petit frère Szymon[1] qui est en cinquième, il a fait le pitre et, en jouant aux fléchettes, il a crevé les yeux de Staline. Le directeur a convoqué mon père et ma mère. « Si l'affaire vient à se savoir, a-t-il dit à mon père, ça ne sera plus du ressort du ministère de l'Éducation nationale, mais de la Procurature. Et non seulement vous n'aurez plus l'Académie des beaux-arts où donner vos cours de peinture, mais moi, je n'aurai plus aucune école à diriger. – Que faire ? » a demandé papa. Le directeur a réfléchi un instant : « Écoutez, quand les grandes huiles de Varsovie viendront, la seule solution pour que ni vous ni moi ne soyons arrêtés c'est que Szymon joue au débile. Sans quoi nous sommes perdus. » Et il lui a montré comment Szymon devait se comporter avec les messieurs de la Commission, comment il devait répondre aux questions.

Piotr a alors ouvert la bouche, sa langue pendait sur le côté jusqu'à ce que la bave coule sur son menton. J'ai pouffé de rire. Il était encore plus laid mais irrésistiblement drôle.

Néanmoins, Piotr avait raison. Pour nous aussi, le directeur s'est montré plus arrangeant que je ne l'aurais cru. Comme Père était toujours en état d'apesanteur, je me suis résignée à demander à Grand-Mère d'y aller à sa place. Je n'aimais pas beaucoup qu'elle se montre à mon lycée, car j'entendais toujours des rires moqueurs derrière son dos à cause de son accoutrement. J'avais beau la dissuader, elle continuait à se coiffer d'un turban à la mode des années trente ce qui lui donnait l'air d'un vieux pacha turc. Cette

---

1. Prononcer : Shymone.

fois-ci, je n'avais pas le choix, le temps pressait, il fallait excuser Père souffrant « d'une indisposition passagère ».

– Quel est votre statut exact, madame ? a demandé le directeur.

– Que voulez-vous dire ?

– Je suis navré de vous apprendre que votre petite-fille a une nette tendance au mensonge et à la mystification. Voulez-vous un exemple ? Pour chaque enquête, à la rubrique : origines sociales, vous figurez sous une qualification différente. Tantôt vous appartenez à l'« intelligentsia laborieuse », tantôt vous êtes « travailleuse de la Culture » ! J'ai lu une fois « corrigeuse » et même « coupeuse ».

Grand-Mère m'a défendue :

– Pourquoi voulez-vous qu'elle répète comme un perroquet tout le temps la même chose ? C'est lassant à la fin !

Je n'étais toujours pas sortie d'affaire et malgré les tentatives de Piotr pour me rassurer, je paniquais à l'idée de redoubler l'année. Pourtant, encore une fois, la réputation de mon père a fait des miracles.

Le dimanche suivant, alors que nous nous préparions pour aller à la messe, un coup de sonnette a retenti. Assise devant la fenêtre, Elżbieta raccommodait une chaussette. Je suis allée ouvrir sans trop me presser pour que Roman ait le temps de se cacher. J'ai failli m'évanouir : c'était notre directeur.

– Quand ce n'est pas Mahomet qui vient à la montagne, c'est la montagne qui vient à Mahomet, a-t-il dit.

Père s'est montré immédiatement aussi hospitalier qu'il le fallait, il a accueilli le directeur avec du cognac soviétique et du thé au cas où il aimerait, pour sauver les apparences, mettre l'un dans l'autre.

– Depuis le début de l'année je tente d'obtenir un rendez-vous avec le célèbre chirurgien… J'ai un petit problème de…

Le directeur s'est penché vers l'oreille de Père.

– Pour vous, il y aura toujours de la place, l'a rassuré celui-ci.

– Merci, merci beaucoup, car il paraît que pour se faire opérer chez vous sans attendre des années, il faut être un accidenté de la route.

J'ai obtenu l'autorisation de retourner en classe le lendemain.

Grand-Mère m'a consolée après l'épisode des brimades au lycée :

– Ne t'en fais pas, l'intelligence ne se résume pas aux bons résultats scolaires. Je m'inquiéterais si tu ne savais pas développer ton esprit critique. Mais il faut que tu choisisses mieux tes lectures. Tu dois apprendre les langues étrangères et pouvoir lire un texte dans son édition originale. Maintenant, même les classiques sont falsifiés et les auteurs qu'on édite, ce sont essentiellement des sympathisants du communisme.

Je me méfiais de tels sermons. Mes sens se sont immédiatement mis en alerte et je me suis demandé ce qu'elle allait encore inventer. J'avais raison. Le lendemain, en rentrant du lycée, j'ai trouvé dans le salon un chauve qui buvait du thé avec elle. Grand-Mère tenait entre les mains la jolie tasse aux papillons en porcelaine de Herend, sa tasse préférée, miraculeusement sauvée de tous les naufrages. Pour rien au monde, elle n'aurait bu son thé dans un verre, comme cela se faisait communément en Pologne. Cette tasse était probablement le dernier vestige d'un raffinement, inconnu ou futile pour les autres, ridiculement essentiel pour elle.

Le chauve compensait le manque de pilosité de son crâne par une barbe et je détestais les barbus. D'après moi, ils ont mauvaise haleine et probablement quelque chose à dissimuler.

– Bashia, je te présente *pan* Ptak, qui a travaillé dans notre maison d'édition et a été renvoyé ; il cherche à donner des leçons particulières de français.

– Discrètement bien sûr, s'est empressé de dire le barbu.

– Il faut chercher à élever son esprit au-dessus des considérations ordinaires. Pour cela, rien de tel que de parler des langues étrangères, n'est-ce pas *panie* Ptak ?

– Oui, oui. Nous, les Polonais, nous devons connaître plusieurs langues, celles de nos ennemis et celles de nos amis.

Sans perdre de temps, Grand-Mère nous a installés dans la salle à manger. Le barbu est entré immédiatement dans le vif du sujet et m'a proposé de répéter après lui plusieurs fois de suite : « *Contre nous de la tyrannie, l'étendard sanglant est levé.* » J'ai trouvé cela très amusant, je répétais comme un perroquet : « *Aux armes, citoyens…* » Grand-Mère est revenue juste à ce moment-là avec des tartines à la confiture de rhubarbe.

– Je pense que nous pouvons en rester là !

– Ah bon, mais les enfants apprennent plus vite les langues étrangères en chantant…

– Pas cette sorte de chant !

M. Ptak ignorait qu'on ne pouvait pas parler devant Grand-Mère de la Révolution française sans qu'elle s'emporte. Elle aimait Marie-Antoinette et versait des larmes quand elle évoquait sa mort. Elle voulait que j'apprenne Musset, Vigny, Lamartine. Elle me récitait des Fables de La Fontaine. Elle en connaissait une vingtaine.

Aucun des professeurs de français qui se sont présentés chez nous par la suite n'a voulu suivre sa méthode. Et Grand-Mère s'est vite rendu compte qu'il serait difficile d'en trouver un, même en n'étant pas très regardante sur sa pédagogie. Les personnes parlant des langues étrangères commençaient à être accusées de cosmopolitisme et n'allaient pas risquer leur tête en donnant des cours particuliers.

Un dimanche matin, une nouvelle dispute a éclaté entre Père et l'oncle Roman. Père a reproché une fois de plus à son frère de ne pas travailler alors que lui-même cumulait trois postes.

– Oui, le jour je suis chirurgien à la clinique Copernic, je tiens une permanence le soir dans un dispensaire et quand je peux, un travail de nuit auprès de la Milice dans ses rondes pour ramasser les malheureux ivrognes tombés dans les rues, alors que toi...

– Quand tu n'es pas soûl toi-même et que tu ne te fais pas ramasser par un de tes collègues !

– Viens Bashia, allons déjeuner ailleurs. L'atmosphère de la maison devient irrespirable avec cet imbécile.

Et Père a claqué la porte.

Il marchait si vite que j'ai été obligée de courir derrière

lui malgré le verglas. Nous sommes entrés au restaurant L'Ermitage, rue Karmelicka.

Une serveuse fumait, assise derrière le buffet, une autre faisait des mots croisés dans la revue *Kraj Rad*. Un groupe bruyant de provinciaux réclamait son plat visiblement depuis un certain temps et un client lisait la *Gazeta Krakowska* à une table face à la fenêtre.

« Deux fois cent[1] ! » a crié Père dès la porte avant même de laisser son manteau au vestiaire obligatoire. À cette heure-ci de la journée la vente d'alcool était interdite mais visiblement Père était connu dans l'établissement, et même assez populaire, car la serveuse, un sourire compréhensif aux lèvres, a apporté de la vodka dans des tasses à café. Père a bu d'un trait les deux tasses.

« Merci ma mignonne, merci », et il lui a embrassé la main. Mais je voyais bien que ma présence l'empêchait de lui caresser autre chose. J'ai pensé qu'avec ses cheveux roux ondulés et soyeux elle ressemblait à un cocker. L'autre serveuse, la brune, est venue saluer Père aussi. Laquelle était sa nouvelle conquête ? Il avait toujours une parole aimable à l'adresse des femmes, un sourire désarmant, un pourboire généreux. Même soûl, il était courtois et attentionné. Ces bécasses en redemandaient. Mais moi, je détestais ces femmes qui lui faisaient les yeux doux. Pourtant il appartenait à cette race d'hommes qui ne cherchent nullement à séduire. Des partisans du moindre effort, en somme. Les femmes se laissaient prendre à son air désarmant, même les beaucoup plus jeunes avaient

---

1. La mesure de la vodka dans les restaurants polonais s'exprime en grammes. Cent = un centigramme.

toujours envie de s'occuper de lui, de le materner, de le remettre sur le droit chemin comme si elles se disaient : « Il a été malheureux jusqu'à présent, avec moi, il changera. »

– Un café pour moi, a dit le bonhomme assis près de la fenêtre.

– Un café ? s'est étonnée la serveuse. Voyons, il n'y en a pas depuis des semaines.

Père s'est tourné vers l'homme et s'est écrié :

– Ça alors, Radziwillowicz ! Toi aussi tu habites Cracovie maintenant ?

Puis il a fait les présentations :

– Bashia, ma fille chérie, le docteur Radziwillowicz, un vieil ami de Lvov.

J'ai tendu la main en pliant légèrement le genou droit, comme il était d'usage. Le docteur Radziwillowicz a tenu si longtemps ma main dans la sienne que j'ai rougi.

– Quel âge avez-vous mademoiselle ?

– Seize ans et demi.

– Je m'en souviens comme si c'était hier !

Il a enfin lâché ma main et s'est mis à donner des tapes dans le dos de Père :

– Veinard, va !

Père a immédiatement commandé d'autres « cafés ». En quelques minutes, il a oublié ma présence, oublié notre déjeuner. Je me suis sentie inutile. Une fois de plus. Ils n'ont rien remarqué lorsque je suis sortie.

Cette nuit-là, Père n'est pas rentré à la maison. Ni la nuit suivante.

Grand-Mère était inquiète :

– Pourvu qu'il ne termine pas une fois de plus au dessoûloir.

Je connaissais bien cette institution appelée pompeusement La Maison de Sobriété. Elle était un maillon de cet ordre qui régnait dans la ville et dont les journaux parlaient avec fierté. Des infirmiers costauds sillonnaient les rues la nuit dans une ambulance et raflaient les ivrognes allongés. Là, lavés, couchés dans les draps amidonnés, ils revenaient à eux. Cet endroit était facturé comme le plus luxueux des hôtels et si jamais le client ne pouvait pas payer dans l'immédiat, la facture était envoyée sur son lieu de travail et une copie à sa famille. À la maison, je voyais parfois jusqu'à trois notes par mois pour Père.

Il est rentré le troisième jour et s'est fendu de mille excuses. Il avait passé, en effet, ces deux nuits à La Maison de Sobriété mais « uniquement pour tenir compagnie à son ami », a-t-il dit. Il nous a expliqué que c'était naturel, que le docteur Radziwillowicz et lui ne s'étaient pas vus depuis leur départ de Lvov et qu'ils étaient donc restés à bavarder jusqu'à la fermeture du restaurant. Puis, alors qu'ils traversaient la rue Podwale bras dessus bras dessous en chantant *Podmoskovskoïe viètchièra*[1], une ambulance les avait ramassés. Le docteur Radziwillowicz était un peu en sang à force de se cogner contre les lampadaires, mais l'agent n'avait pas voulu entendre ses explications sur la raison de cette célébration et il les avait emmenés au poste.

– Je n'ai pas pu vous prévenir, là-bas, les fenêtres sont grillagées et la porte fermée à clé. Le pire, c'est qu'on n'a même pas pu continuer de fêter nos retrouvailles, il n'y avait strictement rien à boire. Mais je nous ai arrangé une petite semaine de vacances. Aux frais de notre patrie socialiste !

---

1. Chanson populaire russe : *Les Soirées de Moscou.*

Ce docteur Radziwillowicz que je ne connaissais pas et qui, manifestement, avait assisté à ma naissance, était à présent médecin au sanatorium de Zakopane, une ville située à cent kilomètres de Cracovie. Et c'est dans cette petite station de sports d'hiver des Tatras que nous avons passé les vacances de Pâques 1953.

Après deux heures de route, le car nous a déposés, Grand-Mère, Père, Elżbieta et moi devant un édifice étrange – mi-chalet mi-château – construit dans les années trente par un architecte loufoque qui l'avait doté de tours carrées, de corridors et d'entresols à s'y perdre. Cet établissement offrait un luxe rare : une chambre individuelle pour chacun de nous. Il y avait une longue terrasse où l'infirmière a installé Elżbieta sur une chaise longue, emmitouflée dans des couvertures. Assise au soleil d'avril, Elżbieta fixait les montagnes en face et répétait : « Mon Dieu, mon Dieu, mon Dieu. »

Visiblement, c'est la sublime beauté des Tatras qui lui avait fait invoquer le nom du Créateur car depuis notre départ de Lvov, nous ne l'avions pas entendue l'évoquer une seule fois. Elle avait même cessé d'aller à l'église. Simplement, pour différencier le dimanche des autres jours de la semaine, Elżbieta ajoutait à sa robe un col blanc amidonné qu'elle fermait par un lien. Aux reproches de Grand-Mère, elle répondait que jamais elle ne pardonnerait à Dieu l'occupation soviétique, la déportation en Sibérie de Monsieur, les camps de concentration, la ruine de sa patronne. L'argument de Grand-Mère que Dieu n'avait pas grand-chose à voir là-dedans ne l'avait pas convaincue.

À Zakopane, elle avalait sans ciller des sulfamides et des vitamines, dégustait des jus de carotte, du lait de brebis et savourait le plaisir de se faire servir, pour la première fois de sa vie. Les serveuses étaient jeunes et avenantes, quoique pressées. Elles posaient sur la table la soupe, les crudités, le plat en même temps que le dessert, invariablement composé de pommes : une *charlotka* aux pommes, une compote de pommes, une pomme au four, une gelée de pommes appelée *kisiel* que je délaissais mais dont la nounou reprenait plusieurs fois « pour ne pas gaspiller ».

La table voisine était occupée par une femme à la chevelure rouge et aux chaleureuses rondeurs, qui fumait des cigarettes en soufflant la fumée par la bouche et les narines en alternance. Père lui a fait un compliment sur sa bonne mine – la maigreur en Pologne est synonyme de maladie, l'embonpoint de bonne santé. Rapidement, ils se sont trouvé des amis communs, le hasard ayant voulu que la dame ait fait ses études de médecine à Lvov également. Elle était phtisiologue en convalescence à cause d'une maladie féminine. Le reste du séjour, Père a pris les repas à sa table. Il s'absentait souvent pendant les déjeuners sous prétexte de passer un coup de fil. Je le voyais à travers la vitre, traverser la rue au galop, entrer dans un troquet, vider d'un seul trait un verre de vodka au bar et revenir à sa table lui tenir compagnie.

Je lui ai rappelé sa promesse :

– Je croyais qu'on devait passer nos vacances ensemble.

En voyant ma mine chagrinée, Père m'a embrassée sur le front :

– La légèreté, voilà le secret de l'existence. Tu prends tout trop à cœur.

Peut-être, mais comment faire quand tant de choses vous font mal ?

Pendant ce temps, Grand-Mère corrigeait pour la troisième fois les épreuves d'un ouvrage de Mrożek, son auteur préféré. À la fin, n'y tenant plus, elle a appelé *pan* Zeller, le directeur de sa maison d'édition.

– Mais vous lui avez complètement mutilé sa pièce ! Vous avez enlevé tout ce qu'il y avait de drôle.

– Vous savez aussi bien que moi, *pani* Zborawska, qu'on peut dissimuler une infinité de choses sous couvert d'humour.

– C'est une comédie ! Par quoi voulez-vous qu'on remplace l'humour s'il n'y a plus rien dans ce pays qu'un auteur puisse vilipender ?

– Comment rien, *pani* Zborawska ? Il peut se moquer de la paresse des Polonais, d'Adenauer, du gouvernement à Londres... Les thèmes ne manquent pas quand on a du talent.

Pour passer le temps, je suis allée à la patinoire en plein air. Une fille accomplissait des figures compliquées sur ses patins. J'ai immédiatement reconnu Iwonka Douda, une camarade du lycée. Je ne la connaissais pas très bien, elle n'avait rejoint notre classe qu'au milieu de l'année scolaire et avait aussitôt conquis tous ceux qui l'approchaient. Elle possédait cette particularité d'attirer toujours l'attention. Sur la patinoire pourtant bondée, on ne voyait qu'elle. Ses collants en nylon et surtout ses bottines blanches à lacets avec patins incorporés suscitaient l'envie – moi-même j'en rêvais depuis des années. Avec mes patins accrochés à mes vieilles godasses, je me suis sentie gauche et misérable. Mais elle s'est approchée de moi, m'a prise par la main et m'a entraînée au centre de la piste où nous nous sommes

mises à virevolter ensemble au milieu des enfants qui tré-
buchaient, glissaient, tombaient dans les bras les uns des
autres. Elle était svelte, longue, immatérielle et faisait des
figures avec l'allure d'une acrobate. J'ai eu du mal à la
suivre.

Sa jupette courte a laissé bouche bée les prudes ména-
gères qui, sortant de l'église, s'étaient arrêtées pour regarder les patineurs. Soudain, parmi d'autres badauds appuyés
à la balustrade, j'ai aperçu Père, le regard fixé sur Iwonka.
Il l'applaudissait et, par déformation professionnelle probablement, ne pouvait détacher les yeux de ses fesses.

— Tu t'es fait une nouvelle amie ces jours-ci ? a-t-il dit
le soir. Je suis très content, j'avais peur que tu ne sois pas
très sociable. J'aimerais tant te voir sourire.

Il y avait une véritable affection dans sa voix et je me
suis sentie obligée de lui répondre par un demi-sourire.

— Voilà, tu es si jolie comme ça.

J'ai immédiatement pensé : « Il le dit parce qu'il
m'aime ou pour me consoler ? »

Père déployait ces flatteries comme si j'étais une jument
de course supposée décrocher le premier prix. C'était
tout juste s'il ne me donnait pas une tape sur la croupe.

— Tu es vraiment trop sérieuse pour une fille de quinze
ans, Bashia.

— Papa, je vais en avoir bientôt dix-sept !

— Ne te vieillis pas. Je te signale que j'ai assisté à ta
naissance.

Est-ce que tous les pères refusent de voir leurs filles
grandir ? Le mien me donnait souvent envie de claquer la
porte, mais on n'a qu'un père.

De retour à Cracovie, Iwonka et moi étions inséparables. Tous les jours, à la sortie du lycée, elle mettait son bras autour de mes épaules et moi le mien autour de sa taille et nous rentrions en faisant un détour par les Planty[1]. Iwonka aimait s'arrêter dans les pâtisseries et déguster une *napoléonka*[2] ou un baba au rhum qu'elle partageait avec moi. En effet, chaque gâteau coûtait deux zlotys et je n'avais pas d'argent de poche. Je n'aurais jamais osé en demander à Grand-Mère, quant à Père, je déclarais forfait d'office. Que lui restait-il après la tournée des bars ?

Iwonka cherchait toujours à me faire plaisir. Elle m'offrait tantôt un crayon d'une marque tchèque, tantôt une gomme, tantôt une paire de bas en nylon. Chaque fois les bas étaient lavés, bien que neufs. Pour n'être pas grondée par ses parents, elle avait dû faire croire qu'ils étaient usés et qu'elle n'en voulait plus. Elle possédait beaucoup

---

1. Les Planty : large promenade de verdure ceinturant la vieille ville de Cracovie sur le tracé des anciens remparts.

2. Gâteau qui ressemble à un millefeuille, seulement la crème pâtissière est de couleur rose et dont, paraît-il, Napoléon raffolait.

de beaux vêtements que son père lui apportait de l'étranger mais elle portait la même chasuble bleu marine à col blanc que les autres élèves. Pourtant, sur elle, cet uniforme que toutes les autres filles détestaient devenait une tenue chic et seyante.

À l'âge où certaines filles étaient déjà formées tandis que les autres restaient maigrichonnes comme moi, Iwonka était pourvue de rondeurs et de grâce. Je n'étais pas la seule à tenter d'imiter ses gestes, sa coiffure, sa façon de se mouvoir ou de parler. Je me suis coupé la frange sur le front comme elle et j'ai pris l'habitude de laisser mes cheveux sur mes épaules. Mais ses cheveux à elle me faisaient penser au miel. Ses grands yeux marron exprimaient toujours comme un émerveillement et sa façon de regarder, les sourcils relevés, était unique. Ses lèvres, qu'elle avait bien ourlées, et ses deux fossettes rendaient les garçons fous.

J'ai rapidement remarqué qu'elle était différente avec chacun. Capricieuse avec les garçons qui lui faisaient la cour, sérieuse à l'école, obéissante et respectueuse avec ses professeurs. Ma naïveté m'empêchait de comprendre la différence entre ce qu'Iwonka paraissait et ce qu'elle était vraiment. Alors que, sans doute, son esprit calculateur cherchait déjà en quoi je lui serais utile, le mien était subjugué, éperdu de gratitude d'avoir été élue comme amie.

Elle savait aussi fort bien choisir ses mots quand elle parlait, tout paraissait beau vu à travers ses yeux : l'hiver parce que la neige couvrait tout de blanc et cachait la laideur, le printemps parce que l'univers s'éveillait, l'été parce que sa peau se hâlait rapidement au soleil et prenait une couleur abricot. Elle était la seule à ne pas rouspéter à la cantine où il n'y avait jamais de viande, disant que de toute façon elle préférait les légumes. Et moi, j'admirais bêtement son caractère conciliant et avenant.

Cette amitié me rendait heureuse. Iwonka aimait rire et tout était prétexte. J'adorais la regarder fermer les yeux quand elle riait. J'avais un don d'imitation et je singeais les professeurs. Je dessinais des caricatures ; Iwonka les appréciait tant qu'elle en avait tapissé le mur au-dessus de son lit. Elle habitait un grand appartement rue des Héros-de-Stalingrad, meublé en acajou, avec des fauteuils en cuir et des tapis de Smyrne. Des tableaux ornaient les murs. J'ai vu qu'ils étaient accrochés un peu trop haut, comme chez les gens qui n'ont pas l'habitude. Certes, ce n'était pas le genre de tableaux que Grand-Mère aurait accrochés chez nous, surtout ce cerf aux bois immenses qui tournait la tête vers un grand soleil couchant. Elle n'aurait pas non plus étalé toutes ces poupées russes ou tous ces napperons brodés au point de croix.

Ce qui m'attristait, c'est que notre appartement, au contraire, se vidait. Ce furent d'abord les tableaux. Puis vint le tour des cuillères en argent, des couteaux et de la louche. Suivis des verres en fin cristal gravé et du tapis. Grand-Mère a enlevé le kilim ottoman du mur de la salle à manger et l'a mis sur le sol. L'effet était convenable tant que personne ne bougeait mais dès que quelqu'un déplaçait une chaise, il plissait. Il était trop fin pour être par terre. Et puis, un jour, il a disparu, lui aussi.

Cependant, je voulais cacher notre existence misérable à mon amie. Il ne fallait pas qu'elle sache à quel point nous étions devenus miséreux. Je ne l'invitais pas chez nous. Elle aurait pu tomber sur une de ces humeurs philosophiques de Grand-Mère qui à coup sûr lui aurait asséné des arguments selon lesquels la pauvreté forge le caractère et les difficultés la personnalité. Ou alors, elle aurait joué sur les mots : « Nous ne sommes pas pauvres, nous vivons seulement dans la pauvreté », comme elle a sorti une fois à Piotr Weisman, ce qui m'a fait rougir jusqu'aux oreilles.

À vrai dire, elle n'avait pas tort : ce n'était pas tant l'argent qui nous manquait que la marchandise sur les étalages.

Devant Iwonka j'aurais eu de toute façon honte des valises entassées sur l'armoire, remplies de bocaux avec des réserves de nourriture, des murs aux rectangles de couleur plus vive indiquant les emplacements des tableaux vendus. J'aurais été embarrassée de lui présenter un père désinvolte, un oncle fantasque et sans emploi, une tante obsédée par son reflet dans le miroir, une nounou tuberculeuse. Mais plus que tout, je préférais ne pas aborder le sujet d'une mère déshonorée qui avait fui le pays.

C'était la première fois que je me liais d'amitié. Ce sentiment était si fort et si nouveau qu'il m'empêchait parfois de dormir. Je restais dans mon lit, les yeux grands ouverts, et je me demandais : « Est-ce qu'on aime un garçon de la même façon ? » J'avais l'impression d'être amoureuse.

Je n'avais aucune expérience dans ce domaine. J'avais grandi sans affection, avec l'étrange impression qu'on ne me considérait pas vraiment dans ma famille. J'étais là et c'était tout. Père me complimentait pour satisfaire sa vanité. Jadwiga était trop occupée par sa propre personne pour me prêter la moindre attention. À peine l'oncle Roman, dans son excentricité, me manifestait-il quelques bontés, parfois la nounou ou Grand-Mère. Non, Grand-Mère m'éduquait. Éduquer, ce n'est pas pareil qu'aimer.

De l'enfance, mon souvenir le plus aigu était celui de gens malveillants. Rapidement, j'avais deviné que le monde des petites filles était plein de prédateurs. Mon organisme avait développé la capacité de résister au mal détecté à temps. Ainsi, à seize ans, j'étais déjà armée de quelques principes, comme fuir les gens vulgaires. J'étais capable d'apprécier l'élégance. Le don d'observation était devenu instinctif chez moi. Je ne négligeais aucun détail. Mais je manquais d'adultes pour me donner un sentiment de sécurité, des repères, des références. À qui ressembler ? À Grand-Mère ? Cela aurait été trop difficile, elle conservait une dignité d'une autre époque.

Comme tant d'autres, elle chuchotait que *ça*, c'était aussi une occupation, mais je n'y croyais pas trop. Personne ne nous interdisait de parler polonais et les cours étaient aussi en polonais. De quoi les gens avaient-ils peur ? Je tentais parfois d'en parler à Père, mais ne recevais jamais de réponse cohérente. Il s'en sortait chaque fois par une pirouette :

— Ce n'est pas un danger immédiat, tu peux dormir tranquille, je veille sur toi.

L'oncle Roman était plus explicite :

— Ce n'est pas tant la russification qui nous menace, que la « bolchevisation ». Tu vas voir, dans très peu de temps, nous vivrons à la soviétique. Ils voudront faire de vous de parfaits petits communistes. C'est seulement une question de temps.

Grand-Mère était pareillement convaincue que la soviétisation gagnerait non seulement la Pologne, mais aussi, dans une certaine mesure, la France. Les journaux polonais relataient les visites d'intellectuels français enthousiasmés par le communisme. Paul Eluard avait écrit une *Ode à Staline*. On avait vu Picasso ivre danser le flamenco torse nu sur une table. On lui avait montré l'appartement d'un couple d'ouvriers modèles et il avait sorti un fusain de sa poche et barbouillé sur leur mur tout propre l'emblème de Varsovie, la petite sirène à qui il avait ajouté des gros nichons.

J'avais raconté cet épisode à Iwonka mais elle ne s'intéressait à aucun Paul Eluard ou Picasso. Je n'étais même pas sûre qu'elle savait de qui il s'agissait. À l'école, elle ne se faisait pas remarquer par ses connaissances mais par son activisme. C'était un bon choix. Depuis le début de l'année, les notes de bonne conduite, d'« implication communautaire » compensaient largement celles qu'on obtenait en latin ou en mathématique.

Iwonka avait plus de temps libre que moi : évidemment, elle n'était pas obligée de courir les magasins pour se procurer des denrées alimentaires. Son père rapportait tout ce dont ils avaient besoin de la boutique interne pour les hauts gradés. Sa mère ne travaillait pas et restait toute la journée à la maison pour surveiller ses domestiques, payés par le Parti. Parfois je ressentais un pincement de jalousie en voyant qu'Iwonka recevait tout sans aucun effort alors que moi, je devais arracher chaque chose par une lutte incessante.

Je cherchais sans arrêt le moyen de gagner un sou ou deux. À vrai dire, gagner de l'argent dans un pays où rien n'est produit en quantité suffisante ne m'a pas paru difficile. Je pensais naïvement qu'il suffisait d'acheter le matin les billets à la caisse du cinéma et de les revendre le double le soir quand la salle affichait complet. En réalité, je ne savais pas que c'était un terrain annexé par une certaine catégorie de petits malins et à ma première tentative, un *konik*[1] devant le cinéma Apollo m'a confisqué les douze billets dans lesquels j'avais investi tout mon argent.

– Ça t'apprendra, petite merde, à nous faire de la concurrence déloyale ! Que je ne te voie plus jamais par ici ! Sinon, je te casse la gueule et ton propre père ne te reconnaîtra pas !

Un jour, j'ai remarqué que le prix d'une bouteille de soupe *żurek* au magasin d'alimentation de la rue Casimir-le-Grand était moins élevé que la caution qu'on récupérait pour la bouteille. J'ai fait un petit calcul mental. Si une bouteille de la consigne coûtait un zloty et la soupe soixante-dix grosz, en achetant cent bouteilles de soupe et en rapportant cent bouteilles à la consigne, je dégagerais un profit net de trente zlotys : trente pour cent de bénéfice net. Soit quinze gâteaux ou quinze places de cinéma !

Jadwiga, malgré son modeste salaire de l'école pour adultes, m'a prêté soixante-dix zlotys sans poser la moindre question. La soupe était farineuse, acide, sentait l'amidon si bien que peu de gens l'achetaient. En allant dans différents magasins, certains dans des quartiers fort éloignés, je suis arrivée à me procurer rapidement cent bouteilles que j'ai vidées immédiatement à la sortie du magasin à cause de leur poids. Je les ai lavées à la maison et apportées à la consigne. Mon gain net s'est élevé à trente zlotys, une fortune ! J'ai été si fière que le jour même j'ai invité Iwonka dans l'élégant café Literacka où Grand-

---

1. *Konik* : « petit cheval », nom donné aux revendeurs de billets au marché noir.

Mère allait pour rencontrer le consul français Honoré de Kérouadec. Iwonka a demandé comment je m'étais procuré l'argent et je lui ai dévoilé mon secret en lui demandant de n'en parler à personne.

– Ne t'en fais pas. Il n'y a aucun mal dans tout cela. Après tout, tu n'as roulé personne, le producteur de la soupe c'est l'État et la consigne des bouteilles appartient à l'État.

Le lendemain matin, j'ai été convoquée chez le directeur. Il m'a traitée de spéculatrice, de mauvaise patriote, de tricheuse. J'ai reçu un blâme, annonciateur d'une mauvaise note de comportement pour le trimestre. Comment l'avait-il appris ? Qui m'avait dénoncée ? Iwonka était-elle capable d'un double jeu ? J'ai écarté immédiatement cette indigne pensée.

– Moi, je t'aurais décerné une médaille, a souri tante Jadwiga quand je lui ai rendu son prêt.

– Et moi, je t'aurais nommée ministre du Commerce, m'a consolée l'oncle Roman.

Néanmoins, il fallait chercher une autre façon de gagner de l'argent.

Fin avril, sans prêter attention aux dépenses que cela allait entraîner, Grand-Mère a déniché, Dieu sait comment, un professeur de français en la personne d'une vieille fille de quarante-cinq ans environ qui devait être la seule dans tout Cracovie à porter un chapeau en feutre avec une plume de faisan sur le côté. Je l'ai surnommée Pantchiola, ni madame ni mademoiselle, mais quelque chose en rapport avec le troisième sexe. Ou avec aucun.

– Il faut qu'elle apprenne rapidement à lire le français, a expliqué Grand-Mère. Parler, dans sa situation où elle ne pourra jamais aller à l'étranger, est moins urgent.

Pantchiola a enlevé ses galoches dans le vestibule, posé son col en renard usé, dont le museau et la queue sentaient la naphtaline et s'est mise à souffler dans ses mains pendant un bon quart d'heure tout en débitant des phrases en français dont je détectais seulement les points d'interrogation. Visiblement elle s'attendait à une réponse. Pour ne pas paraître idiote, je me suis contentée de répéter après elle.

En un mois, j'ai appris plusieurs textes par cœur. Grand-Mère commençait à être satisfaite : selon ses critères, j'allais devenir une femme « éduquée ». Pantchiola a voulu m'expliquer la conjugaison des verbes français, pour tous les groupes et à tous les temps en une leçon. J'ai ressenti une telle confusion que je me suis réfugiée sous l'escalier, dans la cachette habituelle de l'oncle Roman, et j'ai refusé d'en sortir pendant un bon moment. Grand-Mère a dit à la dame que pour m'apprivoiser, il fallait me parler de Paris. Pantchiola et Grand-Mère évoquaient sans cesse leurs souvenirs de deux époques différentes et j'essayais de me représenter Paris, cet univers brillant et chatoyant où l'on servait des plats raffinés et du bon vin. À quoi pouvaient bien ressembler les Champs-Élysées ? Ces trains qui roulaient sous la terre étaient-ils propulsés par l'électricité ou l'essence ? Et tous ces gens galants, l'étaient-ils toujours ? Un proverbe polonais ne dit-il pas : « Galant comme un Français » ?

« À quoi bon rêver, me suis-je dit avec agacement. Nous sommes à Cracovie et nous n'avons même pas le droit de posséder un passeport. »

Une demande de passeport était immédiatement sanctionnée par la perte du travail de tous les membres de la famille. Et puis où aller ? Je ne savais vraiment pas ce qu'il était advenu de ma mère.

Pendant de longues années, je m'étais interdit de penser à elle, mais cette question m'obsédait. Je surprenais parfois des bribes de conversations à demi-mot mais rien qui puisse m'apporter les réponses que j'attendais. Il y a longtemps, j'avais interrogé Grand-Mère. Où se trouvait-elle ? Que faisait-elle ? Pourquoi m'avait-elle abandonnée ?

– Il y a des choses qu'il vaut mieux ne pas savoir, avait répondu Grand-Mère. Après, on ne peut plus les effacer de notre mémoire.

C'était un sujet qu'il valait mieux ne pas aborder avec Père non plus. Pas même avec la nounou qui se mettait immédiatement à pleurer. J'étais certaine qu'elle était au courant de ce qui s'était réellement passé à Lvov. Je me suis dit qu'un jour, je trouverais bien le moyen de lui extorquer la vérité.

Un soir, en fouillant le bureau de Père, je suis tombée sur des coupures d'un vieux journal français parlant du gouvernement polonais en exil[1] ; le nom de mon grand-père maternel y était mentionné plusieurs fois. Une photographie représentait un vieux moustachu avec une jeune blonde en tailleur élégant devant un véhicule dont je n'arrivais pas définir la marque. Pourquoi Père avait-il découpé cette page ? Quand la photo avait-elle été prise ? Y avait-il un lien avec ma mère ? Pourquoi ne recevions-nous jamais de lettres d'elle, seulement une fois ou deux ces colis étranges à l'adresse d'expéditeur maculée d'encre noire ?

J'ai été à deux doigts d'en parler à Iwonka, mais je me suis rappelé les consignes de Grand-Mère :

– Si un jour on te demande si tu as des parents à l'étranger, tu répondras « non ».

Grand-Mère observait mon amitié avec Iwonka avec une forte dose d'appréhension. Elle a écouté mon récit sur la taille de l'appartement des Douda, sur les vêtements d'Iwonka, sa veste fourrée, la marque étrangère de son stylo sans me couper une seule fois, mais son commentaire a été sarcastique et il m'a peinée :

– Est-ce qu'elle va à l'église ?

---

1. Le gouvernement polonais en exil s'était installé d'abord en France à Angers puis à Londres.

– J'en sais rien, je crois que non.

– Ça ne m'étonnerait pas que son père soit ce même Douda qui a une fonction importante dans la Bezpieka[1] et qui est chargé de surveiller le clergé.

Je n'ai pas compris tout de suite quel lien cela pouvait avoir avec mon amie quand Grand-Mère a ajouté, énigmatique :

– Dans la vie, il y a les gens qui savent ce qu'ils disent et les gens qui disent ce qu'ils savent... J'espère que tu appartiendras à la première catégorie.

J'ai eu rapidement l'exemple qu'il ne fallait pas raconter n'importe quoi. L'ami de Piotr Weisman, Jacek Kuron, a dit que les avions américains étaient plus rapides que les soviétiques et il a été immédiatement suspendu de la Jeunesse socialiste. On n'y voulait pas de menteurs.

Plusieurs fois il m'a fallu rassembler tout mon courage pour ne pas faire de confidences à Iwonka. Le principe même d'une amitié n'est-il pas de tout se dire ? Surtout qu'Iwonka aimait parler d'elle, mais aussi poser des questions. Les éviter devenait fatigant.

Après l'école, nous allions au Kino Micro où l'entrée ne coûtait que deux zlotys. Parfois Piotr Weisman se joignait à nous. Je pensais au début que lui aussi était attiré par Iwonka comme tous les autres garçons mais il s'asseyait toujours à côté de moi.

– On a déjà vu ces images cent fois ! rouspétait-il en me pétrissant la main.

---

1. Bezpieka : abréviation de Urząd Bezpieczenstwa, police secrète, équivalent de la Stasi en République démocratique allemande ou du KGB en URSS.

Mais Iwonka et moi pouvions voir le même film quinze fois. Avant le film, il fallait gober l'incontournable chronique sur une visite du secrétaire du Parti dans différentes régions, sur le plan quinquennal et les quotas dépassés mais ces nouvelles nous rassuraient. Des jeunes femmes à la poitrine généreuse conduisaient le tracteur, de beaux jeunes gens faisaient les moissons en chantant des airs socialistes en chœur. Parfois on voyait des images de sabotage et d'espionnage dirigés contre les ouvriers par des ennemis de classe, heureusement vite démasqués. La lecture des livres et des journaux incitait à donner raison au Parti et à Iwonka : l'Occident courait à sa perte.

Les reportages venant de Varsovie étaient passionnants : la nation tout entière relevait des ruines sa capitale détruite par les Allemands. Dans le centre, sur un grand terrain vague, les ouvriers soviétiques érigeaient un gigantesque monument, le palais de la Culture et de la Science, cadeau posthume du maréchal Staline. L'oncle Roman a dit qu'il y avait eu quelques pertes humaines et je l'ai répété à Iwonka :

– Il paraît que les ouvriers se trouvent constamment en état d'ivresse et il arrive qu'ils tombent. Comme ils se trouvent de plus en plus haut, on récupère peu de chose à terre.

– On ne fait pas d'omelettes sans casser des œufs, la construction de tous les grands monuments qui existent a coûté des vies humaines. Les pyramides aussi ont fait des centaines de victimes, m'a-t-elle assuré.

Le printemps 1953 a été si pluvieux à Cracovie qu'on ne voyait pas le ciel. Un vent glacial balayait la ville, les gens allaient travailler en marchant vite, les cols de manteau cachaient des visages fatigués, plus personne ne flânait le long de la Vistule, ni dans les allées des Planty. J'allais tous les jours rue des Héros-de-Stalingrad. Chez Iwonka, personne ne nous dérangeait, on buvait du thé et il y avait toujours un gâteau avec. Dieu, ce que j'ai pu être affamée à l'époque ! Aujourd'hui encore, je me souviens du goût de ces gâteaux. Petit à petit, je commençais à tenir le rôle de secrétaire privée de Mlle Iwonka Douda, je l'aidais dans ses devoirs. Il serait plus juste de dire que je les faisais à sa place au détriment des miens. En contrepartie, ma conscience de classe évoluait. Même le professeur de « Pe-Wou[1] » m'avait félicitée.

Il possédait le grade de lieutenant, avait un maintien militaire et des yeux d'un bleu-gris intense. Il avait tendance à la calvitie, mais cela n'enlevait rien à son charme à mes

1. PW : abréviation de *Przysposobienie Wojskowe* (préparation militaire).

yeux ; de nos jours, les hommes perdent leurs cheveux de bonne heure. Il était encore jeune et enseignait cette nouvelle matière : la « préparation militaire » qui avait tant fait enrager l'oncle Roman lorsqu'il avait appris son existence. Moi aussi, comme les autres filles, je rêvais secrètement que les yeux bleu acier du militaire s'arrêtent un jour sur moi. Ainsi, à chaque interrogation je devançais mes camarades :

– Qui sont les agresseurs ?

– Les impérialistes !

– Parfait, élève Zborawska, disait le militaire en regardant les autres avec mépris. Énumérez les pays.

Je scandais en chœur avec la classe les noms des pays ennemis, les États-Unis en tête. Il ne fallait pas oublier le Royaume-Uni, la République fédérale d'Allemagne, le Luxembourg, la Belgique, l'Italie, l'Espagne et évidemment la France… Je pouvais dire que ma voix précédait les autres. En récompense, j'ai été choisie pour porter la pancarte au cortège du 1er Mai avec la jolie devise de Maxime Gorki : *« L'homme, cela sonne fièrement. »*

Comme c'était le premier jour ensoleillé, notre instructeur militaire n'a pas manqué de signaler que c'était ainsi que le soleil avait honoré le rendez-vous avec la fête des Travailleurs. Sans cela personne n'aurait fait ce rapprochement évident.

Nous étions convoqués très tôt le matin pour la remise du foulard rouge. Nous avons attendu longtemps, plus de deux heures, pour que le cortège se mette en route. Tout le parcours était décoré de faucilles et de marteaux. Le secrétaire de l'organisation de la Jeunesse socialiste, vêtu d'une chemise blanche et d'une cravate rouge, avançait en même temps que nous sur le bas-côté et nous montrait ce que nous devions faire. Tantôt il fallait applaudir, tantôt soulever une main, tantôt avoir les deux mains en l'air. Je me souviens des flashs des appareils photo et des longues ovations. Notre maître de cérémonie avait toutes sortes des pancartes et en fonction des écriteaux, nous devions crier : « Vive le Parti ! » ou « Bie-rut ! Bie-rut[1] ! »

Il fallait agiter le foulard devant la tribune officielle majestueusement dressée à l'angle de la Westerplatte et des Héros-de-Stalingrad, en face de l'immeuble où habitait Iwonka. Sur le fronton était accrochée une gigantesque étoile rouge avec au milieu un portrait de Staline qui bouchait les fenêtres de sa chambre. Grand-Mère avait raison, le père d'Iwonka devait être un monsieur très important, il se tenait sur la tribune à côté des dignitaires du Parti.

Juste au moment où le cortège saluait les gens à la tribune, j'ai tourné la tête et aperçu oncle Roman qui sortait par la porte d'entrée de l'immeuble. Que pouvait-il bien faire là, lui qui ne sortait jamais seul ?

Quelques secondes après, les gens se sont mis à hurler : « Au feu ! Au feu ! »

Les flammes ont embrasé la toile si vite que le cortège est resté comme hypnotisé. Les gens regardaient les flammes dévorer l'uniforme blanc du maréchal Staline et personne ne bougeait. Puis quelqu'un s'est mis à rire d'un rire joyeux et une voix s'est fait entendre dans la rue : « Regardez, le feu lui dévore les sourcils et maintenant la moustache ! »

---

1. Boleslaw Bierut (1892-1956), ancien permanent du Komintern, ancien du NKVD (la police politique soviétique), président de la République populaire de Pologne et premier secrétaire du Parti (1944-1956).

Le cortège s'est dispersé dans la panique.

À la maison, j'ai trouvé notre voisine, Mme Salawowa, qui était venue relater la scène à Grand-Mère :

— Pouvez-vous imaginer, *pani* Frederyka, les gens ont osé rire dans un moment aussi dramatique.

— Comme elles sont tristes, nos joies d'aujourd'hui, a répondu Grand-Mère.

— Oui, bien tristes, a répété Roman en écho.

Nos yeux se sont croisés et, je n'en suis pas totalement sûre, mais je crois qu'un imperceptible sourire est venu éclairer son visage ombrageux.

Dimanche 3 mai, nous partions à la messe quand deux miliciens sont venus chez nous.

— Vous savez bien, citoyenne, qu'il est interdit de fêter le 3 Mai[1], a vociféré le jeune caporal aux oreilles en feuilles de chou.

— Mais nous ne fêtons rien du tout.

— Le drapeau accroché pour la fête de Travail doit être enlevé le 2 mai.

Grand-Mère s'est excusée, arguant qu'il s'agissait d'un petit oubli.

— Nous ne sommes pas ici pour écouter le récit de vos oublis mais pour constater l'infraction. La prochaine fois, les explications, vous irez les donner au commissariat !

Une fois les miliciens sortis, Roman a décroché ce mau-

---

1. Anniversaire de la Constitution dite du 3 mai 1791. Dans la Pologne communiste, la fête nationale est fêtée obligatoirement le 22 juillet, date anniversaire du Manifeste du Comité polonais de libération nationale organisé à Lublin en 1944 par une poignée de communistes, futurs membres du gouvernement, parachutés par Staline.

dit étendard. Grand-Mère a chaussé ses lunettes, l'a pris entre ses mains pour froisser le tissu blanc et rouge. Je l'ai regardé moi aussi ; le blanc était légèrement jauni, le rouge avait viré au vieux rose.

— On pourrait y tailler une petite robe pour ta soirée du lycée. Courte, sans manches, légèrement froncée à la taille, comme cela se porte à Paris. Regarde la revue que j'ai apportée de chez Kérouadec, il y a un modèle de chez Dior.

J'ai sauté de joie. Comme il n'y avait aucun tissu dans les magasins, l'idée m'a paru épatante. Je détestais la perspective de remettre encore cette année ma vieille jupe plissée, la même que je portais depuis l'école primaire.

Nous avons immédiatement fait venir *pani* Salawowa.

— *Panna* Bashia a grandi de dix centimètres ! a-t-elle dit en prenant mes mesures. Il n'y a pas assez de tissu. Où avez-vous trouvé ce beau coton ?

— Il faut toujours chercher dans ses fonds d'armoire. Faites-lui une jupe si on ne peut y tailler une robe, a tranché Grand-Mère. Elle mettra un chemisier blanc avec.

Cela tombait bien, les filles devaient obligatoirement porter un corsage blanc et les garçons une veste bleu marine. Le lendemain, je suis allée chez Iwonka lui montrer ma jupe toute neuve. J'ai tourné plusieurs fois sur moi-même afin qu'elle voie ce qui se portait à Paris ! Elle a admiré la couleur, j'ai avoué que je ne m'attendais pas à un résultat pareil d'un vieux drapeau pourri. Elle m'a emmenée devant son armoire. Là, elle m'a dit de choisir un corsage parmi les siens, rangés impeccablement en pile. J'en ai pris un, aux longues manches bouffantes brodées aux poignets. Il m'allait à merveille.

La salle du gymnase, décorée avec l'aide du comité des parents d'élèves, embaumait le lilas. Le gramophone était vieux et déglingué, il grésillait, comme si le chanteur était enroué, mais nous étions tous très excités : les élèves d'un lycée technique voisin étaient nos invités. Iwonka avait osé une chemise écrue sans manches qui mettait en valeur sa peau mate. Ses bras nus attiraient les regards, tous les garçons attendaient qu'elle leur accorde une danse. Mais elle s'est mise à danser sans prêter attention à eux et m'a entraînée avec elle. C'était une sensation étrange de danser une valse avec une fille. Piotr Weisman nous a séparées et Iwonka m'a fait la tête. Mlle Godziak, professeur de mathématiques, courait, une règle à la main, pour corriger la distance entre les danseurs de tango trop serrés. La distance autorisée était de vingt centimètres. Bien que Piotr eût presque dix-huit ans, il était petit et fluet. Il n'y avait presque pas de distance entre son nez et sa bouche. J'ai pensé : « C'est vraiment ma veine, plaire au plus laid ! Il n'y a que tante Jadwiga pour répéter que la beauté est inutile chez un homme et même ridicule. N'empêche, toutes les filles aiment avoir un soupirant que les autres leur envient. »

Je n'ai pas été particulièrement fière non plus quand Piotr m'a proposé de me raccompagner ni quand il a pris ma main, mais je l'ai laissé faire. Il était dix heures du soir, un seul misérable réverbère était allumé pour toute la rue. Devant l'école, une automobile noire avec un chauffeur attendait Iwonka. Elle nous a vus sortir ensemble et elle a tourné la tête.

Ce soir-là, Piotr m'a dit qu'un jour il deviendrait un peintre célèbre. Je l'ai regardé avec un peu plus d'intérêt. Il était le plus âgé de notre classe, certains de ses camarades avaient déjà intégré les Beaux-Arts, je les connaissais de vue.

– Tu veux voir mes peintures ? m'a-t-il demandé.

– Oui, j'aimerais bien.

– Alors, viens demain à la maison. Mes parents sont partis à Lublin chez des cousins.

Je n'ai pas pu me rendre chez Piotr à l'heure dite : les mêmes miliciens sont venus faire une « vérification » chez nous. Nous n'avons pas tout de suite compris ce qu'ils cherchaient jusqu'à ce que ce jeune caporal aux oreilles décollées demande où on avait caché l'étendard enlevé de la rambarde du balcon.

Grand-Mère s'est forcée à donner à sa voix un ton de légèreté.

– Il était usé et troué. Il doit être quelque part, mais dans ce désordre on ne trouve plus rien et notre bonne est malade.

– Un drapeau est la propriété de l'État !

Ils n'ont pas été longs à trouver le manche du drapeau – on voyait qu'ils avaient l'habitude de la fouille. Ils l'ont exhibé triomphalement comme une pièce à conviction et ont sommé Grand-Mère de les suivre au commissariat.

Roman se grattait la tête :

– Ça pue la dénonciation ! Mais qui peut en être l'auteur ? Cet ivrogne de concierge ? Salawowa elle-même ? Le monde devient galeux, on ne peut se fier à personne...

Abasourdis, nous avons attendu le retour de Grand-Mère avec angoisse. Elle est revenue en fin d'après-midi. L'interrogatoire n'avait pris qu'une demi-heure, mais l'attente dans le couloir parmi d'autres redoutables délinquants avait duré cinq heures.

Je me suis rendue chez Piotr dans la soirée. L'appartement des Weisman se trouvait au dernier étage d'une ancienne fabrique de meubles rue Casimir-le-Grand. Il y avait une impressionnante hauteur sous plafond, des poutres qui se chevauchaient et des vitres sur tout un mur qui m'ont donné le vertige. C'était comme ça que j'imaginais les ateliers d'artistes à Montmartre. Un chevalet, des tubes de peinture partout, des sculptures en bois, des femmes, nues dans toutes les positions, un peu indécentes, je dois dire.

Les tableaux sur les murs n'avaient pas de cadres, aucun ne représentait ce que le titre au-dessous annonçait : le *Coucher de soleil* était peint dans différentes nuances de gris, *La Pluie* était jaune, *Le Cosmos* tout blanc avec quelques taches noires. Dans *L'Amour*, j'avais l'impression de distinguer un embryon. Sur d'autres toiles il y avait des grands espaces non peints, des lignes dans tous les sens, des bavures d'encre.

Visiblement mon arrivée avait interrompu quelque chose d'important car Piotr se tenait au milieu de la pièce avec un morceau de coton dans une main et dans l'autre un flacon qui sentait mauvais à me donner la nausée. J'étais sur mes gardes car j'avais entendu dire que beaucoup de peintres se droguaient à l'éther. S'ils étaient tristes l'éther augmentait encore leur tristesse, s'ils étaient d'une humeur gaie, ils étaient encore plus gais. En effet, Piotr a enfoncé son long nez dans le coton imbibé de ce liquide malodorant et s'est mis à le respirer. Il a même fermé les yeux.

– Que fais-tu, je peux savoir ?

– Je vois en ce moment des lignes horizontales et verticales se couper à toute vitesse. Dans un instant les couleurs vont apparaître.

– Mais tu n'avales pas au moins ? Je voulais dire... tu ne bois pas de vodka ?

– Pas souvent. La vodka m'insuffle un brin d'optimisme. Mon pinceau est incapable de suivre cet élan, a-t-il dit avec franchise, comme il aurait parlé de boire une orangeade.

» Je ressens une énergie incroyable, j'imagine, je fais des projets mais le réveil est trop douloureux. Et je déprime. Vivre cette foutue vie dans ce foutu pays me fout le cafard.

Sa voix devenait lugubre. Il m'a passé un coton imbibé d'éther sous le nez :

– Tu veux voir l'effet que cela fait ?

– Tes parents sont au courant ?

– De quoi ?

– Mais... des besoins de ton inspiration...

– Ils rentreront tard, j'aurai le temps d'aérer.

Quelques jours plus tard, il a déposé chez moi un carton avec un mot agrafé au dos :

*Cette nuit, j'ai peint ton portrait tant j'ai voulu immortaliser ton regard. Non, ne me dis pas que tu ne l'aimes pas, il te ressemble à tous égards.*

Je ne savais pas jusqu'à quel point l'éther améliorait la peinture de Piotr et à partir de quel moment il la démolissait, mais ce portrait m'a troublée. Plusieurs visages s'y superposaient dans un flou de couleurs d'un gris bleuâtre. J'ai demandé à Grand-Mère si je pouvais quand même l'accrocher dans le petit salon à la place d'un tableau vendu. Elle a dit, comme toujours quand quelque chose n'était pas à son goût :

– Fais comme tu sens. Il a peut-être un talent après tout, mais c'est un garçon très tourmenté. Pas comme sa mère qui est une bien aimable personne. Ça devient rare dans ce pays où tout le monde est constamment de mauvaise humeur.

Je ne pouvais plus perfectionner mon français que deux fois par semaine, les autres après-midi étaient pris par des réunions. Iwonka avait insisté pour que je m'inscrive dans différentes organisations, des tas de nouvelles avaient été créées, toutes sur la base du «volontariat obligatoire».

– Que t'es bête, Bashia. Il s'agit pas du tout d'y adhérer sincèrement, a-t-elle dit pour me rassurer. Il faut faire croire qu'on est sincère, c'est tout.

Je n'ai pas regretté tout de suite. Dans les réunions, l'atmosphère était joyeuse. Au début, j'ai eu un peu honte de mon manque d'enthousiasme qui venait surtout de la crainte des commentaires de Grand-Mère, mais j'ai décidé de ne rien dire à la maison. Dans ma volonté de plaire à Iwonka, j'ai même redoublé de zèle. Comparée à elle, je me sentais en retard sur la vie. Il se peut que ce soit à ce moment-là que j'aie pris la décision ferme de la rattraper et peut-être même de la dépasser. Dans l'art d'être faux cul.

Alors, quand un maître de musique nous a appris des chansons russes, je me suis tant appliquée que j'ai été choisie à sa place pour chanter en solo. Elle a fait la moue.

Mon triomphe n'a pas duré longtemps. À la réunion suivante, le chef de l'organisation nous a annoncé :

– Le congrès international se tiendra bientôt en Allemagne de l'Est, pays frère. Les meilleurs d'entre vous pourront s'y rendre.

J'ai sauté de joie. Il m'a jeté un regard soupçonneux.

– Nous allons créer une nouvelle culture. Une nouvelle intelligentsia naîtra bientôt des fils de paysans.

– Il y avait un problème avec l'ancienne ? ai-je demandé prudemment.

Il n'a pas répondu et a noté quelque chose dans son bloc-notes. Puis il a demandé à Iwonka de chanter mon couplet et il m'a mise au troisième rang. Je savais qu'il était vain de protester contre cette injustice.

À la maison, nous avions un autre souci : la Pantchiola avait demandé à être payée.

Grand-Mère a essayé d'ajourner l'échéance ; j'avais l'impression qu'elle comptait sur une rentrée d'argent inopinée.

Puis, quelques jours plus tard, elle a sorti un petit paquet enveloppé d'un papier de soie défraîchi d'une boîte de médicaments cachée dans le dernier tiroir de la commode noire.

– Cette commode, il faudra la décaper un jour, c'est un joli modèle Empire. Ton grand-père l'avait rapportée de Zboraw, il y tenait comme à la prunelle de ses yeux, a-t-elle dit comme pour changer de sujet.

– Quelle idée de l'avoir peinte en noir ?

– Ça date d'il y a presque cent ans, à l'époque du soulèvement contre les Russes de janvier 1863. Les Russes ont massacré les Polonais, déporté dix-huit mille hommes, rebaptisé le pays « Région de la Vistule » et interdit notre langue. Alors les Polonais, comme un seul homme, se sont habillés en noir, ils ont peint leurs maisons en noir, les meubles en noir. Ça s'appelait le deuil national. Si les Soviétiques ne l'ont pas emportée en 45, c'est parce qu'ils croient que le noir porte malheur.

– Peut-être qu'il vaut mieux ne pas la décaper tout de suite ?

– Tu as raison. C'est peut-être encore trop tôt.

Le moment m'a paru opportun de lui annoncer qu'au lycée s'était créé un « Cercle d'amitié avec l'URSS ».

– J'espère que tu ne t'es pas inscrite !

– Ceux qui s'inscriront n'auront pas de cours le samedi – j'ai mis de la conviction dans ma voix comme je l'avais appris d'Iwonka. D'ailleurs, tous les élèves ont voulu y adhérer.

– Remarque, a dit Grand-Mère au bout d'un moment, si tu n'as pas de cours le samedi, tu pourras prendre des leçons d'allemand en plus du français. Au moins, le bijou de ton grand-père servira à quelque chose.

Grand-Mère a enlevé le papier sale. Un magnifique collier en corail est apparu.

– Vous n'allez pas donner ce collier à Pantchiola !

À l'idée que cette vieille fille qui sentait la naphtaline allait porter cette merveille, je m'insurgeais. Et à quoi bon ! Pour que je parle une langue qui ne me servirait jamais puisque jamais on ne me laisserait quitter ce pays !

J'ai porté le collier à mon cou. Trois rangées parfaites de coraux d'un rouge brique taillés droits au milieu et en forme de petits tonneaux près du fermoir en or ! Je n'avais jamais rien vu de plus beau ! Que Grand-Mère ne le porte pas n'était pas une raison pour s'en séparer.

J'ai tenté de la persuader :

– Que Czesław vous l'achète pour Jadwiga.

– Surtout ne dis rien à Jadwiga. Elle est sur les nerfs. Czesław va probablement être muté à Varsovie à un poste plus important. Et comme leurs hommes, à partir d'un certain grade, n'ont pas droit de se marier sans autorisation, c'est plutôt mal parti...

– Ils savent, pour Grand-Père ?

– Ils savent tout. C'est un miracle qu'ils n'aient pas trouvé ce bijou au cours de la dernière perquisition. On a eu de la chance qu'ils se soient contentés d'un vieux manche de drapeau.

Dans l'après-midi, nous avons longé les misérables vitrines des magasins de la place Rynek. Grand-Mère, sans ralentir, évoquait leur splendeur d'antan. Devant le restaurant Havelka, antre de la racaille et de la pègre, un changeur de dollars à la sauvette nous a abordées :

– *Tchentch maneï.* Vente, achat, *goude praïse*, quarante zlotys *per ouane* dollar.

– C'est complètement illégal ! Ils n'ont pas peur ?

– Ils ont des appuis dans la Milice, Bashia, probablement contre une commission. À moins qu'ils ne travaillent eux-mêmes pour l'État qui a besoin de devises.

Le magasin d'antiquités de la rue Bracka était fermé. Dans la rue Grodzka, une pancarte annonçait : *« L'État soviétique, bastion invincible du prolétariat international. »* À côté se trouvait un magasin d'antiquités aux boiseries d'acajou comme il en restait peu, à l'exception de quelques pharmacies. L'experte, à l'allure de mère maquerelle, nous a dévisagées de haut en bas et s'est attardée un peu trop longtemps sur moi, ce qui m'a fait rougir. Au-dessus de son bureau se trouvait un tableau, plein de vilaines taches, comme elle.

— Joli travail, probablement autrichien, a-t-elle dit en examinant le collier avec une loupe. Avez-vous le certificat ?

— Non, a dit Grand-Mère.

— Sans certificat, je ne peux pas...

— Il me faut absolument de l'argent... pour les leçons de la petite.

J'ai été gênée d'entendre Grand-Mère obligée de se justifier.

La femme m'a dévisagée de nouveau et de nouveau j'ai rougi.

— Je vais voir ce que je peux faire, a-t-elle fini par soupirer. Le client se fait rare de nos jours... alors, je vous le prends à quinze mille zlotys[1].

J'ai vu Grand-Mère tressaillir à l'annonce d'un prix si bas mais elle s'est aussitôt reprise et a empoché les billets. À ce moment-là, je me suis juré qu'un jour viendrait où je lui achèterais un collier mille fois plus beau.

Au retour, elle marchait sans parler, et ce silence était le plus lourd poids que j'aie jamais porté. Les mots qu'elle a fini par prononcer résonnent encore en moi :

— Ne parle à personne du collier. Dans la vie, il n'y a que la joie qui est à partager. Le chagrin doit rester indivisible.

---

1. Équivalent d'environ 375 dollars.

Grand-Mère est revenue très angoissée de son bridge hebdomadaire chez le consul Honoré de Kérouadec :

– J'ai l'impression que j'ai été suivie, a-t-elle confié à Jadwiga. J'ai vu le même homme quatre fois aujourd'hui rue Krupnicza. Peut-être que Czesław sait quelque chose ? Demande-lui à l'occasion.

– Czesław ne peut pas être au courant de tout.

– Mais il en sait bien assez, plus que nous. Je vous ai apporté un fromage français.

– Beurk, qu'est-ce qu'il pue, me suis-je exclamée.

– Un bon fromage doit sentir la chaussette.

Mon ignorance a indigné Grand-Mère qui s'en est coupé un morceau. Elle l'a posé sur son pain puis a fermé les yeux.

– Je n'ai rien mangé d'aussi bon depuis notre départ de Lvov. Il ne reste plus que les Français avec leur nourriture céleste pour me faire croire en l'homme.

Roman s'est joint au festin :

– La logique des membres de notre gouvernement est primitive mais efficace : que les citoyens souffrent !

Comme ça, ils nous seront reconnaissants pour chaque livraison de patates.

Dans la cuisine, Elżbieta expérimentait des petits gâteaux avec des flocons d'avoine à la place de farine en toussant à s'arracher les poumons. Grand-Mère est allée lui donner un morceau de ce qu'elle a appelé du « camembert ».

Moi, ce que j'attendais de ses visites chez le consul de Kérouadec, c'étaient les journaux français. Je les dévorais de la première à la dernière page même si je ne comprenais pas tout. Leur ton agressif me surprenait, les Français critiquaient tout. Malgré cela leurs articles étaient mille fois plus intéressants que les histoires de vols et de sabotages régulièrement commentés dans nos journaux. *L'Écho de Cracovie* citait le cas d'un responsable de magasin d'alimentation qui revendait du jus d'orange au noir : « L'enquête de la MO[1] a démontré que cet individu peu scrupuleux aspirait le jus des oranges importées en devises du Vietnam, le pays frère, en se servant d'une seringue. Saboter ainsi l'action si belle de notre gouvernement qui avait souhaité que chaque enfant polonais goûte ce fruit à Noël coûta au saboteur dix ans de prison ferme. »

D'autres journaux locaux annonçaient la fin de l'injustice sociale. On promettait du changement. Des HLM pour les ouvriers. Des grandes écoles et des universités accessibles aux enfants des paysans et des ouvriers. D'ailleurs, on commençait à leur faire de la place et on chassait des cités universitaires les étudiants qui n'avaient pas une bonne origine sociale ou dont les parents n'étaient

---

1. MO : Milicja Obywatelska : la Milice.

pas inscrits au Parti. Cette nouvelle justice me faisait peur. Un an de prison pour un jeune homme de vingt-deux ans qui avait enlevé une affiche du Parti. Quatre étudiants de l'École polytechnique avaient été condamnés à deux ans de prison, l'un pour avoir raconté une blague dénigrant l'Union soviétique, les trois autres pour l'avoir écoutée.

– Le zèle des Polonais à plaire aux Soviétiques me dégoûte ! s'est écrié Roman. Quelle bande de lèche-cul ! Qu'est-ce qu'ils espèrent obtenir ? Je comprendrais si c'était au moins un palais en Crimée comme celui que l'on avait promis à Churchill après Yalta...

J'ai raconté à Roman un fait divers qui m'avait marquée par la sévérité du verdict.

– J'ai lu dans *La Gazeta de Cracovie* que le directeur d'une boucherie nationale hachait du papier-toilette et l'ajoutait à la saucisse de foie pour augmenter son poids. Il a été condamné à perpétuité.

– Mais où diable a-t-il trouvé du papier-toilette ? s'est étonné oncle Roman.

Le directeur de la maison d'édition jugeait Grand-Mère toujours aussi déficiente idéologiquement et il l'avait envoyée à Varsovie pour suivre un stage rue Mysia, au siège principal de la censure.

– Je vous l'ai déjà répété maintes fois, *pani* Zborawska : il ne faut accepter aucune phrase où il est question de Dieu.

– Mais on ne parle pas de Dieu dans l'œuvre de Rudnicki !

– Ah oui ! Et qu'est-ce que ces : « Dieu me garde », « Oh, mon Dieu ! » ? Soyez plus exigeante, *pani* Zborawska. Si les écrivains souhaitent se faire éditer, ils n'ont qu'à développer leur part d'autocensure. Et s'ils refusent, tant pis pour eux. L'avenir de la littérature est programmé. On va sélectionner quelques plumes et on va les amener sur le droit chemin. Certes, ce ne seront pas des perles de la littérature, mais ça n'a pas d'importance. Ne cherchez pas midi à quatorze heures, vous non plus. Veillez seulement à ce que leur pensée ne dévie pas, vous saisissez camarade Zborawska ?

– Je vous ai déjà dit de ne pas m'appeler camarade, *panie* Zeller.

– Vous voyez vous-même que vous avez besoin d'une formation.

Rue Mysia, Grand-Mère allait apprendre comment se débarrasser de ses résidus bourgeois et comment prodiguer des conseils aux auteurs, ces têtes de mule.

Je l'ai accompagnée à la gare pour porter sa valise. Grand-Mère m'a dit, comme si elle essayait de s'en persuader :

– Ils ne réussiront jamais. Ils peuvent détruire un talent mais pas le créer. Il n'existe pas un seul grand écrivain marxiste. Le marxisme ordonne de couper les racines. Et les racines, c'est ce dont l'écrivain a besoin pour créer.

Sur le quai de la gare nous sommes tombées sur une connaissance qui y faisait office de dame pipi : Marintchia Snopek. C'était une fille-mère qui, à Lvov, se louait chez les gens riches pour laver leur linge. Depuis son expulsion, elle rôdait avec son fils de ville en ville, sans trouver de toit.

À mon grand étonnement, Grand-Mère lui a proposé de venir habiter rue Floriańska. Connaissant Grand-Mère, je me doutais que cette invitation spontanée ne lui était point soufflée par une impulsion démocratique. Elle espérait naïvement que deux personnes de plus dans notre appartement éviteraient sa réquisition par le service du logement de la ville.

– La santé d'Elżbieta se détériore, une fille de la campagne s'y connaît dans les travaux domestiques : la lessive, le repassage, le ménage. Ça soulagera Elżbieta.

Marintchia est arrivée avec son balluchon le dimanche suivant, a baisé la main de Grand-Mère et a poussé son grand dadais de fils à faire pareil. Elle sentait la sueur et l'amidon. Elle avait le rire gai et le bonbon facile. Ses petits yeux, fendus, légèrement bridés qui ne regardaient pas en face, auraient dû nous alarmer. Au lieu de ça, Grand-Mère lui a dit :

– En attendant de trouver un logement décent, vous serez mieux ici que dans votre foyer ouvrier.

J'ai aidé Grand-Mère à installer un lit dans la pièce près de la cuisine à côté d'Elżbieta et un pliant pour son fils dans la salle à manger. Marintchia a eu les larmes aux yeux. Elle ne s'attendait pas à tant de bonté. Je lui ai montré chaque pièce ; elle sifflotait d'admiration :

– *Panna* Bashia dit qu'il faut astiquer tous ces meubles inutiles ?

Mais elle n'a pas été longue à trouver ses marques.

– Tout compte fait, y a pas tant de boulot qu'ça, a-t-elle confié à la voisine Salawowa au bout d'une semaine. Seulement *pan doctor* est très regardant sur la propreté. Il demande du linge propre deux fois par semaine et des chaussettes tous les deux jours ! Il s'asperge d'eau froide le matin et après je dois éponger toute la salle de bains. Mais j'ai pas à m'occuper de ses godasses : il se les cire lui-même.

Une fois par semaine, le samedi soir, Marintchia devait allumer le grand poêle en fonte dans la salle de bains pour faire chauffer l'eau.

– Qu'est-ce qu'ils ont à barboter comme des canards ? a-t-elle demandé à Elżbieta qui a levé les yeux au ciel. Mon Waldek, lui, il peut ne pas se laver un mois entier et il ne sent pas mauvais. Le principal, c'est d'avoir une chemise propre. Si un jour il se retrouvait en prison, touchons du bois, il survivrait.

À part Waldek, Marintchia ne tenait à rien. Elle le chérissait tant qu'il en avait les dents gâtées. Elle a dit un jour à Elżbieta que son travail aux toilettes de la gare lui plaisait bien plus que celui qu'elle faisait chez nous.

— C'est pas que c'était moins dur, souriait-elle de toutes ses dents manquantes, les mains dans la lessive, c'est que je regardais les trains partir, ça me permettait de rêver.

En parlant, Marintchia aplatissait les voyelles et adoucissait les consonnes à la manière russe.

Marintchia avait le don de s'adapter à toutes les circonstances, si bien qu'à peine installée, elle n'était pas chez nous mais nous chez elle. Elle a demandé si elle ne pouvait pas mettre son lit à côté de celui de Waldek dans la salle à manger, la toux d'Elżbieta l'empêchant de dormir. Elle a poussé la grande table contre un mur et a disposé les deux lits côte à côte malgré les protestations de Roman qui, depuis que Grand-Mère avait vendu son piano, en avait peint les touches sur la table et en jouait comme s'il s'agissait d'un véritable instrument en écoutant les concerts à la radio. J'ai été étonnée par l'absence de réaction de Grand-Mère. Jusqu'à présent personne n'avait osé empiéter sur l'espace de l'oncle Roman. Grand-Mère le protégeait en répétant inlassablement qu'il avait perdu la raison pendant la guerre. Mais selon les témoignages du reste de la famille, Roman passait pour un original bien avant...

Du plus loin que je m'en souvienne, il sortait rarement de sa chambre, déjeunait, dînait, dormait seul. Le dégoût de la vie le faisait rester dans cette chambre où régnait la pénombre. Au lit des jours entiers sans se laver ni se raser, le pyjama entrouvert, les rideaux tirés, la lampe de chevet allumée, il lisait jour et nuit. Il n'avait ni femme, ni enfants, ni ambition.

— Joue aux échecs, disait Grand-Mère, tu feras des connaissances.

— Je gagne trop facilement, ce n'est pas drôle, répondait-il.

— Alors au bridge, au moins, on cherche toujours le quatrième.

— Le bridge a été inventé par les Anglais pour ne pas être obligés de faire la conversation à leurs femmes.

— Peu importe, mais tu serais moins seul.

— J'aime être seul.

« Même avant la guerre, il n'était pas sociable », l'excusait Grand-Mère.

Mon oncle avait étudié les sciences naturelles à l'université Jan-Casimir de Lvov et malgré son caractère difficile, il avait travaillé dans un laboratoire de recherches scientifiques comme entomologiste. Il avait soutenu une thèse sur la migration des papillons, écrit des articles dans des journaux savants sur quelque chose comme la vie amoureuse des escargots ou des limaces et leurs parasites. Il paraît qu'il avait commencé à préparer une nouvelle classification des insectes.

Sa passion pour ceux-ci surpassait ses sentiments à l'égard des humains. Enfant, il observait les vers du bois dévorer les meubles dans sa chambre et il les avait tellement laissés proliférer que toute la marqueterie était perforée.

— On n'a pas pu les vendre, même à bas prix, m'a dit un jour Grand-Mère.

Puis, elle a ajouté comme pour l'excuser :
– Tout l'esprit dérangé de ton oncle est contenu dans cette histoire.

Les vraies difficultés ont commencé le jour où il s'est passionné pour les poulets. Ces poulets étaient infestés de puces et il s'est mis à les regarder de plus près et à analyser le processus de leur reproduction. Là-dessus, la guerre a éclaté et les Soviétiques ont occupé Lvov. La vermine est apparue avec eux : les puces ont commencé à démanger pour de bon. Il aurait mieux valu qu'il étudie les moyens de les exterminer plutôt que de chercher à améliorer leur race, mais de cela Roman était incapable.

Oncle Roman m'attirait et me repoussait en même temps. Il se moquait de tout : des plats polonais, des informations à la radio, des journaux, des manifestations du 1er Mai et du 7 Novembre[1], rien n'était sacré pour lui. Mais malgré cela, j'aimais venir dans sa chambre. Dans le tiroir, il cachait une boîte. J'étais la seule autorisée à la voir. Sur le couvercle il y avait une inscription : *Pulex irritans.*

---

1. Anniversaire de la révolution d'Octobre.

Au lycée, le professeur de français était tombé malade et ses heures étaient désormais remplacées par des cours de russe. De plus, il y avait eu un autre changement et pas des moindres : un nouveau directeur était arrivé. Une nomination comme celle-là, presque en fin d'année scolaire, avait surpris tout le monde. Qu'était devenu l'ancien ? Personne ne le savait. Le nouveau, plus jeune, s'appelait Wojciech[1] Krostak. On chuchotait qu'il avait séjourné à Moscou et que sa femme était russe. Il portait une barbichette, un peigne sortait de la pochette de sa veste. Je me demandais à quoi il pouvait lui servir puisque son crâne était chauve comme mon genou. Le plus étonnant était qu'il n'enseignait aucune matière, mais assistait souvent aux cours et prenait des notes comme un étudiant.

Le nouveau directeur a demandé au professeur principal la liste des élèves avec des appréciations. Sur ma fiche, le professeur de polonais avait écrit : « Douée pour l'écriture », et le professeur de physique : « Excellente en tout.

---

1. Prononcer : « Voïtchieh' ».

Jusqu'à l'année dernière, meilleure élève de tout l'établissement. »

« "Jusqu'à l'année dernière"… Que c'est drôle », ai-je pensé. Pourtant mes efforts pour ne plus être la première de la classe ne dataient pas de l'année dernière ! J'avais pris cette décision après une discussion avec Roman qui m'avait donné ce conseil :

– Le seul moyen de te dérober chaque fois qu'on veut te confier une responsabilité, c'est d'en paraître incapable.

J'ai réfléchi et je suis arrivée à la conclusion que l'oncle Roman n'avait peut-être pas toute sa tête mais qu'il était drôlement futé. Est-ce qu'on demandait à ce cancre de Piotr d'être le modèle de la classe ? Il redoublait chaque année sans vergogne, mais on lui fichait la paix.

Contrairement à ce que je pensais, il n'était pas si facile de se montrer sous un mauvais jour. Mais à force de penser à autre chose chaque fois qu'on m'interrogeait, j'arrivais à éviter les bonnes réponses. J'ai cessé de faire mes devoirs une fois sur deux pour commencer, puis définitivement, n'ouvrant plus les manuels, n'apprenant plus les poèmes par cœur. Je me suis mise à écrire de la main gauche pour enlaidir mon écriture qui, jusqu'à présent, alignait des lettres aussi rondes que si elles étaient imprimées. Même en maths, matière que j'adorais, il m'arrivait de ne pas trouver le maximum et le minimum d'une fonction, ou de me tromper dans une multiplication. J'attendais maintenant avec délice les reproches des professeurs. Certains répétaient qu'il existait des écoles pour coiffeuses ou couturières, où le bac n'était pas obligatoire. D'autres disaient qu'il manquait de trayeuses de vaches dans des coopératives à la campagne. Il n'y a eu que le professeur d'histoire pour me retenir à la récréation et me demander si j'avais des soucis. Malgré mon profond respect pour le vieux Kollontaï, je lui ai répondu :

— Non, pas du tout — et je lui ai tourné le dos.

— Qui a le plus changé l'histoire ? Alexandre le Grand ? Jules César ? Napoléon Bonaparte ?

Le professeur Kollontaï posait toujours des questions qui faisaient réfléchir les élèves. Je n'ai pas pu me retenir :

— Ceux qui ont le plus changé l'histoire sont les auteurs de nos manuels.

Il y a eu des éclats de rire. J'ai distingué celui de Piotr, le plus sonore, mais aussi celui d'Iwonka. Le professeur Kollontaï a souri, mais j'ai vu que ses yeux, comme ceux de Grand-Mère, restaient tristes. Il a jeté un rapide coup d'œil vers le fond de la classe et, mue par un mauvais pressentiment, j'ai tourné la tête. Assis sur le dernier banc, comme un élève parmi les élèves, le nouveau directeur notait quelque chose dans son carnet. Il avait dû entrer pendant la récréation pour ne pas se faire remarquer. Je me suis promis d'être plus prudente à l'avenir. Mais la même semaine, j'ai reçu un nouveau blâme en biologie. L'enseignante, après l'incident du malheureux poème, m'avait carrément prise en grippe.

Un des élèves avait posé cette question :

— Est-il vrai qu'en Union soviétique il y a sept récoltes par an ?

— Parfaitement..., a commencé Mlle Polony.

Mais je lui ai coupé la parole avec la blague qui circulait :

— Une en Union soviétique, une en Pologne, une en Tchécoslovaquie, une en Roumanie, une en Bulgarie, une en...

Mlle Polony a crié :

– Zborawska, dehors !

À deux pas du Collegium Maius, au coin des rues Sainte-Anne et Jagiellonska, se trouvait le Bar Gastrom, très fréquenté par les étudiants de l'université Jagellone toute proche. Ils l'avaient baptisé communément *U Kapusty*[1], il était sale, toujours bondé, et l'on pouvait y commander un plat bon marché car sans viande. À l'époque, cela ne s'appelait pas encore de la nourriture végétarienne. Aucune personne sensée dans ces années de disette ne se serait volontairement privée d'une côtelette de porc ou d'un goulasch.

Renvoyée du cours, j'y attendais Iwonka en lisant affalée sur mes coudes, enfin heureuse d'être dispensée de bonnes manières. Les fourchettes étaient en aluminium : elles se pliaient dès qu'on les enfonçait dans une raviole. Les *ruskié pierogui*[2] étaient mon plat préféré, à trois zlotys cinquante l'assiette.

Je savais immédiatement quand Iwonka entrait, elle attirait tous les regards. Elle avait une façon bien à elle de marcher, de s'asseoir, de parler. Son petit air provocant surtout ne laissait pas les hommes indifférents.

– Regarde, je lui disais, encore un garçon qui te dévore des yeux.

Elle souriait de ses deux ravissantes fossettes, feignant la modestie. J'étais certaine qu'au fond d'elle-même, elle considérait qu'il était juste et naturel de susciter tant

---

1. « Chez Monsieur Chou ».

2. Ravioles farcies à la pomme de terre et au fromage, inconnues des Russes malgré le nom, car c'est un plat ukrainien.

d'admiration. Si le bon Dieu avait créé certaines femmes si belles, c'était pour qu'elles obtiennent, grâce à cette beauté, une vie agréable.

Iwonka parlait sur le ton de la confidence.

– Si tu savais comme l'école m'embête ! Encore un an comme ça ! Toutes ces matières inutiles à apprendre !

– Tu feras quoi après le bac ?

– Je donnerai des conférences.

– Des conférences ! Pour qui ? Sur quoi ?

– Peu importe. J'aime parler en public. La dialectique, c'est l'avenir. Le secrétaire du ZMP[1] a dit qu'il fallait savoir diffuser les avancées scientifiques du matérialisme.

Je me suis rappelé avec quel enthousiasme le camarade Ogourek avait félicité Iwonka à la dernière réunion :

– Tu as un véritable don d'oratrice, avait-il dit. Tu pourras représenter notre lycée au prochain congrès de la Jeunesse.

Oui, elle avait cette facilité de parler de tout et de rien. Mais elle ne savait pas écrire. Je le voyais bien, elle s'en remettait complètement à moi pour toute rédaction.

– Tu vas faire comment pour les exposés ? ai-je demandé sournoisement.

– C'est toi qui vas les écrire à ma place.

J'ai baissé les yeux pour cacher ma satisfaction. Mon sentiment d'infériorité trouvait enfin un exutoire. Là, je la dominais.

Les fossettes ont réapparu sur son visage.

---

1. ZMP (Związek Mlodzieży Polskiej) : Union de la jeunesse polonaise, organisation communiste créée en 1948, calquée sur le Komsomol soviétique.

– Nous allons former une chouette équipe, tu verras, m'a-t-elle rassurée.

De toute façon, aurais-je seulement été capable de lui dire non ? Elle avait une sorte de pouvoir magnétique sur moi. Je rêvais de lui ressembler. D'acquérir cette malice qui permet sans ciller de manœuvrer pour arriver à ses fins ! Je m'en voulais d'exhiber ce petit visage anxieux et fermé, incapable de feindre la sincérité.

Peut-être possédait-elle ce qui me manquait : l'assurance ? J'avais lu un jour dans une revue de psychologie que les orphelins ne l'acquièrent jamais. Et j'étais comme orpheline, même si mes papiers m'attribuaient un père et une mère.

Dans la même semaine, dix minutes avant la fin du cours de biologie, le surveillant Woźny est venu m'annoncer que le nouveau directeur voulait me voir. Pourquoi n'avait-il pas attendu la récréation ? Mon cœur s'est mis à battre la chamade. Quand je suis entrée, le directeur était plongé dans un dossier.

– Attends une minute. J'ai des questions à te poser.

Les minutes passaient, j'ai eu le temps de bien regarder son bureau. Derrière les vitres de la bibliothèque, je voyais les œuvres de Marx et de Lénine en reliures dorées. Comme le directeur ne me prêtait toujours aucune attention, j'ai tourné la tête et tiré la langue aux portraits de Staline et de ses acolytes, nos chers dirigeants accrochés à droite et à gauche. Droit devant moi, sur le mur sale, on voyait la trace claire d'une croix enlevée. Sur le mur opposé se trouvait une reproduction d'un tableau connu d'un peintre soviétique sur lequel Lénine haranguait les ouvriers. J'ai remarqué que Krostak ressemblait étrangement à Lénine, par osmose probablement, me suis-je dit.

Enfin, il a rangé son dossier et s'est adressé à moi avec un large sourire. Il s'est enquis du sport que je pratiquais, des études que je voulais faire plus tard. Il y avait même une certaine chaleur dans sa voix comme s'il voulait me mettre en confiance. Puis son ton a changé, gagné en sévérité comme pour me faire comprendre que nous allions aborder un sujet grave. Il tenait à savoir si Grand-Mère m'emmenait à l'église le dimanche, si nous discutions politique à la maison et si nous recevions des lettres de l'étranger.

– Pourquoi vous me posez toutes ces questions, cela n'a rien à voir avec mes notes ? ai-je dit pour gagner du temps.

– Parce que je suis d'une nature curieuse, a-t-il répondu. Tu as une situation familiale, comment dire… compliquée. Ta mère se trouve en France, elle est mariée avec un individu qui clame ouvertement son hostilité à notre régime démocratique. J'espère que tu ne cherches pas à avoir de contacts avec elle ?

Évidemment, je n'ai pas dit que nous allions régulièrement à la messe, à l'exception de notre nounou, et que nous avions reçu récemment un colis de Paris. Accepter un colis venant de l'étranger, c'était être en contact direct avec le monde capitaliste. J'allais apprendre plus tard à mes dépens que cela nous mettait dans une position vulnérable. Pour le moment, le bon directeur m'a tapé sur l'épaule et conseillé d'éviter le moindre contact avec ce monde menaçant de l'Ouest.

– Les capitalistes veulent détruire notre jeune démocratie populaire, conduire notre chère patrie de paysans et d'ouvriers à sa perte en nous vendant leur camelote. Zborawska, tu n'es pas aussi bête que tu voudrais le faire croire.

Si tu veux te racheter à mes yeux, il est encore temps, je suis disposé à te faire confiance. Il suffit seulement que tu sois sincère et dises toujours la vérité quand on t'interrogera, a-t-il ajouté avant me laisser rejoindre la classe.

S'il avait su quelles surprises nous réservaient ces fameux colis de Paris ! Le dernier, estampillé par la douane «Friandises pour Noël», est arrivé quatre mois plus tard, ouvert. À l'intérieur, il n'y avait que des sachets d'orangeade en poudre. Je me suis demandé comment Mère avait pu s'en procurer à Paris. Sur l'emballage il était écrit : «Fabriqué à l'usine de Skawina», c'est-à-dire à onze kilomètres de Cracovie.

Un autre, spécifiant sur l'emballage «Un manteau d'hiver et un pull-over» est arrivé après Pâques, recollé de partout, comme s'il avait traversé un champ de bataille. Il ne contenait aucun vêtement parisien, seulement une vieille veste élimée de fabrication polonaise. Il ne pouvait y avoir aucun doute, l'étiquette portait la marque *Państwowa Fabryka Odzieży*[1] à Łódz. Quant au pull-over, il était taillé pour un enfant de deux ans. Mère aurait-elle oublié que j'en avais maintenant seize ?

J'avais gardé le silence sur cette étrange entrevue avec le directeur pour la raison évidente que je ne voulais pas inquiéter Grand-Mère. Elle était accablée par ses propres soucis, je n'allais pas y ajouter les miens. Si au moins on pouvait marier Jadwiga ! La date n'était toujours pas fixée, la raison officielle était cette promotion en vue pour Czesław avec une probable nomination à Varsovie. Jadwiga craignait que cela ne provoque une enquête de la Milice. Une

---

1. Usine nationale de vêtements.

fine mouche comme elle sentait que ses origines sociales risquaient d'être une entrave à la carrière de Czesław et d'exposer toute une famille qui au contraire essayait de se faire oublier. Non, un major général ne pouvait commettre une telle folie : épouser la fille d'un « ennemi du peuple » !

– Le rang de major[1] par les temps qui courent n'est pas dépourvu de danger. Restons à Cracovie, suppliait-elle Czesław qui, comme avant, la couvait amoureusement du regard.

À peine arrivé rue Floriańska, Czesław se voyait proposer la tournée par Père :

– Viens, bois un coup, tu devrais l'apprécier, c'est du cognac soviétique.

– Merci, tu sais bien que je ne bois pas, répondait invariablement Czesław avec une voix sentencieuse. Stop ! Pas plus d'un doigt alors.

– On voit tout de suite que tu n'es pas des nôtres. Regarde comme tu sirotes ce bon breuvage, un Polonais aurait honte. Il est temps de te débarrasser des mauvaises habitudes si tu veux rentrer dans une famille aussi respectable que la nôtre. Chez nous, l'alcool ne se déguste pas, ça s'avale cul sec. Le cerveau a besoin d'être irrigué pour fonctionner sans grincer.

– Le tien… pas le mien…

Czesław n'était pas volubile comme le sont les Polonais. Il savait faire durer les silences, cela mettait ses interlocuteurs mal à l'aise.

– Il est peut-être habitué aux pauses pour les applau-

_____

1. En France, l'équivalent d'un général de brigade ou d'un colonel.

dissements ? se demandait l'oncle Roman, obligé en présence de Czesław d'éteindre la radio par prudence.

J'observais Czesław devenir de plus en plus rouge. C'est vrai que les rouquins rougissent facilement mais il avait de plus en plus de difficulté à retenir son irritation vis-à-vis de Père et de Roman comme quelqu'un qui se voit jugé en permanence. Et qui comprend que ce jugement, quoi qu'il fasse, sera négatif.

J'ai décidé d'écrire un journal par besoin de libérer sur le papier les états d'âme que je ne m'autorisais pas à confier à quiconque. J'ai acheté un gros cahier et j'ai commencé à écrire :

Tout le monde n'a pas, comme moi, la chance d'avoir des parents ratés. Une grand-mère sur le retour et un grand-père au pedigree sibérien. Une mère qui s'est volatilisée à Paris avec laquelle il est interdit de communiquer et une tante bientôt mariée à un officier de la Bezpieka à qui nous faisons honte. Un père spécialiste du trou du cul et un oncle collectionneur de puces. Si j'ajoute à cela une nounou qu'il faut faire passer pour une parente pour qu'on ne l'envoie pas dans un asile de vieillards et une abrutie, ancienne dame pipi reconvertie en blanchisseuse qui rêve de s'inscrire au Parti afin que son rejeton ne manque pas de viande le dimanche, on est au complet. Voilà ce qu'on peut appeler un curriculum vitae sans avenir. Mon but dans la vie, puisqu'il faut en avoir un selon Grand-Mère, c'est de quitter cette famille de fous. Mieux, quitter ce pays, me trouver au plus vite le plus loin de tout ça.

J'ai cherché un endroit où je pourrais cacher mon journal. J'ai inspecté plusieurs coins dans la salle de bains et les W-C. Finalement, j'ai trouvé sous le plafond un espace étroit entre le réservoir de la chasse d'eau et le mur et je l'y ai glissé. Au moins, là, personne ne le trouverait.

La première pièce du puzzle avait fait son apparition grâce au bon directeur, il fallait s'attendre à ce que d'autres viennent la compléter. Mère se trouvait donc bien en France, ces gens-là étaient mieux renseignés que Grand-Mère, c'était clair. Le fait qu'elle soit mariée « avec un individu qui clamait ouvertement son hostilité à notre régime démocratique » m'avait chagrinée, elle aurait mieux fait rester avec Père qui lui, ne clamait rien et se laissait vivre tout simplement. Ses rares colis sans aucun mot personnel semaient plus de trouble qu'ils ne m'apportaient de consolation. Il ne m'était même pas donné de la remercier pour l'orangeade en poudre ni le pull-over trop petit pour la simple raison que son adresse était illisible sur le colis. Sa vie, ce puzzle, j'essayais de la reconstituer grâce aux bribes d'informations que je saisissais ici ou là. J'avais compris que la guerre l'avait surprise à Varsovie où elle avait passé l'été 39 pour voir son père malade. À cette date-là, personne ne connaissait l'existence du pacte Hitler-Staline et n'imaginait que les Soviétiques allaient annexer, sans déclaration de guerre, toute la partie est de la Pologne, y compris la riche ville de Lvov.

Le père de ma mère était proche du gouvernement et à ce titre avait réussi, avec d'autres autorités, à quitter le pays, en l'emmenant avec lui. Était-elle repassée par Lvov ? Pourquoi n'était-elle pas venue me chercher ? Pouvait-elle imaginer à quels dangers elle m'exposait ?

Comment peut-on abandonner un enfant de trois ans ? Je me suis demandé si, dans son exil, elle aussi, comme nous, avait souffert du froid, de la faim, des poux. Si, elle aussi, avait connu la peur qui vous paralyse les jambes et vous noue la gorge.

Elle était absente des images qui me revenaient en mémoire : seul Père se tenait au milieu de la gare noire de monde, ses mains m'avaient hissée sur le wagon. C'était le dernier train qui partait de Lvov.

Une rumeur courait que la Pologne commencerait à l'ouest du Bug et que Lvov deviendrait soviétique pour toujours. Les Russes se conduisaient déjà en maîtres. Ils changèrent les noms des rues. Ils enlevèrent les emblèmes polonais avec l'aigle, remplacèrent les portraits polonais par ceux de Lénine et de Staline. Des affiches ont couvert les murs : «*Fini le gouvernement des seigneurs polonais, l'Armée rouge libère la Pologne.*» Ils ont semé la terreur en commençant par aligner les gens, visages contre le mur, et en fusillant ainsi, systématiquement, des centaines d'hommes et de femmes. Ils ne choisissaient pas. Il n'y avait pas de règles et de normes comme avec les Allemands. Jeunes, vieux, Ukrainiens, Polonais, juifs, protestants, athées, tous étaient égaux devant la mort. Leurs soldats vidaient les maisons et les bibliothèques, jetaient les livres dans la rue, puis y mettaient le feu. Plus tard, quand Grand-Mère me fit le récit de cet exode, elle prétendit que le pressentiment de catastrophe lui venait de Heine.

– Quand l'homme brûle les livres, il brûlera les humains, signe qu'il faut fuir. N'attendons pas qu'ils ferment la frontière.

Des voitures aux vitres opaques circulaient jour et nuit entre les maisons et la gare. Là, ils entassaient des gens dans les wagons à bestiaux appelés *tielouchka* et personne ne les a plus jamais revus. Père, étudiant en médecine, avait manqué à deux doigts d'être déporté. Les NKVDistes étaient venus le cueillir la nuit de 20 juin 1941. Cette nuit-là il avait découché, il a eu de la chance. Grand-Père un peu moins, ils l'ont emmené et envoyé en Sibérie. Roman a réussi à s'échapper d'un camion et a ainsi évité d'être tué dans le massacre de Katyn, mais ça, c'est une tout autre histoire puisqu'il avait perdu la raison.

D'après ce que je sais, Grand-Mère a donc réussi à grimper dans ce dernier train qui quittait Lvov avec moi et Elżbieta. Je vois encore son chapeau s'envoler au moment où le train s'est ébranlé, ma panique d'être séparée de mon père, mes jambes coincées dans la fenêtre d'un compartiment, Père sur le quai, le visage ruisselant de larmes, suppliant la nounou de ne pas lâcher ma main. Je vois dans mes souvenirs un homme en uniforme avec une casquette, il crie, puis siffle, je revois l'arrêt en pleine nuit au milieu de nulle part, un passage à niveau, un chien dans sa niche.

En route, elle m'avait perdue. Nous sommes descendues du train à la recherche d'eau et d'un peu de nourriture.

— Tiens-moi par la veste, m'avait recommandé Elżbieta. Ne t'éloigne surtout pas !

J'étais trop petite pour me remémorer les détails mais je me rappelle clairement m'être agrippée à elle de toutes mes forces. Mais une masse informe et compacte, la masse de corps humains, m'avait poussée et soulevée, mes pieds ne reposaient plus sur terre. Au prix d'un effort surhumain, j'avais réussi à attraper un pan d'étoffe mais en arrivant devant une pompe, j'avais constaté que le bout de la jupe que je tenais n'appartenait pas à ma nounou mais à une vieille paysanne qui me chassa d'un coup de pied.

Grand-Mère avait rebroussé le chemin, parcouru toutes les stations, affolée, demandant aux chefs de gare s'ils n'avaient pas vu une petite fille habillée d'un manteau bleu. Elle m'avait trouvée deux jours plus tard chez un garde-barrière qui m'avait sortie de la niche de son chien, un gros berger allemand attaché à une chaîne où, effrayée, j'avais dû chercher refuge. Pour ne pas me perdre de nouveau, elle avait cousu la manche de son manteau à la manche de mon chandail – mon joli manteau bleu m'avait été volé. Mon seul souvenir, c'est la douleur dans mon bras tenu en l'air pendant des heures et des heures de marche. La suite, je l'ai apprise par le récit de Grand-Mère et d'Elżbieta. Nous avons mis quatre mois à rejoindre Cracovie pour, à la fin, tomber d'une occupation soviétique sous une occupation allemande.

De ce périple il me reste encore aujourd'hui une peur inconsciente des voyages en train, des contrôleurs, des hommes en uniforme. Et l'amour des chiens, attachés ou non à une chaîne.

De ces réminiscences confuses est né un doute plus grand que tous les autres : et si moi, ce n'était pas moi ? Si Grand-Mère s'était trompée ? Si on m'avait échangée ? Puisqu'on m'avait retrouvée méconnaissable, couverte de vermine. Il avait fallu me raser les cheveux tant ils grouillaient de poux.

Souvent la nuit, quand je n'arrivais pas m'endormir, je m'imaginais que j'étais l'enfant d'un coucou qui s'était glissé furtivement dans un nid polonais. Et qui attendait l'occasion de déployer ses ailes.

Comment orienter ma vie ?

Me marier le plus tôt possible pour fuir cette maison de fous ? Je rêvais de la vie d'étudiante que j'imaginais plus libre, plus indépendante. Mon esprit s'échappait dans les rêves. Je me figurais en grande biologiste qui défierait cette Lepechinskaïa[1] et tous les lyssenkistes[2] soviétiques à la fois dont Mlle Polony nous rebattait les oreilles. Ou bien je deviendrais avocate et défendrais des femmes. Ou encore une chimiste qui inventerait une nouvelle molécule. Peut-être un écrivain ?

Mes perspectives de carrière évoluaient au fur et à mesure de mes discussions passionnées avec Iwonka. Elle s'étonnait que j'aie envie de poursuivre mes études. Mais

1. Olga Borisovna Lepechinskaïa (1871-1963). Prétendue généticienne, en fait sage-femme, membre de l'Académie des sciences de l'URSS, prix Staline, prix de l'Ordre de Lénine.
2. Trophim Denissovitch Lyssenko (1898-1963). Le plus grand charlatan scientifique des temps modernes, favori de Staline. Il considérait la génétique comme une « science bourgeoise et réactionnaire », rejetait les lois de Mendel. Selon sa théorie, l'hérédité avait un caractère acquis.

dans notre famille, depuis des générations, la tradition exigeait que chacun fasse des études supérieures intéressantes.

– Cinq ans, c'est long. Pour faire quoi après ? Gagner un salaire de misère de mille zlotys par mois ?

Elle gâchait mon enthousiasme. J'ai cherché à me consoler auprès de Roman qui me conseillait d'étudier les mathématiques :

– C'est là que l'on endoctrine le moins.

Père était plus formel :

– Étudie le droit puisque, pour des raisons qui m'échappent, tu ne veux pas faire de la médecine. Le droit mène à tout.

– Je ne suis pas de ton avis, protestait Grand-Mère, on n'étudie pas le droit dans un pays qui ne respecte aucune loi.

Nous passions ensemble en revue toutes les disciplines. L'histoire, la géographie, je ne voulais pas en entendre parler car je ne voulais pas enseigner. La stomatologie était déplaisante, je ne me voyais pas toute la journée les doigts dans la bouche des autres. Le journalisme me tentait mais il était entièrement soumis à la censure. Psychologie et sociologie ont été immédiatement ridiculisées par Roman comme menant tout droit à une embauche à la redoutable Bezpieka.

– Tu te rends compte ? On y enseigne maintenant « Comment déstabiliser une personnalité », la « psyché de l'ennemi », les « techniques d'influence » !

Grand-Mère a alors suggéré l'archéologie : « encore idéologiquement pure ».

Piotr Weisman, lui, prônait son art :

– Tu as un don pour manier le crayon, tu pourrais devenir caricaturiste. Si tu veux, j'en parlerai à ma mère, elle te donnera quelques cours de dessin.

Quand je l'ai annoncé à la maison, Père a ricané :

– Ce n'est pas parce que tu sais dessiner un chat que tu pourras en vivre.

Mais c'est l'oncle Roman qui a porté le coup fatal à ma future carrière d'artiste :

– Avec ton diplôme des Beaux-Arts, on t'ordonnera de peindre les Meslé et tu vivras dans l'attente du 1er Mai, du 22 Juillet[1], et du 7 Novembre.

– C'est quoi les *Meslé* ? ai-je demandé.

– Leurs affiches à eux, à l'effigie de Marx, Engels, Staline, Lénine. M-E-S-Lé. Tu pourras ajouter faucille, marteau, étoile rouge, ils payent au mètre carré.

– Étudie les langues, m'a conseillé Jadwiga qui, en plus de son travail à l'école, faisait des traductions. Ils auront toujours besoin d'interprètes. Je suis de plus en plus submergée de travail. On me confie des textes allemands en plus de ceux en anglais et en français. Ils ne parlent aucune langue civilisée.

– À part le russe, a rectifié Roman. D'ailleurs, il faut que tu apprennes le russe aussi. Chaque Polonais devrait apprendre la langue de ses ennemis mortels.

Le lendemain, Grand-Mère est rentrée de fort bonne humeur de son thé chez le consul avec deux morceaux de sucre cachés dans son sac à main :

– Tiens, c'est pour toi. Qu'écris-tu ?

– Une dissertation pour une camarade.

---

1. Fête nationale jusqu'en 1989.

– Quel est le thème ?

– « Développe les paroles du poète : *Il y avait la misère, il y avait le capitalisme et un homme a paru qui s'appelait Lénine…* »

– Qu'il brûle en enfer !

J'ai voulu lui lire une page de ce que je considérais être un petit chef-d'œuvre, mais Grand-Mère a fait une telle grimace que je me suis arrêtée à l'introduction. Le lendemain, Iwonka a lu ma rédaction comme si c'était la sienne devant toute la classe, s'arrêtant après chaque paragraphe pour plus d'effet. Le professeur de polonais l'a regardée avec admiration, l'a félicitée, et elle, la tête haute, buvait du petit-lait.

J'étais partagée entre la jalousie de sa réussite imméritée et la fierté d'en être l'auteur. Avoir lu quotidiennement la presse dans les toilettes avait aiguisé mon vocabulaire, rapidement je suis arrivée à écrire plusieurs dissertations en à peine une heure car d'autres camarades réclamaient mon aide. Je mettais de côté les extraits de journaux, j'y piochais adroitement des formules sur le progrès de l'humanité, la supériorité de la gestion planifiée sur le modèle capitaliste, rétrograde et déshumanisé. Même Piotr a reçu, grâce à moi, la première bonne note de sa vie. J'ai fixé le tarif : un zloty la dissert. Je réservais les rédactions les mieux écrites à Iwonka sans accepter d'argent de sa part, bien entendu.

Mon désir le plus cher était de racheter le collier en corail de Grand-Mère. J'avais calculé que si le programme prévoyait autant de dissertations aux thèmes abscons, d'ici le bac j'aurais déjà pas mal d'argent de côté. Souvent je faisais le détour par la rue Grodzka pour vérifier si le collier se trouvait toujours là. Et il était bien là, dans la vitrine, parmi des figurines de Saxe et autres bibelots. Seulement le prix affiché était de trente mille zlotys, le double de ce que Grand-Mère avait touché !

Après une de mes dissertations particulièrement réussie, le vieux Kollontaï a eu quelques doutes sur le savoir d'Iwonka et l'a interrogée debout devant le tableau noir. Elle confondait les rois, les époques. J'étais assise au dernier rang, incapable lui venir en aide. Il lui a collé un double zéro. Il faisait partie de ces enseignants de l'ancienne école qui exigeaient de véritables connaissances et ne gonflaient pas ostensiblement les notes des enfants d'apparatchiks.

Les bonnes notes de mes camarades chatouillaient mon orgueil et je commençais à me demander si là n'était pas mon avenir. Pas être scribe pour les autres, non, mais écrire. En faire un métier et en vivre. Je pensais à Jack London et à son combat dans le froid de sa chambre, indifférent aux obstacles et à l'adversité. Un jour, j'écrirais un livre, non sur mon enfance mais sur l'histoire d'un destin, sur l'histoire d'un grand amour à en mourir, comme dans *Anna Karénine* que je lisais pour la quatorzième fois.

Malgré l'emménagement de Marintchia et Waldek, Czesław n'a pas réussi à nous épargner la réquisition de l'appartement. Une femme est venue du Bureau du logement municipal.

– Vous n'avez pas honte ! On manque de surfaces habitables et vous vous pavanez dans un palais ! Des familles s'entassent dans les granges, mais vous, vous êtes à l'aise. C'est à croire qu'y a pas de justice.

Et, comme si elle s'attendait à une rébellion, elle a ajouté :

– Vous devriez savoir que seuls neuf mètres carrés par habitant sont admis. Vous allez recueillir des locataires chez vous.

– Mais l'appartement est tout en enfilade. Impossible de construire des cloisons... mon fils est médecin... l'autre n'a pas toute sa tête... je loge ma petite-fille qui n'a pas de mère... moi-même, je travaille tard la nuit... Nous avons droit à...

– Le règlement c'est le règlement, *prosze pani*[1], l'a interrompue la dame avec un sourire carnassier. Vous, les

---

1. S'il vous plaît, ma petite dame.

propriétaires, vous n'allez pas péter dans la soie toute votre vie ! Vous avez déjà suffisamment exploité la classe ouvrière, maintenant, vous vivez aux crochets de l'État socialiste. Il est temps de payer, camarade Zborawska.

– Je ne vis aux crochets de personne madame, a enfin réussi à articuler Grand-Mère, je travaille, comme mon père et mon grand-père !

– Vous appelez cela travailler ? Gratter du papier toute la journée ! Vous n'êtes qu'une bourgeoise !

Puis elle a claqué la porte à faire trembler les vitres.

– J'avoue que j'ai eu beaucoup de mal à ne pas l'insulter.

– Bashia, on n'insulte pas les gens qui ne sont pas du même rang, a persiflé Grand-Mère, mais j'ai vu qu'elle était inquiète.

Une odeur acide a pénétré la maison en même temps que la première sous-locataire, *pani* Stashia, employée à la poissonnerie. Elle avait deux incisives en acier et une haleine chargée d'ail. Quelques heures plus tard, est apparue *pani* Hania, couturière à l'usine textile de Nowa Huta et qui dégageait une déplaisante odeur de transpiration. Après elles, c'est *pani* Kowalska, employée à la droguerie de la rue Karmelicka qui s'est « invitée ». Elle était affligée d'un double menton et d'une poitrine imposante, et une ombre de moustache ornait les coins de ses lèvres, ce qui en Pologne est associé à un tempérament ardent. Elle a mis son lit dans la salle à manger, près du balcon, à l'opposé de Marintchia et Waldek. Un drap blanc faisant office de rideau divisait la salle à manger en deux. Tous les soirs, avant d'aller se coucher, *pani* Kowalska occupait pendant une heure entière l'unique salle de bains. Elle se mettait des papillotes en papier pour avoir des boucles le matin et s'enduisait le visage de rondelles de concombre pour atténuer ses taches de rousseur.

Après la Kowalska, ça a été le tour de *pani* Stefa, la sœur d'Hania, une maigre au regard de vipère. Elle a convaincu Grand-Mère qu'elle ne prendrait pas du tout de place ; sa sœur et elle dormiraient dans le même lit. Stefa faisait partie de l'équipe de nuit d'une boulangerie d'État, rentrait à six heures et prenait la place encore chaude d'Hania qui se levait pour aller coudre des vêtements à l'usine.

Rapidement, l'appartement a été délimité par de nombreux paravents et des armoires poussées côte à côte pour former un couloir. Une odeur de chou a envahi le salon transformé en dortoir avec ses trois lits contre les trois murs, les chevets face à la fenêtre. Les locataires faisaient la cuisine à n'importe quelle heure du jour ou de la nuit. Quand l'une se levait, une autre se couchait. Le vestibule était si encombré qu'on trébuchait sur des sacs de charbon, des coffres, des valises. Le couloir sentait la lessive, le lavabo était régulièrement bouché et le papier faisait vite défaut même si Grand-Mère venait d'en couper de nouveaux rectangles. Elle-même gardait une distance quasi seigneuriale vis-à-vis des événements :

– Surtout, évitons de nous plaindre.

– Pourquoi ?

– Ça fait prolétaire.

Même si jusqu'à présent elle avait réussi à rendre chaque situation pénible acceptable, sa réponse ne m'a pas convaincue. Alors elle a ajouté :

– Nous devons rester nous-mêmes, coûte que coûte. Même dans une porcherie.

Kowalska avait un frère qu'elle allait voir chaque dimanche dans un hôtel ouvrier. Les jeunes venant des campagnes y étaient logés à plusieurs dans la même chambre. Kowalska racontait que l'escalier était couvert de vomi, les vitres brisées, les tables cassées, les matelas tachés de vin. Une fois, elle avait vu une prostituée descendre l'escalier. Elle craignait pour son frère et a demandé à Grand-Mère s'il ne pouvait pas venir habiter provisoirement chez elle.

– Mais il n'y a plus de place, même pour mettre une épingle, a protesté Grand-Mère.

– Oh, Jurek[1] n'a jamais été très exigeant, habitué qu'il est à sous-louer de-ci de-là des recoins dans la chambre de quelqu'un.

Puis elle a ajouté :

– C'est un syndicaliste, vous savez, il pourra vous êtes utile un jour. Par les temps qui courent, on sait jamais…

Il a sonné à la porte le dimanche suivant, grand, sec, avec une pomme d'Adam comiquement mobile, cachant sa calvitie par une mèche collante empruntée sur la tempe. Il avait le parfait physique de l'alcoolique, ses mains tremblotantes le trahissaient. Mais il était trop tard, il avait déjà déposé un matelas gonflable à côté du lit de sa sœur.

---

1. Prononcer Yourek, diminutif de Jerzy (Yégé), Georges en français.

Au lycée, les cours de biologie passaient pour être précurseurs. Mlle Polony a évoqué une doctrine qui allait révolutionner le monde : Mitchourine, avec son élève Lyssenko, avait fait des recherches sur l'hybridation et la sélection artificielles. À la suite de manipulations savantes – et avec l'aide de la doctrine de Marx et d'Engels –, ils avaient développé de nouveaux espaces de culture, idéologiquement sûrs.

« Les conditions de vie déterminent davantage que l'hérédité. » Nous devions commenter cette évidence en donnant des exemples. J'étais ravie, j'avais de plus en plus de commandes. Piotr m'a proposé d'échanger un devoir de biologie contre l'un de ses tableaux qui m'a laissée sans voix : on y voyait différents bestiaux tombés d'une falaise. Tous avaient des yeux verts étranges. Un peu de traviole sur la falaise, on voyait une maison solitaire et plusieurs croix noires comme dans un cimetière. Le soleil se couchait à droite, les oiseaux, aux ailes énormes, étaient également noirs. Grand-Mère n'a pas voulu que je l'accroche au mur.

– Il leur a donné tes yeux à toi, à tous ces animaux.

– Mais je n'ai pas des yeux comme ça !

– Les tiens sont plus clairs mais la forme est la même. Il lutte contre quelque chose qui le tourmente, ce garçon.

Je n'ai pas dit à Grand-Mère que Piotr s'en remettait complètement à moi pour les dissertations. Pendant les cours, au lieu d'écouter, il dessinait, me regardait, me faisait des clins d'œil gênants. J'avais du mal à me concentrer. Pourtant en biologie, les recherches sur l'hybridation étaient encore plus enthousiasmantes que la lutte entre les espèces. J'ai demandé :

– Est-ce que des savants soviétiques qui savent créer des nouvelles espèces auraient su accoupler une puce avec un ver luisant ?

– Pourquoi ? s'est étonnée Mlle Polony.

– Un tel hybride serait plus facile à attraper la nuit.

La classe a ri, moi pas. Les puces étaient devenues un réel cauchemar dans l'appartement de la rue Floriańska depuis que les locataires s'y étaient installés. Le soir, avant de me coucher, à tout hasard, j'envoyais une bonne dose de fly-tox sous mon édredon. Rien à faire, la nuit ces parasites sortaient d'on ne savait où. Peut-être des amas de linge entassés dans l'arrière-cuisine et que les voisins apportaient à Marintchia pour qu'elle les lave.

J'avais lu dans un récit historique qu'au XVIII$^e$ siècle, quand les voyageurs étrangers s'aventuraient dans cette partie du monde, ils étaient munis d'un attrape-puce accroché sous l'aisselle. En attendant d'en parler à l'oncle Roman pour savoir comment en fabriquer un, je me contentais de moyens d'extermination manuels. J'organisais la rafle, les attrapais une par une, les malaxais entre le pouce et l'index pour leur écraser les jambes, les empêcher de sauter. Ensuite, je les déposais sur le rebord de la fenêtre et, par une pression de l'ongle, les faisais éclater. Il restait une tache humide de sang.

Je cessais de lutter au petit matin, épuisée. D'ailleurs, les puces s'endormaient sur moi, rassasiées.

— Est-ce que les locataires ont le sommeil plus lourd ? ai-je demandé à Roman. Ou peut-être que les puces préfèrent mon sang ?

— Voici le triomphe du communisme sur le propriétaire, suceur du sang du prolétaire ! a répondu Roman.

— Tchch ! a chuchoté Grand-Mère, nous ne sommes pas seuls.

— Quoi ! Les puces et le socialisme sont invincibles.

Peu de temps après, j'ai eu droit à un cours d'éducation sexuelle bien spécifique. J'ai cru rêver quand de la boîte de *Pulex irritans* oncle Roman a sorti ses puces et m'a dit :

— Sais-tu que les puces du lapin passent pour les animaux au pénis le plus long de toutes les espèces ? En érection, il mesure les deux tiers de son corps.

— Et *pani* puce, elle accepte un engin pareil ?

— Elle est dotée d'un vagin élastique adapté.

— Et elle aime ça ?

— On dirait que tu ressens tes premières pulsions érotiques, m'a taquinée Roman.

— Et on peut dresser les puces comme des caniches ?

— Oh, cela m'a pris plusieurs années. C'est d'ailleurs plus facile avec les femelles. Elles sont plus actives. Les mâles sont plus bêtes.

— Comme chez les humains.

— Ils sont plus petits.

— Je ne vois aucune différence entre elles.

– Ne bouge pas trop, les vibrations peuvent leur faire perdre l'appétit. La puce peut vivre des mois sans manger.

– Pas celles de notre appartement, ai-je dit en montrant mes morsures.

– Normal. Pour se reproduire, les puces ont besoin d'hormones féminines et la puberté est un âge qui garantit la qualité du sang.

J'ai regardé avec dégoût le repas d'hémoglobine que ce fêlé d'oncle Roman procurait à ses puces. Au bout d'une heure, il les a fait sortir de leur boîte en carton tapissée de velours vert amande et les a posées sur un bristol blanc.

– C'est le meilleur moment pour les faire monter sur scène.

– Ça veut dire quoi monter sur scène ? Tu leur as appris à chanter des airs d'opéra ?

– Ne ris pas. Elles se sont tellement tapé la tête en voulant se libérer que pendant les prochaines heures elles vont être bien dociles.

J'ai reculé prudemment.

– Elles ne risquent pas s'échapper au moins ?

– Elles seront incapables de sauter ! Tu parles, avec le ventre plein !

Je me suis de nouveau penchée au-dessus de la feuille blanche.

– Tu sais Bashia que la puce peut sauter cent cinquante fois sa propre longueur ?

– Verticalement ou horizontalement ?

– C'est elle qui décide.

La voix de Roman exprimait toute une fierté contenue.

J'ai mieux compris à quoi il consacrait ses journées. Et pourquoi Père le qualifiait de patient potentiel pour hôpital psychiatrique. Calé dans son fauteuil, loupe à la main, bras allongé sur la table, oncle Roman exhibait sa troupe. J'étais son unique spectatrice. J'ai saisi une loupe et j'ai vu ce qui empêchait les puces de faire des sauts vers la liberté : il leur avait accroché au thorax un fil doré fin comme un cheveu.

Décidément, oncle Roman était un homme étrange. Mais qui ne l'est pas ?

Quelques jours plus tard, je suis tombée sur Marint-chia place Szczepański. J'ai eu l'impression qu'elle sortait de l'immeuble que Roman évitait soigneusement, le décrivant comme le siège de la Bezpieka. Je ne savais pas s'il avait raison, aucune pancarte ne l'indiquait. Surprise, j'ai demandé :

– Je croyais que tu travaillais à Skawina, qu'est-ce que tu fais à cette heure-ci dans le quartier ? Tu as un problème avec Waldek ?

– Il a reçu une convocation pour faire son service militaire, m'a-t-elle répondu en essuyant une larme.

– Et alors, c'est une bonne chose, ai-je dit, car j'avais entendu Grand-Mère dire qu'il y avait une chance pour que l'armée débarrasse Waldek de son agressivité et qu'il y apprendrait peut-être un métier.

Soudain Marintchia s'est arrêtée pour dire respectueusement à un passant :

– Bonjour monsieur Bronisław.

L'homme n'était pas grand, la cinquantaine, il portait un élégant chapeau mou. Il m'a paru terriblement distingué malgré une moustache en forme de brosse à dents. Je me suis sentie mal à l'aise quand il m'a fixée en soulevant son chapeau qui datait sûrement d'avant-guerre. Je ne pouvais pas deviner que nous serions amenés à nous revoir rapidement.

En effet, peu après, Marintchia m'a demandé d'aller rapporter le linge lavé à un client car Elżbieta ne se levait plus, et elle-même avait trop à faire à la maison.

Le paquet était lourd, j'ai pris le tramway numéro 11 qui m'a déposée dans le quartier de Kleparz, puis j'ai marché jusqu'au numéro 41 de l'allée Słowacki. L'immeuble était cossu et ne sentait pas le chou bouilli comme celui de la rue Floriańska. Il était pourvu d'un ascenseur mais je n'ai pas pu le prendre car il fallait en posséder la clé. J'ai monté les quatre étages à pied. Il y avait un paillasson que personne n'avait encore volé et un grand palmier dans un pot trop petit. Sur la plaque de la porte j'ai lu : *M. Bronisław Prorok, juge pour mineurs.* J'ai sonné, la porte s'est ouverte presque immédiatement, comme si l'on attendait juste derrière. C'était l'homme que j'avais rencontré avec Marintchia. Il portait une élégante veste d'intérieur qui m'a semblé être en soie et un pantalon au pli impeccable mais qui retombait un peu trop bas sur ses pantoufles en feutre. Son appartement était décoré à l'ancienne de meubles visiblement pas fabriqués dans une usine d'État.

– On va prendre un café ensemble, a-t-il dit joyeusement en me conduisant à la cuisine.

Je lui ai demandé où il trouvait du café. Depuis des mois et des mois, Grand-Mère était obligée de se contenter de chicorée.

– Si tu es gentille, je t'en donnerai un peu, a-t-il répondu. Il fait chaud ici. Mets-toi à l'aise, assieds-toi là.

Il m'a fait asseoir sur un haut tabouret dans le coin de la cuisine où se trouvait une crédence aux vitres transparentes à travers lesquelles je voyais des denrées aussi rares que le cacao Van Houten et plusieurs paquets de café. Il m'a mis un moulin à café sur les genoux.

– Tourne la manivelle, dit-il. Montre que tu sais faire un bon café.

Sa voix trahissait l'impatience.

« Bizarre que boire un café puisse vous manquer à ce point, ai-je pensé. Il aurait pu en moudre à l'avance. »

Au bout d'un moment j'avais mal au poignet et j'ai ralenti. Soudainement, j'ai senti quelque chose se glisser sous mon bras nu, comme un tentacule de pieuvre. J'ai poussé un cri d'horreur. Le moment où il avait sorti cet engin de son pantalon m'avait échappé. J'ai essayé de me dégager mais avec son bras gauche il m'a bloqué le cou. J'ai voulu crier mais ma gorge s'est contractée. Pendant qu'il m'étranglait d'une main, avec l'autre, il agitait son gros membre violacé contre mon aisselle.

– N'arrête pas ! Mouds encore.

Son souffle haletant contre moi me donnait envie de vomir.

J'ai de nouveau essayé de me libérer mais il maintenait mon dos contre son corps et il s'est mis à scander avec la voix irritée comme notre professeur de gymnastique :

– Un peu d'effort ! Vas-y ! Continue !

Il a poussé un cri, puis un liquide blanchâtre et visqueux s'est répandu sur mon bras en tachant mon corsage. J'ai jeté le moulin, le café s'est répandu sur le linoléum et j'ai couru vers la porte. J'ai dégringolé les quatre étages en manquant de me casser une jambe, dévalé toute l'obscure rue Długa d'un seul trait, traversé la rue Basztowa hors des clous. Il m'a semblé entendre un tramway freiner tout près de moi, un milicien a sifflé, mais je ne me suis pas arrêtée. Mes joues étaient en feu, ma gorge serrée. Sans me retourner, hors d'haleine, je suis arrivée à la maison, je me suis précipitée aux toilettes pour vomir, secouée par de longs spasmes douloureux. J'ai posé la joue contre la paroi froide de la cuvette. L'odeur immonde qui s'en dégageait m'a de nouveau donné la nausée. J'ai entendu la voix de Marintchia qui me reprochait une fois de plus d'occuper les toilettes avec l'intention expresse de l'empêcher de se soulager. Je ne pouvais même pas pleurer. D'ailleurs, je ne pleurais jamais. Même enfant je ne pleurais pas. Depuis toujours je savais que les larmes sont réservées aux enfants qui ne manquent de rien.

Je n'ai pas parlé de l'épisode du moulin à café ni à Grand-Mère, ni à Père, ni à Roman, ni à Jadwiga. Comment aurais-je pu ? Nos conversations étaient pleines de pudeur, de non-dits. Et puis, est-ce qu'on m'aurait crue ? Peut-être m'aurait-on accusée d'avoir aguiché cet homme si respectable, juge de son état ? Et Marintchia, que savait-elle de lui ? Elle qui buvait du café en cachette de Grand-Mère, se laissait tabasser par son propre fils, riait grassement aux grivoiseries de Jurek Kowalski ? Quand celui-ci lui empoignait les fesses, elle accueillait ce geste vulgaire comme un compliment et sur son visage apparaissait un sourire compréhensif.

– Ah, la vilaine nature de l'homme ! Tous pareils !

Depuis la convocation que Waldek avait reçue pour son service militaire et le refus catégorique de Jadwiga d'intervenir en sa faveur auprès de son fiancé, Marintchia gardait en permanence un air vexé. J'avais l'impression de détecter dans ses yeux kalmouks une vraie rancune. Obséquieuse en présence de Grand-Mère, en son absence elle prenait un ton dédaigneux comme dans les romans que je lisais où les domestiques haïssent leurs maîtres dont ils ne comprennent pas les mœurs. Je l'entendais pérorer dans la cuisine, devenue son royaume depuis qu'Elżbieta ne se levait plus :

— On sait ce qu'ils valent, les bonshommes ! Heureusement, la femme polonaise a des couilles ! Rien n'est au-dessus de ses forces !

J'entendais le rire graveleux des locataires. La pauvre Elżbieta pleurait d'impuissance ou s'étranglait d'indignation quand Marintchia nous singeait. Son âme de vieille fille ne pouvait supporter la coquetterie vulgaire de Marintchia ni ses bigoudis du dimanche et elle supportait encore moins de l'entendre dénigrer ceux qu'elle aimait.

— C'est une parfaite abrutie ! Elle est capable de poser une casserole brûlante sur la table en acajou ou de repasser le linge sur la commode Empire.

Quand elle l'a surprise une fois en train de forcer le couvercle d'une conserve avec un couteau en argent qu'elle a entièrement tordu, elle l'a insultée de toute la force de ses poumons malades :

— Espèce de péquenaude ! Retourne récurer tes chiottes au lieu de vivre chez les gens civilisés !

— Et alors, il est à toi ce couteau ? s'est défendue Marintchia. Non, vraiment, pour qui tu te prends à te donner des airs comme ça ! Tu restes dans ton lit comme une accouchée et c'est moi qui dois tout faire à ta place :

apporter le charbon, allumer le feu, faire la vaisselle ! Feignasse, va !

– Silence !!!

C'était au tour de Jurek Kowalski de hurler.

– Vous avez de la chance que j'aie de l'éducation, moi ! Sinon, je vous aurais cassé la gueule à toutes les deux !

Kowalski, en bon parasite qu'il était, cuvait dans la journée sa vodka de la nuit et les disputes des femmes l'empêchaient de dormir. De toute façon, personne ne respectait le sommeil des autres. Quand on ne dort pas, autant réveiller la maison entière. *Pani* Hania qui se levait à cinq heures du matin pour se rendre à son usine de textile claquait les portes, se mouchait bruyamment, faisait tomber ses souliers comme si c'étaient des enclumes, réglant ainsi ses comptes avec ses ennemis de toujours : les propriétaires.

Je ne me sentais pas plus chez moi qu'une cliente de passage dans un hôtel. Comme je haïssais cette promiscuité, ce manque d'intimité ! J'avais l'impression d'être sans cesse épiée. Je ne savais même pas si mon journal caché derrière la chasse d'eau était en sécurité. J'avais remarqué des traces de doigts sur les tiroirs de mon bureau. Parfois, je retrouvais les vêtements de ma commode rangés différemment. Les livres sur les étagères posés le matin dans un certain ordre se trouvaient dans un autre le soir. Qui cherchait quoi ? Dans quel but ? Les locataires se permettaient des remarques déplacées à notre propos. Un soir, j'ai entendu Marintchia parler de Czesław.

– Il s'appelle Pawlikowski comme je suis pape. Sa famille aura changé de nom.

J'ai pensé que nous aussi, on aurait dû faire la même chose. Ah ! Si seulement Grand-Mère avait été plus avisée ! Franchement, Zborawski de Zboraw, ça pue la guillotine !

Cependant, une question me taraudait : comment Marintchia savait-elle que Czesław avait changé de nom ? Elle était trop sotte pour l'inventer. Pourquoi furetait-elle sans cesse ? Était-ce uniquement la curiosité maladive des gens de la campagne ?

Elle nous détestait pour trois raisons : nos « manières de bourgeois », notre statut d'anciens propriétaires et notre connaissance des langues étrangères. Et quand on parle des langues étrangères, on peut dire tant de choses...

Pour échapper à cette atmosphère oppressante, après l'école, j'allais directement chez Iwonka. Chez elle, j'arrivais presque à oublier combien notre appartement était miteux. Celui des Douda se composait de quatre pièces pour eux trois, alors que nous étions déjà treize rue Floriańska. Je n'en voulais pas à Iwonka de posséder plus que moi. Ce que je lui enviais, c'était sa propre chambre. Et le fait de ne pas avoir peur. Une petite différence se creusait imperceptiblement à cette époque entre les enfants de prolétaires et les autres. Les premiers devenaient sûrs d'eux, loquaces, arrogants et les autres, nécessairement sur leurs gardes.

Le père d'Iwonka, *pan* Douda, malgré son visage de betterave assaisonnée de crème fraîche, en imposait. Sa femme, petite et replète, les cheveux oxygénés et permanentés, passait son temps à se manucurer les ongles, à s'enduire le visage de différentes crèmes étrangères ou à parler des heures au téléphone. Tous deux se montraient bienveillants à mon égard. Je ne cherchais pas à savoir ce qu'il y avait derrière ces marques d'affection, j'avais une telle soif d'être aimée. Il me suffisait de peu pour être heureuse. Je peux même dire que cette amitié représentait la seule joie de ma vie à cette époque.

J'ai eu beaucoup de mal à la cacher à Grand-Mère.

– Ne te fie pas trop à cette Iwonka. Dès que ses notes vont s'améliorer, elle n'aura plus besoin de toi et ses parents ne verront pas d'un bon œil son amitié avec la fille d'une famille comme la tienne.

– Ils sont donc si riches ? C'est vrai que je ne vois jamais sa mère faire ni courses ni cuisine. Pourtant leurs dîners, quelles saveurs !

Bien loin de notre pain au saindoux assaisonné aux oignons, la dernière spécialité de notre Marintchia.

Pour changer je suis allée couper des radis en rondelles et je les ai posées sur une tranche de pain beurré.

– Évidemment, on ne peut pas comparer notre situation à la leur.

– Un homme en uniforme les sert à table. Il porte des gants, comme dans les films étrangers.

Grand-Mère a coupé court à mes exclamations d'admiration :

– On n'est jamais aussi riche que dans un pays pauvre.

Les visites chez les Weisman, en revanche, surtout quand toute la famille était réunie, me plongeaient dans un état de béatitude. Ce que j'enviais le plus à Piotr, c'était sa mère. Comme Mme Weisman aimait passionnément, et ouvertement, ses fils, ne manquant jamais une occasion de les câliner ! Comme elle riait quand les deux garçons se dérobaient !

– Voyons, maman chérie, protestait Piotr, j'ai dix-huit ans et tu aimerais me prendre encore sur tes genoux !

Tous les quatre s'embrassaient tendrement à chaque

bonjour et chaque au revoir. Ils s'embrassaient en arrivant, ils s'embrassaient en partant comme s'ils craignaient de ne plus se revoir. Comme j'aurais aimé, moi aussi, me jeter dans les bras de ma mère !

Un jour, en voyant ma mine éberluée devant cette effusion de sentiments, Mme Weisman a posé une question sur ma mère : où était-elle, quand l'avais-je vue pour la dernière fois ?

Lorsque quelqu'un me questionnait au sujet de ma mère, je ressentais une telle douleur au cœur que je pouvais à peine respirer. En voyant mon embarras, elle a caressé mes cheveux, puis m'a embrassée comme pour s'excuser :

– Mais tu as la grand-mère la plus gentille du monde. Et quelle grande dame.

Comment aurais-je pu comparer la petite mère de Piotr, affable et chaleureuse, à ma grand-mère, austère et distante comme une institutrice ? Jamais elle ne m'avait prise dans ses bras, jamais elle ne m'avait embrassée.


À la radio et dans la presse, on ne parlait que de la construction du socialisme. Je participais à cette construction à ma manière : en faisant l'école buissonnière ! J'allais de toute façon entrer en terminale après les grandes vacances. Les notes étaient déjà presque toutes attribuées, autant en profiter. Un ami de Père, le docteur Morawski, m'a délivré un certificat médical recensant une vingtaine d'allergies différentes : aux œufs, aux premières fraises, au pollen, aux herbes séchées, aux herbes mouillées... que sais-je ? Je les présentais à l'école en alternance. Mentir devenait ma seconde nature. C'était d'autant plus facile que Père se faisait rare rue Floriańska. Il s'était installé par intermittence chez Lidia Sokołowska, la dame de Zakopane, qui possédait un grand trois-pièces rue Zamenhof. Elle non plus n'avait pas de bonnes origines et on l'avait obligée à accueillir des locataires, mais ils n'étaient qu'au nombre de trois et de sexe féminin. Pour moi, le plus grand atout du docteur Sokołowska était sa Moskvitch, vert salade, quatre cylindres, modèle 1951, héritée d'un divorce douloureux d'avec un ophtalmo homosexuel et membre du Parti, en échange de son silence sur ses mœurs. Cette preuve de caractère a suscité l'admiration de Père même si sa liberté en pâtissait :

– C'est une forte femme. Imaginez-vous qu'elle m'impose sa loi, à moi aussi : « C'est moi ou la bouteille ! »

Là-dessus, il a pris une bouteille d'eau-de-vie de prune, offerte par la famille d'un récent opéré, et s'en est servi un verre.

« Combien de temps vont durer les illusions de Lidia ? ai-je pensé. Comment croire qu'il la gardera, lui qui bazarderait volontiers toutes les femmes pour une bouteille ? »

Malade le matin, guérie l'après-midi, je rejoignais Iwonka au café *U Kapusty* et lui apportais les devoirs pour toute la classe en échange de quelques zlotys. Sur ses instances je me rendais aux réunions de la Jeunesse socialiste. J'avais été auditionnée pour la chorale qui se formait dans notre lycée où j'avais présenté, a capella, *Souliko*, la chanson préférée de Staline.

Iwonka ne cachait pas son enthousiasme.

– Si tu es prise et que notre chœur est sélectionné pour le Festival de la chanson soviétique, tu partiras avec nous à Berlin !

Mon Dieu ! Partir à Berlin ! Ma chance et mon salut. La liberté !

Les frontières de Pologne étaient étroitement surveillées, entourées de barbelés, l'oncle Roman les appelait «le collier de Staline». Berlin, coupé en deux, possédait un secteur américain où on pouvait se faufiler, toujours selon des renseignements recensés par Roman. Car malgré les locataires, Roman continuait à écouter jour et nuit Radio Free Europe.

– Il faut te procurer des vêtements occidentaux.

Habillée chic, tu pourras passer inaperçue vers le secteur américain. Avec un peu de chance, les vopos[1] hésiteront à tirer sur toi, une élégante Occidentale.

Alors, je me suis mise à rêver de ce voyage comme de la solution à tous mes maux. J'ai préparé mes vêtements « occidentaux » : ma jupe rose et mon unique corsage blanc. On ne pouvait pas se procurer de plans de villes, alors j'étudiais un vieil atlas d'avant-guerre. J'imaginais comment, à Berlin, je monterais dans le wagon du métro, je franchirais la frontière noyée dans la foule : « Surtout ne te retourne pas. Marche d'un pas assuré comme si de rien n'était. Fais comme des milliers d'Allemands de l'Ouest tous les jours. »

Une fois de l'autre côté de la frontière, j'irais à la *Bahnhof*, je prendrais le premier train pour Paris... je fantasmais.

Une fois arrivée à Paris mon imagination me faisait défaut. Devrais-je immédiatement tomber dans les bras de maman, ou simplement lui tendre la main ?

Le mot « maman » sonnait un peu bizarrement dans ma tête. Quand je la verrais, pourrais-je l'aimer ? Et quand *elle* me verrait, m'aimerait-elle ? Je tranchai : comme je suis magnanime, je lui pardonnerais de ne pas avoir donné signe de vie depuis quatorze ans.

C'est aussi Roman qui m'a donné l'idée d'écrire une lettre à ma mère, en cachette de tous et en français. Faute d'adresse, je pourrais l'envoyer à l'institut littéraire Kultura de Maisons-Laffitte. L'institut était dirigé par Jerzy Gie-droyć, il pourrait faire suivre le courrier.

---

1. La milice des frontières est-allemande.

*Chère Mère,*
*Merci pour l'orangeade en poudre et les beaux vêtements.*
*Je chante maintenant dans une chorale et bientôt nous vien-*
*drons nous produire à Berlin. Je vous envoie une photo de*
*moi prise à ma première communion, elle date un peu, mais*
*je n'en ai pas d'autre.*
*Je vous embrasse de tout mon cœur.*
*Votre fille dévouée*

*Bashia Zborawska*

La lettre était niaise, je le reconnais, mais Roman a dit que c'était suffisant pour un premier contact et qu'il fallait qu'elle soit le plus neutre possible – on ne sait jamais – et nous sommes immédiatement allés à la poste de la rue Wielopole. Au guichet, Roman n'a pas pu s'empêcher de faire un esclandre car le timbre avec Bierut ne collait pas.

– C'est parce que vous crachez du mauvais côté, citoyen, a dit l'employée.

Roman a demandé s'il n'y avait pas de timbres avec d'autres images et a choisi finalement celui qui coûtait le double, quatre-vingt-dix grosz, représentant Victor Hugo dont c'était le cent cinquantième anniversaire.

Dans la rue il a fait un commentaire tout haut :

– Quand je regarde ce spécimen qui dirige notre pauvre pays, je constate que l'homme ne descend pas du singe, mais bien plutôt qu'il y remonte.

Plusieurs passants se sont retournés derrière nous.

J'ai attendu la réponse à ma lettre avec une certaine angoisse. Mes bagages étaient prêts : ma carte de lycéenne et mes trois dollars – cadeau de Père – cousus dans la bandoulière de mon sac. Pendant des heures j'ai imaginé la rencontre avec ma mère, ce que je lui dirais, ce qu'elle répondrait. J'entrais dans les magasins à la recherche d'un cadeau digne d'elle mais les objets étaient si hideux et de si mauvaise qualité que je ressortais dégoûtée.

À l'école, je redoublais d'efforts pour entrer dans les bonnes grâces du secrétaire Ogourek dont tout dépendait. Aussi, quand il nous a demandé de faire preuve de solidarité avec des écrivains qui manquaient de papier, j'ai été la première à ramasser une montagne d'exemplaires de *Rolnik Polski*[1]. C'était l'hebdomadaire préféré de Marintchia et des piles entières jonchaient le sol à côté de son lit. Elle n'avait étudié que quelques années à l'école du village et me demandait souvent de lui lire le roman d'amour publié en feuilleton à la dernière page. Elle s'extasiait aussi devant les poèmes des jeunes agriculteurs :

– De mon temps, les paysans ne savaient ni lire ni écrire et aujourd'hui, regardez-moi ça, grâce au gouvernement socialiste, ils riment.

J'ai emprunté le landau des jumeaux de Salawowa et j'ai apporté les journaux à la consigne, en même temps que les bouteilles vides, dont le nombre avait connu une augmentation sensible depuis l'emménagement à la maison de Jurek Kowalski. La dame qui y officiait était une grosse vache qui avait la réputation de peser les vieux imprimés à son avantage et de ne pas compter des bouteilles qu'elle ne trouvait pas assez propres. Chaque fois, il fallait de nouveau remplir les formulaires et indiquer son nom et son adresse. J'ai lâché mon landau surchargé qui a

---

1. *L'Agriculteur polonais* avait un tirage énorme : 200 000 exemplaires par semaine.

heurté la porte. Toute ma cargaison s'est répandue sur le sol crasseux. Je me suis mise à ramasser les journaux en me confondant en excuses.

– Mademoiselle est-elle parente de Frederyka Zborawska, de Lvov ? a demandé la dame en voyant mon nom sur la fiche.

– C'est ma grand-mère.

– Est-elle toujours en vie ?

– Oui, ai-je répondu, étonnée.

– Le ciel soit loué ! Et votre grand-père ?

– Déporté en Sibérie...

– Ah ! Lui aussi ?

– Je voulais dire... « mort pendant la guerre », j'ai bégayé, ne sachant pas comment me rattraper. Grand-Mère m'interdisait formellement de dire quoi que ce soit au sujet de la famille. J'ai rapidement dit « au revoir » et ai pris le reçu et l'argent sans le compter.

À la maison je me suis aperçue que non seulement elle avait ajouté du poids aux journaux mais qu'elle avait aussi compté dix bouteilles en plus.

À partir du mois de mai, nous nous sommes retrouvés un peu moins nombreux rue Floriańska. *Pani* Stashia, la poissonnière, s'était mariée avec un ramoneur et avait déménagé chez ses beaux-parents. Jadwiga, qui passait tout son temps libre avec son fiancé, nous avait assuré qu'il s'occupait sérieusement de notre cas qui n'était pas facile. Pour nous débarrasser des locataires, il fallait leur trouver un logement de remplacement. Enfin, il a réussi obtenir une place au foyer ouvrier Nadiejda-Kroupskaïa pour *pani* Hania. L'endroit se trouvait au centre de cette nouvelle ville nommée Nowa Huta qui se construisait dans les faubourgs de Cracovie. À notre grand soulagement, elle a emmené sa sœur Stefa. Néanmoins, nous restaient encore sur le dos les Kowalski, frère et sœur, et Waldek avec Marintchia. Les affronter en semaine me donnait mal au ventre mais ce n'était rien à côté des dimanches. Dieu que je haïssais les dimanches !

Les dimanches ne sont attendus que dans les familles heureuses, et rue Floriańska, c'étaient les journées les plus difficiles que le Seigneur ait inventées. Les locataires se retrouvaient tous ensemble et la disposition de l'appartement nous forçait à nous croiser sans cesse. Marintchia persécutait la pauvre Elżbieta et devenait de plus en plus vindicative.

Le mari de notre voisine, *pan* Salawa, l'avait prise à l'usine de plomb comme femme de ménage pour un salaire de quatre cents zlotys[1]. Le travail était dangereux pour la santé, mais Marintchia n'y pensait pas car elle avait des avantages en nature. Ceux qui inhalaient le plomb recevaient du saindoux, du lait et du lard. C'était important : Waldek avait beau être toujours aussi maigre, il mangeait comme un ogre. Le salaire de Marintchia, lui aussi, était maigre, alors elle continuait de faire la lessive.

À cause de tout ce linge sale entassé dans la pièce derrière la cuisine, après les puces ce sont les punaises qui ont fait leur apparition dans l'appartement de la rue Floriańska. Dans les drogueries, on ne trouvait aucun produit chimique. J'ai aidé Grand-Mère à ouvrir les prises de courant où les punaises aimaient nicher. Nous examinions chaque fente dans les planchers.

Grand-Mère donnait des consignes à Marintchia :

– Cirez bien le parquet, les punaises n'aiment pas les surfaces lisses. Éloignez les lits des murs pour qu'elles n'entrent pas dans les draps.

La vermine est plus rusée que l'homme. Il ne suffisait pas d'éloigner le lit. Les punaises filaient le long du mur, montaient jusqu'au plafond puis se laissaient tomber sur nos lits. Elles étaient de la taille d'une bête à bon Dieu,

---

1. 400 zlotys = 10 dollars (dollar au marché noir = 40 zlotys en 1953).

noires puis rouges quand elles étaient gorgées de sang. Quand elles mordaient, il restait une cloque sur la peau qui grattait pendant plusieurs jours. Tout le corps démangeait.

– Arrêtez-moi cette lessive, Marintchia ! s'énervait Grand-Mère. Les punaises nous mangeront tout crus. Et ce plomb à l'usine, ce n'est pas bon. Trouvez-vous un travail moins dangereux. Pourquoi n'essayez-vous pas la cuisine de l'usine ? On doit y avaler moins de plomb et vous pourriez plus facilement nourrir votre fils. Allez voir le directeur.

Marintchia n'a pas fait confiance au directeur et s'est rendue directement chez le secrétaire du Parti. Elle est revenue toute remuée et a rapporté son entretien à Elż bieta :

– « Monsieur, que je lui dis, je vis seule avec mon fils, j'aimerais ce boulot à la cantine. » « Camarade, qu'il me reprend, les messieurs ont disparu en 45 et ceux qui sont encore cachés, nous les aurons aussi ! Qui aiderons-nous, camarade, si ce n'est vous qui appartenez à la classe exploitée ? Seulement camarade, dites-nous la vérité : pourquoi chercher du travail à la cantine ? Vous comptez sur le coulage ? Vous voulez voler notre jeune démocratie populaire ? » « Mon Dieu, que je lui dis, je travaille depuis l'âge de treize ans, j'ai un fils que j'élève toute seule afin qu'il ne manque de rien, nourriture ou vêtement, quel mal il y a si je prends un jour un peu de goulasch pour dimanche, ce n'est pas un péché, doux Jésus. » « Ne mêlez pas Jésus à cela, qu'il me dit, c'est notre affaire à nous. Qui voulez-vous qu'on aide si ce n'est vous ? » Tu vois, Elka[1], tout

---

1. Elka : diminutif populaire.

secrétaire important qu'il est, il se soucie de gens comme moi, lui !

Elżbieta a haussé les épaules.

– Mais si ! Il m'a appelée camarade ! Il m'a serré la main.

– Et alors ? *Pani* Frederyka aussi nous serre la main parfois.

– C'est pas pareil. Elle regarde Waldek de haut. Elle dit qu'il a besoin d'un bon service militaire.

– Le service militaire forge les hommes.

– Oh, toi aussi tu t'y mets !

Mais ce que Marintchia s'était bien gardée de rapporter et ce que nous avons appris plus tard par Kowalski, c'était la dernière phrase du secrétaire : « Dans notre fiche vous apparaissez domiciliée chez les Zborawski. De mauvais éléments, camarade, des ennemis des gens comme vous et moi. Gardez les yeux ouverts sur eux ! »

Elżbieta a essayé de mettre Grand-Mère en garde :

– Que *pani* Frederyka fasse attention. Elle est mauvaise.

– La misère corrompt, ma petite Ela[1]. Marintchia n'est ni bonne ni mauvaise. Elle agit selon les circonstances et les rapports hiérarchiques.

– Mais son fils terminera en taule, c'est moi qui vous le dis, prédit Elżbieta, voulant avoir le dernier mot.

À dix-huit ans, Waldek était devenu la terreur du quartier. Il disparaissait des nuits entières et j'entendais souvent Marintchia pleurer doucement dans son lit. Mais les dimanches, il était là et il valait mieux ne pas se trouver sur son chemin. Il avait les pensées lentes mais les coups

---

1. Ela : diminutif affectueux.

rapides. Marintchia avait souvent du mal à dissimuler son
œil au beurre noir.

Un dimanche où elle se mettait des bigoudis devant le
miroir au-dessus de l'évier de la cuisine, Waldek est
apparu, les cheveux ébouriffés, et a poussé un grogne-
ment. Il l'a bousculée en disant :

– Pousse-toi, la vieille. Laisse-moi me coiffer.

Il s'est fait une raie au milieu, puis, mécontent du résultat, a ramené tous ses cheveux en arrière.

– Que *pan* Waldek laisse mon peigne à sa place et s'en
achète un, a dit *pani* Kowalska en entrant pour récupérer
son soutien-gorge qui séchait sur un fil au-dessus de la
cuisinière.

Elle lui a arraché son peigne des mains et s'est tournée
vers Marintchia :

– Vous devriez mieux élever votre fils ! Si je le laissais
faire, il utiliserait même ma brosse à dents.

Waldek a regardé attentivement Kowalska. Elle était
petite et corpulente, ses cheveux permanentés étaient retenus par un filet. Une robe de chambre usée bâillait sur sa
poitrine taille 105 que Waldek a immédiatement dû évaluer car il a sifflé d'admiration :

– Oh, les bonnes femmes, toujours des histoires pour
rien !

Marintchia est intervenue :

– Combien de fois je dois te le répéter : ne touche pas
ce qui n'est pas à toi.

– Toi, la ferme, sinon je te casserai ta gueule que même
Lénine te reconnaîtrait pas !

Et il se mit à fredonner : « Le cul de Lénine, la

moustache de Staline » pendant que Marintchia essuyait ses larmes.

Un autre jour où Waldek avait bu, il a poussé Marintchia sur la cuisinière allumée. Elle s'est gravement brûlée et il en a ri.

– Cesse de rire, espèce d'abruti, pleurait Marintchia, j'ai mal.

– Bien fait pour ta gueule, a dit Waldek – et il l'a rouée de coups.

J'ai appelé Grand-Mère mais Waldek s'était déjà enfui.

– Ne le grondez pas *pani* Frederyka, a supplié Marintchia à travers ses larmes. Après, il ne revient pas coucher à la maison et Dieu sait ce qu'il fait.

– Pauvre mère polonaise ! a commenté Grand-Mère. Comme la mère juive, tout pour l'enfant, rien pour elle.

Le soir Elżbieta m'a confié :

– Marintchia est méchante. Elle trouve que je ne me dépêche pas assez pour mourir.

J'ai voulu caresser ses cheveux éparpillés sur l'oreiller, d'habitude enroulés en couronne autour de sa tête, mais elle a tourné son visage vers le mur pour pleurer. J'ai toujours été maladroite dans mes manifestations de tendresse alors que je mourais d'envie de lui en prodiguer autant qu'elle m'en avait donné.

Les beaux jours n'ont pas rendu la santé à Elżbieta, la fièvre ne la quittait plus malgré les médicaments que Père lui faisait avaler. Un mardi soir, la malheureuse a souillé son drap et elle pleurait silencieusement de honte. Grand-Mère est rentrée tard et n'a rien dit. Elle a appelé Marintchia et toutes les deux ont aidé Elżbieta à se mettre sur le côté du lit, elles lui ont lavé le derrière dans une bassine d'eau tiède et lui ont changé sa chemise. Avec de la crème Nivea achetée au marché noir à un Allemand de l'Est, Grand-Mère a enduit les fesses et les plis de l'aine d'Elżbieta. Sa peau était rouge et pelait par endroits. Marintchia a emporté le drap souillé avec une grimace de dégoût. Grand-Mère a caressé la tête de la vieille nounou qui lui a baisé la main.

Puis j'ai aidé Grand-Mère à donner un bain à Elżbieta. Au début, elle résistait, mais elle a finalement obéi aux recommandations de Père qui lui a expliqué que c'était pour éviter les escarres. Son corps était frêle comme celui d'une adolescente, sa cage thoracique creuse avec des seins qui ressemblaient à des petits ballons dégonflés. Ses jambes aux veines apparentes étaient couleur d'encre. C'était repoussant de la regarder et j'ai pensé que jamais je n'aurais pu être médecin. Grand-Mère a découpé une vieille serviette et frotté délicatement le dos de la nounou, puis le reste. Elżbieta a fermé les yeux, elle a dû penser à la manière des enfants que si elle ne voyait rien, on ne la voyait pas non plus. Il y avait entre elle et Grand-Mère un amour profond, inexplicable pour moi à l'époque, une prévenance d'une tendresse infinie comme si elles étaient sœurs et non maîtresse et domestique. J'étais trop jeune pour pouvoir comprendre qu'une vie entière les liait, faite de souvenirs, bonheurs et malheurs mêlés.

Le soir, Père a rapporté de l'alcool à frictions de l'hôpital et, preuve d'amour pour sa vieille nounou, il ne l'avait même pas goûté. Je l'ai vu masser délicatement son dos.

Le lendemain, je me suis réveillée avant six heures avec un mauvais pressentiment. Grand-Mère était plongée dans la prière, assise sur le petit lit d'Elżbieta. Pour la première fois j'ai remarqué des cernes bleuâtres sous ses yeux. En revanche, le visage d'Elżbieta était paisible, comme endormi.

– Appelle Jadwiga, a dit Grand-Mère. On aura besoin de Czesław pour nous aider dans toutes les démarches administratives. La carte de séjour d'Elżbieta est périmée, on risque des ennuis.

Roman, assis tout près, murmurait des prières. Ses yeux myosotis étaient embués.

– Même les morts, ils ne les laissent pas en paix.

En effet, sans l'aide de Czesław, on n'aurait pas pu enterrer Elżbieta au cimetière de Rakowice. Les formalités ont tout de même pris cinq jours, et cela commençait à sentir le « macchabée » dans tout l'appartement. Le jour de l'enterrement, il a fallu soutenir Grand-Mère qui marchait derrière le cercueil les yeux embrumés et a failli tomber sur les pavés mal ajustés. La fiancée de Père lui a accordé une dérogation exceptionnelle pour interrompre son jeûne étant donné les circonstances.

À la maison, Kowalski très compatissant lui a versé du cognac dans un verre à thé :

– Cul sec, *doctorek*[1].

Père n'avait pas besoin d'encouragements. Sa douleur était en effet trop poignante pour être affrontée sans alcool. Ils ont porté un toast :

– À la santé de la défunte. Que la terre lui soit comme un duvet.

Dans la soirée nous avons rangé les affaires d'Elżbieta

---

1. Petit docteur.

bien que tout ait été déjà en ordre. Elle avait tout prévu depuis longtemps et laissé un cadeau en héritage à chacun de nous. Il y en avait exactement cinq, une étiquette avec le nom du destinataire était collée sur chaque paquet. Le premier, pour Karol, contenait une boucle des cheveux blonds de mon père qu'on lui avait coupés pour la première fois à l'âge de deux ans, une collerette en dentelle de Bruges datant de 1923, c'est-à-dire de l'anniversaire de ses cinq ans et cinq petites bougies entamées. Dans le paquet pour Roman, se trouvait une feuille à l'écriture enfantine : ses premières équations à l'âge de cinq ans. À *pani* Frederyka Elżbieta destinait une broche en or. C'était celle que Grand-Mère lui avait donnée à Lvov et qu'Elżbieta prétendait avoir perdue depuis. Grand-Mère, les yeux remplis de larmes, m'a tendu le bijou.

— Je suis sûre qu'Elżbieta aurait été heureuse que tu la portes un jour.

Mon paquet contenait trois tablettes du chocolat dont Elżbieta raffolait, je les lui avais offertes pour ses trois derniers anniversaires. Il y avait aussi un herbier contenant des pétales de fleurs des champs, des feuilles d'érable séchées et deux pommes de pin. Ce présent reflétait à mes yeux toute son âme poétique qui avait enchanté mon enfance. Mais le plus extraordinaire restait à venir. Dans l'enveloppe réservée à Jadwiga se trouvait la photographie d'un officier de l'armée polonaise datant d'août 1939. Au bouleversement qui se lut sur le visage de ma tante, je compris que le bel officier était le fiancé que je n'avais pas connu, Władysław Mianowski, mort en 1944. C'était l'unique photo qui avait pu être sauvée de Lvov, il n'en restait aucune autre.

Peu de temps après la mort d'Elżbieta, Czesław a été muté à Varsovie et la cérémonie de mariage devait se dérouler là-bas. Jadwiga a tout pris en main et a insisté sur la date du 4 juin. On remarquait chez elle, à présent, une gaieté artificielle, suivie de longs moments de silence. Quand elle devenait volubile, elle se montrait très autoritaire. Cela surprenait Grand-Mère, mais comme à son habitude, elle ne disait rien.

Que Roman ne vienne pas à Varsovie, c'était prévisible, mais Père a refusé également de nous accompagner. D'une part, il avait perdu toute estime pour Czesław – en Pologne on ne fait pas confiance à un homme qui ne boit pas –, d'autre part, depuis ses fiançailles officielles avec Lidia Sokołowska, il était d'une humeur massacrante. Elle surveillait de près chaque émanation d'alcool, l'accompagnait partout, décourageait ses amis. Et célébrer un mariage sans vodka, Père avait dit que cela ne valait pas le déplacement.

Le 3 juin, nous sommes arrivées tôt à la gare et nous avons bien fait. C'était la veille de la Pentecôte, le train était bondé. Jadwiga nous a ordonné de monter dans le wagon le plus proche et nous a frayé un chemin de wagon en wagon pour gagner la première classe. Même là, le couloir était encombré de personnes debout ou assises sur leurs valises ficelées avec des cordes. Une femme berçait son bébé d'un bras et de l'autre retenait une fillette qui dormait debout. Jadwiga a fait un signe au contrôleur, sorti cent zlotys de son sac. Il a ouvert un compartiment vide, nous a fait entrer puis a fermé derrière nous en collant une inscription sur la vitre : *Réservé à l'armée*. À travers des rideaux sales à l'enseigne de PKP[1], je voyais des têtes qui continuaient à défiler à la recherche d'une place.

– Éteignons la lumière, a ordonné Jadwiga.

Grand-Mère s'est allongée sur une large banquette en velours, ma tante et moi nous sommes partagé celle d'en face. Arrivées à Varsovie, nous avons dû attendre que les gens quittent le train et que le contrôleur ouvre la porte à glissière. Czesław nous attendait sur le quai et son chauffeur s'est immédiatement emparé de nos valises.

L'appartement de fonction de Czesław se trouvait rue Wiśniowa, à l'angle de Narbutta. À quelques mètres, un magasin « aux rideaux jaunes » où Jadwiga serait désormais autorisée à s'approvisionner occupait le coin de Rakowiecka. L'immeuble en lui-même n'avait rien de particulier sinon qu'il datait d'avant-guerre et était donc solidement conçu. Mais à leur étage, on avait visiblement abattu les cloisons qui séparaient des appartements voisins pour les réunir en un seul. Que c'était grand ! J'ai enlevé mes souliers et j'ai fait le tour des pièces.

L'appartement sentait bon la cire comme au temps de la

1. Chemins de fer polonais.

rue Floriańska avant l'arrivée des locataires. Un épais tapis à fleurs couvrait le milieu du parquet. Des meubles étaient entassés contre les murs, il y avait un buffet rustique, une table en acajou lustré, un fauteuil aux pieds cambrés, une commode Empire comme la nôtre, mais pas noire. Grand-Mère m'a chuchoté à l'oreille :

– On dirait un dépôt de meubles. Réquisitionnés à coup sûr aux « ennemis de classe ».

Et montrant un secrétaire dont la marqueterie dessinait de ravissants instruments de musique, elle a ajouté :

– Joli modèle français, regarde ces pieds Louis XV. Il ressemble beaucoup à celui de Zboraw.

Pour pouvoir rester dormir à Varsovie, il fallait aller se signaler au Bureau central de l'hébergement muni des timbres fiscaux achetés à la poste, remplir des formulaires nous demandant combien de nuits nous comptions rester et quel était le but de notre séjour. Toutes ces formalités n'effrayaient plus Jadwiga, son assurance grandissait à vue d'œil. Elle était consciente que la chance lui avait enfin souri, cela se voyait à sa mine radieuse. Seule la mère de Czesław, Mme Pawlikowska, qui avait fait le voyage de Łódź avec sa petite-fille, la grosse Jolanta, lui gâchait sa joie. Elle donnait l'impression de vouloir s'installer définitivement rue Wiśéniowa.

Le mariage qui a eu lieu au bureau d'état civil au coin de Nowy Świat et de l'allée de Jérusalem m'a fait l'effet d'une signature de protocole tant il était sans cérémonie. Était-ce parce que la blessure infligée à l'humanité par la mort de son « Guide » n'était toujours pas cicatrisée ou bien Czesław avait-il une prédisposition à l'ascèse ? Toujours est-il qu'à part Grand-Mère, Mme Pawlikowska, Jolanta et moi, il n'y avait que deux amis de Czesław qui lui avaient servi de témoins. La chaleur était torride, l'un d'eux, un maigre qui flottait dans son costume trop large, a enlevé sa veste et retroussé les manches de sa chemise. J'ai aperçu sur son bras un tatouage bleu : un numéro.

Mon cœur s'est serré.

– Oh mon Dieu.

Il a surpris mon regard.

– Le camp…? ai-je murmuré.

Il n'a pas répondu immédiatement. Puis, après un silence, il a dit, très lentement :

– Mauthausen.

J'ai demandé timidement :

– Comment avez-vous réussi à survivre ?

– Je travaillais comme tailleur. Je cousais les chemises et le linge pour l'armée allemande. En somme j'étais utile… Alors, ils m'ont épargné et à la fin, ils n'ont pas eu le temps de me liquider.

Comme beaucoup j'ai pensé: «Comment pourra-t-on jamais pardonner aux Allemands ? »

À partir de ce moment, j'ai considéré Czesław avec un autre regard. Lui aussi avait dû connaître cette horreur. Il échangeait des propos avec ses amis dans une langue que je ne comprenais pas mais qui ressemblait par moments à l'allemand. Jolanta le tenait par la main comme si elle voulait le retenir. J'ai essayé d'entamer une conversation mais elle me fixait avec des yeux mélancoliques sans ouvrir la bouche. Et quand elle l'ouvrait, elle me regardait sans un mot, cela lui donnait un air légèrement imbécile. J'ai pensé que sa grand-mère lui avait probablement énuméré tout ce à quoi elle pouvait s'attendre de la part de sa future belle-mère et de sa famille et que cela ne présageait rien de bon.

Nous sommes rentrés rue Wiśniowa en taxi. J'ai aidé Mme Pawlikowska à dresser la table. C'était la première fois de ma vie que je mangeais du caviar noir, qui en fait est gris, et des œufs de saumon qui eux sont rouges. Il y avait du champagne et du cognac, tous deux soviétiques. Les yeux de Jadwiga brillaient anormalement. Ils ont bu à la Patrie, à l'amitié entre les peuples, à la paix, à l'avenir radieux, puis sont venus les vœux plus personnels : aux parents défunts et aux autres proches disparus. Ils étaient si nombreux qu'il a fallu ouvrir de nouvelles bouteilles. Puis l'ami de Czesław s'est rappelé pour quelle occasion il se trouvait là et a dit :

– Je propose de porter un toast à la maîtresse de maison.

J'ai pensé qu'il s'adressait à Jadwiga mais c'est vers Mme Pawlikowska qu'il s'est tourné. Et de nouveau, tous ont levé leur verre. J'ai vu que Grand-Mère faisait semblant d'avaler mais Jadwiga vidait les verres jusqu'à la dernière goutte. Czesław a remercié l'assemblée d'être « témoin de son bonheur ». Ses amis, réchauffés par l'alcool, ont crié « *Gorzko, gorzko*[1] ». Czesław a embrassé maladroitement Jadwiga, Jolanta a détourné ses yeux remplis de larmes.

Le lendemain, Grand-Mère a voulu aller voir une pièce de Molière. Czesław, même s'il n'allait pas au

---

1. « Amère, amère. » Vieille coutume qui consiste à embrasser la mariée pour enlever l'amertume, l'expression correspondant à « Embrassez la mariée ».

théâtre car il « n'avait pas de temps à perdre avec ces bêtises », s'est emporté :

– Quand je pense que l'État donne de l'argent pour ces niaiseries ! Vous qui travaillez dans l'édition, trouvez-nous un auteur qui écrive une vraie bonne pièce moderne, pas ces sornettes pour petits-bourgeois où les vieillards épousent des jeunes filles. Je suis écœuré par tous ces Molière, Feydeau, cette société superficielle et stérile, par cette francophilie rétrograde. Il nous faut un homme nouveau dans la vie et au théâtre. Nous voulons une pièce sur ce qui existe aujourd'hui, pas il y a cent ou deux cents ans. Allez voir au théâtre Atheneum. Ça, c'est de la littérature !

Grand-Mère nous a accompagnées pour ne pas rester seule avec Mme Pawlikowska. Elle trouvait que la mère de Czesław posait trop de questions embarrassantes. Mais elle l'a bien regretté. La pièce évoquait la collectivisation de la campagne. Elle était d'une simplicité enfantine : d'un côté les sympathiques ouvriers agricoles communistes, de l'autre les dépravés représentés par les propriétaires terriens. Grand-Mère a voulu sortir à l'entracte, mais tante Jadwiga a dit que nous devions rester jusqu'à la fin sinon nous allions nous faire repérer.

Le samedi matin, une couturière a apporté une robe à Jadwiga.

– Que Mme Colonel tourne un peu. Il faut que je la reprenne à la taille.

Jadwiga tournait sur elle-même, s'admirant dans le miroir. La robe en taffetas mauve sans manches, modèle copié de Dior, soulignait sa silhouette gracile, sa taille mince, ses petits seins, ses hanches étroites. Le jupon à lui tout seul nécessitait une telle profusion de tissu qu'on aurait pu aisément y tailler une robe pour moi. J'ai fermé les yeux en imaginant que c'était moi qu'on viendrait chercher le soir pour m'emmener à la réception dans cet élégant hôtel particulier de la rue Foksal.

— J'allais aux bals quand la maison appartenait encore aux Potocki, a dit Grand-Mère.

Puis elle a ajouté à mon oreille :

— Je ne sais pas si moi je serais allée danser, en l'absence de ces propriétaires expropriés.

À sept heures, la voiture de fonction est venue chercher Czesław et Jadwiga. Jadwiga est montée derrière, Czesław s'est assis à côté du chauffeur.

Grand-Mère a dit tout bas :

— Pour faire démocratique.

Et tout haut sur un ton badin :

— Amusez-vous bien, les enfants. Mais ne vous attardez pas jusqu'à l'aube. À la fin, il ne reste que des ivrognes ou des déprimés qui ont peur de rentrer chez eux.

Prémonition ou non ? Quand le dimanche matin je suis entrée dans le salon, Czesław était allongé sur le canapé, sa mère lui épongeait le front.

— Tu ne devrais pas boire, mon fils. Regarde dans quel état tu es.

Il paraissait en effet en piteux état. Je ne l'avais jamais vu comme ça.

— Je t'ai entendu, t'as passé la nuit à vomir. Tu sais bien que tu supportes pas l'alcool. Maintenant, t'as les tripes toutes retournées. Elle t'a forcé à boire, c'est ça ?

— Personne ne m'a forcé, *mama*.

— Nous n'avons pas les mêmes enzymes qu'eux pour

digérer l'alcool. Laisse ça aux Polonais. Eux, ils sirotent de la vodka dès le biberon, radotait-elle. Pourquoi t'as pas pris pour femme une des nôtres ? Dis ?

– Je n'aime qu'elle.

– Que Dieu te pardonne, depuis que tu la connais, tu es complètement *meshugah*[1], mon fils. Tu ne seras jamais le maître chez toi avec une femme polonaise. Quittons ce pays qui ne veut pas de nous. Partons.

– Pars si tu veux !

– Pourquoi t'es têtu comme un Polonais ?

– Parce que ma place est ici.

– Ici nous ne serons jamais aimés.

– Ma femme m'aime.

– Mon pauvre petit.

Mme Pawlikowska a tourné le dos afin que son fils ne s'aperçoive pas qu'elle essuyait une larme. Dans sa vanité masculine, Czesław ne voulait pas admettre que sa femme ne l'aimait pas. Elle, en mère aimante, voyait clair dans le cœur de sa bru. J'étais inquiète pour Jadwiga.

Mme Pawlikowska a poussé un soupir profond, et en trois phrases a refait toute l'histoire :

– T'es aussi têtu que ton père. Ça va mal se terminer ! Je te préviens, ta mère a toujours raison. Ton père non plus, qu'il repose en paix, n'a pas voulu quitter le magasin ni aller chez les Soviets. Il disait qu'ils étaient comme les Allemands. S'il m'avait écoutée, il ne serait pas mort à Auschwitz. Je le suppliais à genoux de fuir avec nous. Maintenant je suis trop vieille pour partir seule. Et puis je ne connais personne là-bas. Après la guerre, la sœur de

---

1. En yiddish, « fou ».

ton père a émigré à Haïfa mais qui sait si elle est encore en vie ? On ne peut même pas lui écrire, la censure ouvre toutes les lettres pour l'étranger. Même les nôtres. Partons, je t'en supplie, partons d'ici.

– Compte pas sur moi. C'est mon pays.

– Ton pays, ton pays. Si on veut...

S'est ensuivie une nouvelle série de soupirs.

Que je déteste quand les gens soupirent ! Le soupir, c'est le pet de l'âme.

En voyant que son fils ne l'écoutait pas, Mme Pawlikowska a changé de sujet :

– Demain je vais faire du *gefilte fish*. Apporte-moi une bonne carpe de votre magasin. Mais pas plus grosse qu'une livre et demie, car elles sentent la morue quand elles sont trop vieilles. Et du sucre. J'ai promis à Jola de lui faire quelques gâteaux. Et à la petite Bashia, cette enfant a toujours l'air affamée.

C'était la première fois depuis la mort d'Elżbieta que quelqu'un se souciait de moi. Sous ses dehors rébarbatifs, Mme Pawlikowska cachait un cœur tendre.

Chaque matin, Czesław en épaulettes, sentant bon l'eau de Cologne, tentait d'embrasser Jadwiga avant de partir au bureau. Il visait ses lèvres mais Jadwiga reculait imperceptiblement dès qu'il la touchait. Je voyais comme au dernier moment elle tournait habilement la tête pour lui tendre une joue.

– Pourquoi tu l'as épousé puisque tu ne l'aimes pas ? ai-je demandé quand nous sommes restées seules.

– Au moins il est capable de m'offrir une vie décente. Tu as vu comme il m'aime !

– Les jolies jeunes femmes épousent les vieux riches et

font semblant. C'est comme ça depuis que le monde est monde. Dans les romans, elles prennent un amant… C'est cela que tu appelles une vie décente ?

– Tu ne comprends rien. Czesław m'assure la vie qu'on aurait eue sans ce foutu comm…

Jadwiga s'est interrompue en se couvrant la bouche. Elle a jeté un regard affolé vers la chambre de sa belle-mère.

– Et l'amour dans tout cela ? ai-je insisté.

– Quoi l'amour ? Que tu es naïve, ma Bashia ! L'amour n'existe pas dans la vie, seulement dans les livres ou dans les films. Même entre une mère et ses enfants, c'est de la dépendance, rien d'autre. Ou de la reconnaissance. Et entre un homme et une femme, il y a seulement une attirance physique, tu verras. Il est temps que tu saches qu'il n'y a pas de mariage heureux. Et encore j'ai de la chance, ça aurait pu être pire…

Jadwiga s'est tue un moment, puis elle a ajouté :

– J'espère seulement que peu à peu, je m'habituerai à lui.

Et pour clore le sujet, elle s'est mise à regarder ses jambes.

– Elles sont parfaites, tu ne trouves pas ? Czesław dit que chez beaucoup de femmes, elles sont poilues, alors que les miennes sont lisses comme l'albâtre.

Puis elle s'est mise à examiner ses dents en retroussant ses lèvres.

– Jadwiga Zborawska-Pawlikowska, tu es très belle, je l'ai rassurée.

Elle a éclaté de rire. Le rire de Jadwiga n'était pas gai. Elle s'est passé du rouge sur les lèvres, j'ai vu qu'il était d'une marque étrangère.

– Cette vie-là, dans un pays comme le nôtre, ne s'obtient pas en travaillant…

– Tu dis que Czesław t'aime. Peut-on aimer longtemps sans retour ?

– Tu as vu ses yeux ? Comme ils sont bons ?

Je n'ai rien répondu. Les yeux de Czesław me faisaient peur. Je n'en avais jamais vu d'aussi changeants. Quand il vous regardait, on aurait dit qu'il voyait à travers vous. Les yeux doux que je lui connaissais quand il regardait Jadwiga devenaient subitement durs, implacables et méprisants dès qu'on mentionnait ses deux beaux-frères, Père ou Roman.

Grand-Mère a interrompu notre conversation :

– Est-ce que Czesław *les* croit vraiment ou il fait semblant ?

– Parfois je pense qu'il les croit.

– C'est donc plus grave que je ne pensais. Je les ai vus à l'œuvre à Lvov. Ils sont capables de tout, ils n'ont de comptes à rendre à personne, ils ne croient ni en Dieu ni en diable. Tu te souviens de M. Ptak, mon ancien collègue de la maison d'édition ? Il a été jeté en prison, pour sabotage. Il a laissé passer quelques éléments subversifs dans les publications sous son contrôle.

– Czesław dit que vous non plus, maman, vous ne percevez pas suffisamment les allusions politiques.

– Ton mari nous déteste !

– Peut-être Roman ou Karol, mais ni Bashia ni vous ! Vous, il vous admire.

En effet, Czesław nous manifestait de la sympathie, sa mère en était même jalouse :

– Tu aimes ta belle-mère plus que tu n'aimes ta propre mère, l'avais-je entendue se plaindre.

– L'admiration n'a rien à voir avec l'amour, *mama*, avait répondu Czesław.

– Moi aussi je l'admire, mais je ne l'aime pas. Elle n'a pas su élever ses enfants.

Toujours est-il que je voyais que l'inquiétude de Grand-Mère grandissait. Bien à contrecœur, elle mettait plus de zèle à ses corrections. Afin que le rédacteur en chef puisse évaluer lui-même le degré de nocivité de l'Occident, elle résumait consciencieusement des revues et des journaux étrangers que personne d'autre n'avait le droit de lire. Ce n'était pas un travail facile. Les Occidentaux calomniaient notre pays, insultaient nos dirigeants. Les pires, c'étaient les Américains. On les détestait. Même s'ils avaient inventé le DDT que Czesław nous procurait pour venir à bout de la vermine.

Non seulement chez eux ils persécutaient les Noirs, mais chez nous, ils s'étaient mis à parachuter des doryphores par avions spéciaux. À cause d'eux, la Pologne risquait la famine comme l'Irlande au XIXe siècle. Heureusement, on savait réagir et la mobilisation était générale. En quelques jours, les murs des immeubles et des écoles se sont couverts d'affiches où l'on voyait de gros hannetons dont la carapace à rayures rappelait étrangement le drapeau américain. Derrière, on pouvait même distinguer des banquiers capitalistes de Wall Street, fumant le cigare, le ventre gros d'avoir bu trop de ce Coca-Cola dont on sait qu'il est si mauvais pour la santé. Pendant le cours de biologie, Mlle Polony nous a donné le nom latin de cette bestiole : *Leptinotarsa decemlineata*. Elle était répugnante à regarder mais les Américains qui la répandaient sournoisement étaient encore plus dégoûtants, toute la classe était unanime là-dessus. Et nous étions tous enthousiastes à l'idée d'aller à la campagne les ramasser un par un.

Le départ vers le PGR[1] dans les environs de Wiśnicz a été dirigé par l'instructeur de la préparation militaire, le Pe-Wouniak en personne, dont les yeux bleus continuaient à me troubler.

À Wiśnicz, au pied d'un vieux château médiéval confisqué aux Lubomirski, ennemis du peuple, j'ai longé les sillons en rang avec les autres élèves. Une fois de plus, j'ai été moins futée qu'Iwonka qui avait pris une position stratégique sur le tracteur pour être en première ligne à compter les trophées. La boue me montait jusqu'aux chevilles, personne ne nous avait prévenus qu'il fallait des bottes et j'enrageais en voyant que j'étais en train de bousiller ma seule paire de souliers.

Le Pe-Wouniak a promis une prime à celui qui attraperait le plus de doryphores. Nous avons regardé vers le ciel dans l'espoir d'apercevoir les avions des impérialistes américains et de leur faire un bras d'honneur. Quelle déception ! Le soir venu, une fois que j'ai pu redresser mon dos endolori, il n'y avait aucune de ces terribles bestioles dans mon panier. Ceux qui se sont le plus appliqués en ont rapporté deux ou trois. Après une inspection scrupuleuse, le Pe-Wouniak a constaté que c'étaient plutôt des coccinelles.

Au crépuscule, nous avons allumé un grand feu et toute la classe s'est mise à chanter un hymne à Marie. Le Pe-Wouniak a entonné en russe *Volga, Volga, mat' radnaïa*[2]

---

1. PGR (prononcer : Pé-gué-er) : *Panstwowe Gospodarstwo Rolne*. Ferme d'agriculture d'État, une sorte de sovkhoze polonais.
2. « Volga, Volga, notre mère patrie ».

et ceux qui chantaient en polonais se sont tus. Durant le trajet de retour, nous avons entonné le chant préféré de l'instructeur, celui des soldats qui s'étaient battus à Lenino :

*Qu'est-ce qu'il te rappelle,*
*Ce paysage familier ?*
*L'Oka coule, coule*
*Large comme la Vistule,*
*Profonde comme la Vistule.*

J'ai chanté avec les autres, peut-être même plus fort. Mais malgré mon zèle, j'ai eu l'impression que le beau lieutenant me regardait à peine, alors qu'il s'attardait longuement sur les nichons d'Iwonka.

La nuit suivante je suis restée dormir chez Iwonka. Nous partagions le même lit. Je sentais nos genoux se toucher, une douce chaleur se répandait sous l'édredon. Elle s'est blottie contre moi.

– Tu as déjà embrassé un garçon ?

– Et toi ? ai-je demandé à mon tour, même si je devinais la réponse.

– Et tu t'es laissé toucher ?

Il m'a suffi d'une seconde pour acquiescer.

– Là aussi ?

Sa main est descendue entre mes cuisses et a appuyé sur ma fente. J'ai senti que pour me mettre au diapason d'Iwonka il fallait paraître expérimentée.

– Oui, là aussi.

Elle m'a alors raconté qu'elle avait perdu sa virginité à quatre heures du matin, juste avant le retour de ses parents d'un bal du Parti. Je sentais les joues me brûler, je n'osais lui demander ni ce qu'elle avait ressenti ni si elle n'avait pas eu honte en allant se confesser. Dans la confusion j'avais oublié qu'elle n'avait jamais mis les pieds dans une église, n'avait jamais subi le poids d'une religion. Après un long silence, n'y tenant plus, j'ai fini par poser la question qui me brûlait :

— C'était qui ce garçon ?

— C'était pas un garçon.

— Qui alors ?

— Un homme.

— De ceux qui sont mariés ?

— Ouais, mais il m'aime.

— Je le connais ?

— Oui.

Je me suis redressée sur le lit :

— Dis-moi qui c'est !

— Le Pe-Wouniak.

— Le Pe-Wouniak ! Tu es amoureuse de lui ?

— T'es folle ! J'ai juste voulu être initiée correctement… par quelqu'un qui a de l'expérience.

Il m'est alors revenu en mémoire ce jour où elle avait lancé au Pe-Wouniak un tel regard que le pauvre avait rougi. Toute la classe avait deviné son désir pour elle et les filles crevaient visiblement de jalousie.

Moi, je rejetais toute mauvaise pensée à son sujet même si parfois une fausse note m'alertait. Son assurance me bluffait.

Nous attendions avec impatience de partir à Berlin en tournée avec notre chorale. Tous les soirs je faisais ma prière personnelle à saint Jude Thaddée, mon saint préféré, bon saint des choses impossibles. Pourvu qu'on ne me recale pas ! Pourvu qu'on me laisse franchir la frontière ! Mon sac était prêt, j'avais même cousu la broche d'Elżbieta entre le fond et sa doublure.

Le 17 juin, deux jours avant le départ, Roman a annoncé :

– Votre voyage va être annulé. Il y a une révolte à Berlin. Les chars soviétiques sont entrés en Allemagne de l'Est, ils ont tiré en plein dans la foule. Il y a déjà une cinquantaine de morts, des centaines de blessés ! Tu vas voir comment ils vont leur accorder les élections libres !

Mon rêve s'effondrait. Rêve de quitter le pays, de retrouver ma mère. Je tâchais de garder mes illusions :

– Ce n'est pas la première fois que la radio que tu écoutes raconte n'importe quoi ! À l'école, personne n'en parle.

En effet, nous avions eu des répétitions comme si de rien n'était, on avait même ajouté des poèmes de Maïakovski à notre répertoire. J'ai osé questionner le camarade Ogourek. Il était de fort mauvaise humeur :

– Vous êtes des nuls ! Maïakovski, lui, est devenu membre du Parti à dix-sept ans ! À votre âge, il avait déjà une conscience prolétarienne, bande d'ignares ! C'est votre faute si on ne va pas à Berlin. Vous ne le méritez pas !

J'ai dit ce que je tenais de Roman, que Maïakovski avait peut-être adhéré au Parti à dix-sept ans mais qu'il s'était suicidé à trente-sept. Le camarade Ogourek n'a pas semblé apprécier mes connaissances et m'a jeté un regard haineux. Heureusement, Iwonka a détendu l'atmosphère en proposant d'emblée d'écrire un article sur les méthodes pour acquérir une conscience marxiste. Quand nous nous sommes retrouvées chez *Kapusta*, elle m'a tendu un stylo :

– Vas-y ! Si ce n'est pas Berlin, ce sera Varsovie. Un congrès de la Jeunesse s'y tiendra bientôt, je dois gagner la délégation de notre lycée.

J'ai eu du mal à cacher ma déception. Néanmoins, j'ai écrit trois pages sur l'engagement sincère qui conduit à un avenir meilleur. Le lendemain Iwonka a lu ces feuilles devant plusieurs professeurs convoqués à la réunion. Grâce à ce rapport, notre lycée a été distingué comme celui ayant le niveau de conscience politique le plus élevé. Il y avait même un compte rendu dans *L'Écho de Cracovie* avec la photo de notre classe. Iwonka s'y tenait au premier rang entre le directeur du lycée et le responsable de l'organisation.

Elle a ensuite été envoyée à la réunion régionale de la cellule du ZMP d'où elle est revenue avec le rang de porte-parole. À peine était-elle rentrée que le surveillant Woźny a interrompu le cours et l'a appelée : une délégation de Varsovie était venue s'entretenir avec celle qui était devenue une véritable fierté pour notre lycée.

Dans la soirée, je me suis rendue chez elle.

— Je garderai le silence sur la paternité de tes discours, mais tu m'emmènes à Varsovie.

Je commençais déjà à entrevoir les mécanismes secrets du succès, les protections en haut lieu, les pressions exercées sur le jury, tout ce qu'Iwonka, elle, maîtrisait de naissance.

— Je te promets, mais tu continues à écrire pour moi.

Aujourd'hui je me pose encore la question : croyait-elle sincèrement en cette idéologie ? Ou voyait-elle, conditionnée par son père, qu'elle était le meilleur chemin vers une vie confortable ? Toujours est-il que, malgré les réticences du camarade Ogourek, je suis partie avec elle à Varsovie. Et c'est à ce voyage que je dois mon premier éblouissement pour l'Art. L'Art avec un grand A. Et mon premier amour.

Le programme était chargé. Tous les jours il y avait quelque chose de nouveau à faire ou à voir. Cracovie était à hurler d'ennui comparée à Varsovie.

Le premier jour, le secrétaire Ogourek, fier comme si c'en était lui le bâtisseur, nous a montré la vieille ville, Stare Miasto, admirablement reconstruite d'après les tableaux de Bellotto.

— On a utilisé cinquante millions de briques pour sa reconstruction ! Si on les posait côte à côte, on pourrait couvrir la distance de Varsovie à Vladivostok.

Il nous a emmenés voir une exposition de peinture. Sur certains tableaux de solides paysannes gardaient des vaches dans les prés, sur d'autres des mineurs heureux creusaient des souterrains dans la mine de charbon. Le plus beau était celui où une fille de mon âge conduisait un tracteur. Le dimanche, nous n'avons pas pu aller à la messe, car, dans le cadre de la démocratisation, se donnait dans la matinée un opéra de Verdi. Jamais je ne me suis autant ennuyée. J'ai envié les jeunes recrues qui roupillaient aux derniers rangs. Nous, on ne pouvait pas, le camarade Ogourek nous tenait à l'œil. C'était interminable. Les chanteurs montaient sur scène comme des employés qui guettent l'heure de rentrer chez eux. Ils gazouillaient en italien sans articuler. Rigoletto hurlait comme un ivrogne dans la rue et s'arrêtait dans les notes comme accusé de tapage nocturne. Gilda, sa fille, avait deux fois son âge ce qui se voyait à l'œil nu.

Puis ce fut la rencontre avec le fameux dessin de Picasso qui allait changer toute ma vie. Notre groupe marchait vite malgré la chaleur qui ramollissait l'asphalte du quartier de Koło. C'était la dernière des visites culturelles et Iwonka voulait s'en débarrasser au plus vite pour aller à la cafétéria retrouver un responsable de la cellule bulgare dont elle vantait les cheveux noirs et les deux bagues en or.

Nous avons donc longé des blocs de béton sans portes ni magasins jusqu'à atteindre la rue Deotymy. De loin, rien ne distinguait le petit immeuble plat des autres constructions neuves : l'entrée donnait sur l'arrière, la cage d'escalier était bordée de vastes boîtes à ordures comme partout à Varsovie. Quelques baignoires neuves gisaient au pied des immeubles. Les nouveaux habitants, venant des campagnes les plus arriérées, les trouvaient inutiles et s'en débarrassaient discrètement la nuit. Ça leur faisait déjà tout drôle d'être obligés de pisser dans un water au lieu d'un trou percé dans une planche de sapin, s'il fallait en plus ajouter une foutue baignoire qui prenait la place d'un tonneau à choucroute !

L'architecte du séduisant bâtiment que nous allions visiter avait puisé son inspiration chez Le Corbusier et l'avait posé sur des pilotis en béton. Une longue queue s'est formée devant l'escalier 3 comme devant un magasin d'alimentation un jour de livraison.

Au numéro 28, un jeune couple méritant avait reçu de la patrie socialiste une pièce-cuisine. Quand le grand Picasso était venu en Pologne, on le lui avait montré. Qu'il voie comment on traitait les ouvriers chez nous ! Sur l'un des murs, il avait laissé en généreux cadeau un dessin au fusain, la petite sirène, emblème de Varsovie en lutte.

Je ne sais pas combien de personnes peuvent tenir dans ces trente-deux mètres carrés, mais l'envie d'admirer ce chef-d'œuvre a battu tous les records. Certains jours, quatre cents visiteurs y défilaient.

Au bout de deux heures d'attente, nous avons pu y pénétrer. Ma première vision a été celle d'un homme affalé sur un sofa, de ceux qui servent de lit la nuit et de canapé le jour. L'homme sur le sofa était visiblement insensible à l'art car il lui tournait le dos. Il était habillé d'un bas de pyjama et d'un maillot de corps en filet par les trous duquel dépassaient les poils de sa poitrine velue. Indifférent au vacarme, il lisait *La Tribune du peuple* et grignotait des graines de tournesol – les écorces jonchaient la table en formica couverte d'un napperon au crochet sur laquelle se trouvait aussi un vase garni de fleurs artificielles.

Un cendrier débordant de mégots se dressait devant lui comme une montagne puante. Dans la cuisine, sa femme, enceinte jusqu'aux dents, lavait le linge dans l'évier. Sur la pointe des pieds, j'ai pu apercevoir le chef-d'œuvre. Pourtant la petite sirène n'était pas petite du tout, le dessin mesurait au moins un mètre quatre-vingts de hauteur et pas moins de largeur. Au lieu d'une épée, elle tenait un marteau dans la main[1].

Un groupe de Français entré au même temps que nous chahutait joyeusement. Je me suis trouvée nez à nez avec l'un d'eux devant la sirène, mais au lieu de l'admirer, il nous a montrées du doigt à ses camarades :

— Au nom de l'amitié entre les peuples, je propose qu'on se fasse ces deux oies.

J'ai rougi jusqu'aux oreilles.

— Attention, dit le jeune homme, j'ai l'impression que la gourde au petit nez retroussé comprend le français.

— La gourde comprend surtout que vous êtes un goujat !

— Comment ça se fait que tu parles français ? a demandé le garçon sans se présenter. On m'a dit que par ici on parlait surtout le russe. T'as vécu en France ?

— On n'a pas besoin de venir dans un pays pour parler sa langue. Les écoles, ça existe.

— Tu t'appelles comment ?

— Bashia. Et toi ?

— Qu'est-ce que c'est que ce prénom ? En France, ça serait un nom de chien.

_____

1. Je l'ai appris depuis, cet individu insensible à l'art avait, un an plus tard, fini par couvrir son mur de chaux, privant définitivement l'humanité d'une œuvre admirable.

— C'est un diminutif de Barbara.

— Barbara ! Comme les milliardaires américaines ! Je préfère Bashia alors.

— En Pologne on utilise toujours des diminutifs pour les prénoms.

— Ba-shshia. On dirait de l'hébreu.

— Tu prononces mal, ne mets pas l'accent sur la dernière syllabe mais sur la première.

— Bâaa-shia. On peut se revoir ? Tu pourrais me donner quelques cours de polonais ?

Iwonka s'est approchée, l'a dévisagé en relevant ses sourcils. Comme moi elle a dû le trouver très beau car elle a fait venir les fossettes sur son visage. Il n'était ni grand ni petit, les cheveux châtains, la lèvre supérieure dominante comme souvent chez les Français, des dents qui se chevauchaient légèrement.

Iwonka tentait de comprendre ce que je disais.

— Qu'est-ce que tu es venu chercher dans notre pays ? La justice sociale ?

— Tu n'es pas loin de la vérité. Je viens de Rennes. Je m'appelle Christian Le Goff. Je prépare une licence d'histoire. Et aussi je suis un étudiant syndicaliste.

— Ça consiste en quoi le syndicalisme chez vous ?

— À défendre les intérêts des étudiants. Et accessoirement... à voyager.

Nous avons échangé nos adresses en cachette du secrétaire Ogourek. Je ne sais pas s'il s'en est aperçu, toujours est-il que quand nous nous sommes revus à la cafétéria de l'université à la réunion du même soir, il avait placé entre nous le groupe des Roumains.

Christian... Christian... Je répétais son nom dans l'autocar de retour : « Quel prénom singulier, et si beau... saint Jude Thaddée, faites que je le revoie. »

À mon retour à Cracovie, dès le vestibule une forte odeur d'alcool a alerté mes narines. J'ai trouvé notre locataire Jurek Kowalski très affairé dans la cuisine en compagnie du fils de Marintchia.

– *Panna* Bashia nous tombe du ciel, m'a-t-il accueillie de sa voix mielleuse. Mademoiselle serait mignonne de nous rappeler la date de la bataille de Grunwald[1] ?

– 1410. Pourquoi ?

– Merci, merci *panna* Bashia ! Ça sert d'être savante !

Il s'est tourné vers Waldek :

– Je te l'avais bien dit, Waldek ! Écoute les gens cultivés : 1 kilo de sucre, 40 grammes de levure, 10 litres de moût de seigle : voilà les bonnes proportions. Retiens ça pour la vie : Grunwald 1410 ! On va laisser macérer, puis on passera à l'étape suivante : la distillation.

J'ai réchauffé mon bortsch, Kowalski ne quittait pas la cuisine. Sa sœur et Marintchia étaient au travail. Grand-Mère n'était pas encore rentrée. Kowalski s'est montré exceptionnellement volubile :

– Mademoiselle Bashia fera quoi après toutes ces écoles ? Trop de savoir vous rend toqué, regardez M. Roman.

Je n'avais nullement envie d'engager la conversation avec lui.

---

1. Grunwald, appelée aussi Tannenberg, est la plus sanglante bataille du Moyen Âge lors de laquelle le roi de Pologne Ladislas II Jagellon, appuyé par son cousin Witold, grand-duc de Lituanie, vainquit les chevaliers Teutoniques le 15 juillet 1410.

– *Panna* Bashia pourra-t-elle gagner son pain quotidien avec ses longues études ? À quoi lui serviront ces langages exotiques ?

Je me taisais toujours.

– Ah, j'allais oublier. Un jeune homme a demandé tout à l'heure après mademoiselle.

Kowalski passait sa langue sur ses lèvres desséchées, un peu comme Père quand il était en manque.

– Quel jeune homme ?

– Connais pas. Un étranger en tout cas.

La bouche de Kowalski s'est tordue dans une grimace de dégoût.

– Il causait comme votre mamie et vous quand vous voulez pas qu'on comprenne. Pas un mot en polonais, même pas un bonjour.

Mon cœur s'est mis à battre plus fort. Christian avait dit qu'il viendrait à Cracovie. Serait-il déjà arrivé ?

Découragé par mon silence, Kowalski s'est tourné vers Waldek :

– Depuis que l'État s'amuse à teinter l'alcool à brûler en violet, surtout n'y touche plus. On ne sait pas quelle saloperie ils y ajoutent. Le *dénaturât*[1], même passé à travers de la mie de pain, ne retrouve plus sa belle transparence. Tu peux attraper une crise du foie ou devenir aveugle. Ma recette est cent fois meilleure, il faut seulement se rappeler les proportions. 1-4-10. Et laisser fermenter quelque temps. On va faire une belle surprise au p'tit docteur.

---

1. Alcool à brûler.

Depuis le matin je me préparais pour mon rendez-vous avec Christian. J'avais rincé mes cheveux au vinaigre pour qu'ils brillent, mis des bigoudis pour les boucler délicatement. J'ai poudré un peu mon nez et mes joues avec une poudre de la marque Coty, cadeau de tante Jadwiga. C'était bien, on voyait moins mes taches de rousseur. J'imaginais que si Christian avait souhaité me revoir, c'est que je lui plaisais. De peur d'être en retard, je suis arrivée trente minutes en avance. J'étais habillée de ma jupe rose et d'un corsage prêté par Iwonka à qui j'avais avoué avec fierté mon rendez-vous. Je me suis assise sur un banc en face de la faculté d'histoire de l'université Jagellone, à côté d'une femme enceinte qui berçait un enfant dans une poussette. Pour tuer le temps, je regardais l'inscription sur la pelouse indiquant l'interdiction d'y marcher et un autre petit panneau avec le montant de l'amende et le numéro du paragraphe au cas où l'envie prendrait à quelqu'un de transgresser la loi. C'était mon premier vrai rendez-vous ; je ne pouvais considérer ainsi mes rencontres avec Piotr. Mon état d'exaltation frôlait la frénésie. J'entrevoyais quelque chose d'immense, d'unique. Je croyais en mon destin, au bonheur imprévu. Et ce bonheur prenait la forme de ce Français. Je savais que je ne voulais pas d'une vie semblable à celle de tous les Polonais. Je voulais partir, retrouver ma mère, mais pas en m'imposant à elle. Je m'imaginais un jour, au bras d'un mari français sonner à sa porte pour prendre le thé. Oui, le thé me paraissait un prétexte idéal. Un après-midi, je sonne, elle m'ouvre, je me présente : «Mme Le Goff, je suis votre fille, je ne vous en veux pas de ne m'avoir pas élevée, vous aviez sûrement vos raisons, vous voyez, cela ne m'a pas empêchée de devenir quelqu'un, voici mon mari, professeur d'histoire à Rennes. Oui, nous sommes de passage à Paris… » Cette scène, à quelques détails près constamment améliorés, je me la suis repassée par la suite des milliers de fois dans ma tête.

Enfin je l'ai vu sortir du Collegium Novum. Il était avec son groupe, encadré de leur instructeur et d'un interprète. Je l'ai tout de suite reconnu à sa démarche. Il balançait les hanches crânement, les mains dans les poches d'un blue-jean. Il portait une chemise bleue qui faisait ressortir la couleur de ses yeux. Ses cheveux étaient plus longs que ceux des garçons polonais. «Qu'il est beau», ai-je pensé. Il m'a vue, s'est approché pendant que son groupe se dirigeait vers le Collegium Maius.

— J'ai visité l'université. C'est très beau.

— J'y étudierai dans un an. Veux-tu qu'on aille prendre un thé dans un café… à moins que tu ne doives rejoindre tes copains ?

— Quartier libre, en tout cas pour moi. Allons prendre une glace.

Nous avons marché jusqu'au Rynek. Dans les halles au

drap se trouvait le café Sukiennice, le préféré de Grand-Mère. Même s'il n'appartenait plus à son propriétaire Noworolski, un Viennois comme elle, l'endroit était resté élégant avec ses fauteuils en cuir et ses banquettes capitonnées. Des miroirs dorés couvraient les murs, des rideaux en satin habillaient les fenêtres.

Christian a eu un moment d'hésitation avant d'entrer.

– Attends, il y a écrit *Kawiarnia* ! On y sert du caviar ?

J'ai éclaté de rire.

– *Kawiarnia* veut dire « café » en polonais.

Le Sukiennice était bondé et si enfumé qu'on distinguait à peine les clients. Les habitués lisaient des journaux, fumaient, discutaient. Nous avons commandé des glaces.

– Tu connais les chansons de Léo Ferré ?

– Non.

– Et Juliette Gréco ?

– Non.

– Et les poèmes d'Aragon ?

– Grand-Mère a dit que c'était un communiste.

– Oui, c'est un camarade.

Il s'est mis à réciter :

– *Mon bel amour mon cher amour ma déchirure*
*Je te porte dans moi comme un oiseau blessé*
*Et ceux-là sans savoir nous regardent passer*
*Répétant après moi les mots que j'ai tressés*
*Et qui pour tes grands yeux tout aussitôt moururent*
*Il n'y a pas d'amour heureux.*

J'ai regardé son visage, son nez droit et fin, sa bouche aux commissures relevées, ses dents légèrement inclinées vers l'intérieur dont deux se chevauchaient. Il possédait cette attitude d'insolence à peine contenue qu'on ne voyait jamais chez les garçons de chez nous, à part Roman peut-être. Seulement Roman, personne ne le prenait au sérieux, alors que chaque mot de Christian se gravait immédiatement en moi. À la fin du poème, sûr de son effet, il s'est penché vers moi et m'a embrassée sur la bouche, la langue entre les dents. Je devais avoir une mine crétine car il a demandé, incrédule :

– On t'a jamais embrassée ? Alors, vois ça pour ta leçon numéro un.

Un couple âgé à la table d'à côté a pris un air scandalisé. J'ai entendu un autre chuchotement derrière nous, signe de réprobation. Mais cela m'était égal, j'ai fermé les yeux, j'ai oublié que nous étions dans un lieu public, j'étais amoureuse.

– Si t'es sage, il y aura d'autres cours particuliers mais il faut être obéissante. Sinon, il y aura des punitions corporelles comme dans les écoles anglaises.

Il m'a accompagnée jusqu'à l'entrée de notre immeuble et sous le porche s'est penché sur moi, fourrant à nouveau sa langue entre mes dents. Puis, en s'écartant, il a dit :

– Desserre les dents.

J'ai ouvert la bouche. Il a éclaté de rire.

– T'as déjà fumé ?

On dit qu'il n'y a que le premier mensonge qui coûte, j'ai donc acquiescé.

– Alors, tire ! Aspire comme une clope.

– Une quoi ?

– Une cigarette. J'ai oublié qu'on n'apprend pas l'argot aux filles de bonne famille.

Je n'ai pas vu tout de suite le concierge Marek, qui, comme d'habitude, était assis sur le muret et regardait qui entrait et sortait de notre immeuble. C'est quand j'ai entendu un «hum, hum» derrière moi que j'ai aperçu sa tête, plus hérissée que la brosse qu'il tenait entre ses mains, attribut plutôt théâtral étant donné qu'il n'en faisait jamais l'usage pour lequel on l'avait inventé. J'ai dit : «Bonjour *panie* Marek» et j'ai monté l'escalier quatre à quatre. Christian a crié derrière moi :

– Demain, même lieu, même heure.

Après ce premier rendez-vous je me sentais dans un tel état d'euphorie que je n'ai pas pu dormir de la nuit. Chacun de ses gestes me revenait en mémoire, chaque mot. Je me suis traînée à l'école le lendemain comme un zombie, les yeux rougis par le manque de sommeil. Je n'ai pas eu le temps de raconter ce rendez-vous à Iwonka. À la première heure j'ai été convoqué chez le directeur. Il m'a questionnée sur notre voyage à Varsovie, demandé si j'avais rencontré des étrangers.

– Personne, ai-je répondu.

– Ah, bon. J'aurais pourtant pensé que ta connaissance des langues te facilitait les contacts avec des étrangers…

Son visage s'est subitement figé. Il a lissé nerveusement sa barbiche et changé de ton :

– Arrête de mentir ! On sait que tu fricotes avec des étrangers. Non seulement ça ne va pas t'aider pour entrer à l'université, mais ça pourrait gâcher les affaires de ta famille.

– Je ne mens pas.

– Et ça c'est quoi ?!

Il s'est approché de son bureau et a sorti une photo

d'un tiroir. Sur la photo, Christian se tenait à ma gauche, à ma droite le Bulgare d'Iwonka souriait de toutes ses trente-deux dents blanches. La photo avait dû être prise à la cafétéria, à Varsovie.

– Qu'est-ce qui se passe ? On a perdu sa langue ?

La voix du directeur ne présageait rien de bon. J'essayai de donner de l'ingénuité à la mienne :

– Ah, il s'agit de ces deux-là ? En effet, si je ne vous ai pas raconté cela tout de suite, c'est que je pensais que les jeunes délégués des pays frères n'étaient pas des étrangers.

– Tu me prends pour un imbécile ?

– Pas du tout…

– Tu cours à ta propre perte avec tes mensonges. Et tu entraînes toute ta famille.

Puis il a pris un ton paternel :

– Ne fous pas ton avenir en l'air, mon petit. On pense t'envoyer prochainement au Festival mondial de la jeunesse à Bucarest.

Immédiatement, une pensée a traversé mon esprit : « Peut-être que les frontières en Roumanie ne sont pas aussi étroitement surveillées qu'en Pologne ? »

Je me suis sentie faiblir. Il a dû s'en apercevoir car il a ajouté :

– Mais peut-on faire confiance à quelqu'un qui n'est pas franc ?

Il a fait durer un silence et repris :

– Cela étant, si tu entends quelqu'un tenir des propos négatifs à l'encontre de notre pays, ou se plaindre de quoi que ce soit, même dans une conversation privée, tu dois me le signaler immédiatement, tout en veillant à ce que personne n'en sache rien. Chaque fois que tu rencontres un étranger, tu dois prouver ta loyauté et venir m'en faire un rapport. Bon, va rejoindre ta classe maintenant. Et réfléchis à ce que je t'ai dit.

Je n'ai pas pu me concentrer sur les cours ni penser à autre chose. L'oncle Roman n'était visiblement pas si fou quand il répétait : « Maintenant dans les écoles, ils vous apprendront la délation bien mieux que la grammaire polonaise. »

Fallait-il prévenir Christian ? Cesser de le voir ? Non, tout sauf cela. Mon attirance pour lui était plus forte que la raison et avait anéanti en moi toute forme de prudence.

Aujourd'hui je sais que j'avais simplement envie d'aimer... J'attendais cet amour, je m'y préparais, je le cherchais. J'étais avide de tendresse. D'une famille, d'un foyer. J'étais trop inexpérimentée pour savoir que les femmes ne devraient pas épouser des hommes comme Christian.

Quand je l'ai revu le lendemain, je lui ai dit :

– Quand tu es avec moi, je n'ai plus peur.

– Peur de quoi ?

L'interrogatoire du directeur m'a paru immédiatement moins grave. « C'est bientôt la fin de l'année scolaire, ai-je pensé, on verra bien à la rentrée. »

Cet amour me donnait des ailes. J'avais l'impression de planer. Le fait qu'il soit français lui conférait une aura supplémentaire. À la maison, pendant les cours, je dessinais son visage. Les feuilles jonchaient mon bureau, j'oubliais de les cacher. J'écrivais des pages entières dans mon journal, toutes composées de soupirs, d'attentes, de promesses. J'apprenais les poèmes d'Aragon par cœur. Je commençais à écrire des vers de mirliton, naïvement sûre de mon secret puisqu'ils étaient en français. En polonais, je ne lisais plus que des poèmes d'amour que je traduisais en français pour pouvoir les réciter à Christian.

Mais Christian n'avait rien à faire de nos beaux poèmes de Słowacki, de Tuwim, de Leśmian, de Gałczynski. Il aimait discuter de politique. Il vouait à Staline une admiration sans bornes. C'étaient les Soviétiques, à eux seuls, qui avaient gagné la guerre. Il s'énervait quand je le contredisais et me traitait de réactionnaire. Un jour, je lui ai parlé des officiers polonais assassinés par les Soviétiques à Katyn et de mon oncle Roman qui avait réussi de justesse à se sauver du camion, et qui, depuis, avait perdu la tête. Il a souri avec indulgence et dit que ces sornettes, il les avait entendues en France aussi. D'ailleurs, il disait pis que pendre de la France. Comment un Français pouvait-il critiquer son pays à ce point ? La patrie des droits de l'homme ? Élevée à la bonne école polonaise, j'avais été inconsciemment nourrie au patriotisme et j'aimais mon pays, cette Pologne, toute moche qu'elle était. Et lui, élevé dans cette France républicaine et démocratique, il déversait sur elle des tonnes de fumier. Et cela, je n'arrivais pas le comprendre.

– C'est drôle, il y a des moments où je ne comprends pas un mot de ce que tu racontes.

– Achète-toi un cahier et note les mots que tu ne connais pas, m'a-t-il conseillé. Ton vocabulaire est effectivement un peu pauvre.

Sa réflexion m'a vexée. Christian n'était pas toujours patient, il éclatait de rire quand je prononçais mal les mots, me singeait, me faisait répéter dix fois la même phrase. Je me suis munie d'un cahier et j'ai commencé à y noter chaque nouveau mot. Mais lui aussi apprenait le polonais, un polonais, il faut dire, un peu singulier.

– Que signifie ce mot *kurwa* que j'entends tout le temps ? a-t-il demandé un jour.

– C'est un juron qui décrit le métier de certaines femmes… comment dire… de mauvaise vie.

– T'es sûre ? Parce que à la résidence universitaire, la gardienne s'adresse ainsi à sa fille, et la fille à sa mère.

– *Kurwa*, ce n'est pas tout à fait une prostituée.

– Quelle différence ?

– Prostituée c'est un métier, *kurwa* c'est un caractère. Une nature, si tu préfères.

– Bravo ! Tu es capable de faire de l'esprit en français. On va voir ce que tu sais faire d'autre. Mets ta main là.

– Où ?

– Sur ma braguette, petite dinde ! On n'arrive à rien avec toi ! Comme vous êtes coincés dans ce pays !

Dans sa voix j'entendais l'agacement d'un professeur devant un élève peu doué. J'ai voulu jeter un coup d'œil dans mon cahier à la lettre B quand Christian a dit :

– Ton vocabulaire progresse en effet mais ce n'est pas encore ça. Rejoins-nous le mois prochain à Zakopane. Tu auras l'occasion d'apprendre en quelques jours bien plus qu'en un an avec ta mademoiselle.

Plus tard, j'ai demandé à la Pantchiola.

– Mademoiselle, que signifient dinde, chatte, braguette ? Ces mots ont-ils une autre signification que celle mentionnée dans le dictionnaire ?

– Qui est le malotru qui utilise des mots pareils devant Mademoiselle ! s'est-elle offusquée.

J'ai réussi à cacher mon embarras.

— Personne, je les ai trouvés dans un livre.

— Quel livre ?

— Oh, c'est un auteur français, vous ne le connaissez sûrement pas. On m'a prêté ses ouvrages récemment.

— Quel est le nom de cet auteur ? Je peux voir ?

— Il s'appelle Jean-Paul Sartre.

Grand-Mère, qui aimait assister à mes leçons, se mêla à la conversation :

— Le monde est devenu si pourri que même ce M. Sartre devient un auteur très moral. Tu as manqué plusieurs leçons la semaine dernière. Qu'as-tu fait tous ces après-midi ? Pourquoi assistes-tu à toutes ces réunions maintenant ? Est-ce obligatoire ?

Et là, les mots m'ont échappé stupidement :

— Sans Christian, je n'y serais pas allée mais...

— Parce qu'il y a un Christian ? C'est lui qui t'attire aux réunions ? Qui est-ce ?

Pouvait-on être aussi idiote ? Maintenant, je n'avais plus le choix, il fallait dire la vérité. Enfin, une partie de la vérité. Et manque de chance, ce jour-là la famille était au grand complet.

— C'est un Français que j'ai rencontré à Varsovie.

— Il est encore en Pologne ? Je croyais que les étrangers n'avaient pas le droit de rester longtemps !

— Lui, si.

— Il te plaît à ce que je vois. Comment est-il ?

— Oh grand-mère, si vous saviez comme il est beau ! Mais à vous... il ne plairait pas.

La voix de Grand-Mère est devenue soudainement grave.

— Ne me dis pas qu'il boit.

– Pas plus que la moyenne.

Grand-Mère prenait un ton badin pour m'interroger.

– Il se mouche avec les doigts ? Il tient mal sa fourchette ? Mange avec les coudes sur la table ?

Roman s'est joint à la conversation :

– Jadwiga a cela tous les jours chez elle et elle n'en meurt pas.

– Je n'ai rien remarqué de la sorte. Rien de tout cela, en tout cas.

– Quel est ce journal que tu as apporté ?

– Un quotidien français.

– Je vois bien que c'est du français ! D'où le sors-tu ?

– C'est Christian qui me l'a donné.

Grand-Mère a pris *L'Humanité* dans ses mains.

– Oh, Seigneur ! C'est un communiste ! J'aurais dû m'en douter. Qui d'autre viendrait visiter notre pauvre pays ! Tu ne peux pas épouser un communiste ! Regarde les problèmes qu'on a déjà avec le mari de Jadwiga.

J'ai pris la défense de Czesław :

– C'est plutôt lui qui a des problèmes avec nous.

– Et pourquoi pas ? a dit l'oncle Roman. Si elle va un jour vivre en France, il y est très bien vu d'être marxiste et même trotskiste.

– Le mariage avec un étranger n'est pas une affaire anodine dans notre pays, a dit Père, subitement sobre.

Puis il est redevenu affable et charmeur :

– Tu ne peux pas me quitter. Que ferais-je sans toi quand je serai vieux et malade ? Je n'aurai personne pour m'apporter un verre d'eau, je voulais dire de vodka ? Et ton Français, il sait boire, au moins ? Parce que là-bas, ils n'ont que du vin, les malheureux.

– Qui parle de mariage ? Vous en faites toute une histoire, on se promène, on rit, on parle, voilà tout !

Puis, en repensant à la proposition de Christian, j'ai ajouté un petit mensonge :

– Les parents d'Iwonka se sont vu attribuer un appartement dans une pension à Zakopane et j'aimerais aller y passer quelques jours cet été. Sa mère est d'accord.

– Je n'aime pas beaucoup tes fréquentations…

Grand-Mère a hoché la tête avec déception. Je n'en avais cure. Tout ce qui m'importait, c'était d'être auprès de Christian, mon beau Français.

Pour la première fois j'étais reconnaissante à Grand-Mère de m'avoir fait donner des cours de français. Grâce au français, je connaissais enfin l'amour. L'amour enivrant dont on parlait dans les livres. Que Christian pût accorder une quelconque importance à une fille aussi insignifiante que moi ne cessait de m'étonner mais en même temps demeurait une source de ravissement. Sans parler de mon vocabulaire qui s'était brillamment enrichi. Mes progrès, en ce mois de juin 1953, même s'ils n'étaient pas exactement ceux auxquels Grand-Mère s'attendait, furent fulgurants. J'ai noté avec fierté dans mon journal :

Je connais déjà 550 mots français. Mademoiselle dit que la plupart des Français n'en utilisent pas plus que 250. Elle exagère sûrement, comme d'habitude.

Il ne se passait pas un jour sans qu'à toute heure je ne rêve de Christian – et bien sûr en français. Même si malgré mes cinq cents mots, mes phrases étaient encore hésitantes, j'étais persuadée qu'il était plus facile de parler d'amour en français qu'en polonais. Je relisais les poèmes d'Aragon, je récitais *La Chanson du mal-aimé* d'Apollinaire, j'essayais même de comprendre quelque chose au *Manifeste du parti communiste* car Christian m'avait expliqué que tout ce dont l'humanité rêvait se trouvait dans ces pages. Les instants que nous partagions étaient magiques.

Un jour nous montions sur le tertre de Kosciuszko. Un autre au contraire nous amenait dans un monastère, dans lequel, par le trou de la serrure du portail, nous pouvions apercevoir tout Cracovie. C'était très spectaculaire, Piotr m'y avait emmenée pour la première fois et j'étais fière de faire découvrir cet endroit à Christian. On voyait les toits de la ville, les clochers des églises, l'ancien mur d'enceinte, la barbacane. Nous y sommes restés assis dans l'herbe jusqu'au soir.

C'était l'heure des vêpres et j'ai voulu entrer dans l'église ; les chants qui venaient de l'intérieur étaient si beaux. Je ressens toujours une grande émotion dans une église. Et de l'apaisement. Mais Christian n'a pas voulu m'accompagner alors je n'ai pas insisté. Je ne lui avais même pas demandé s'il était croyant. De telles questions n'entraient pas dans notre vocabulaire de l'époque. En Pologne tout le monde était croyant, certains seulement n'allaient pas à l'église, mais on le comprenait, c'était pour des raisons d'appartenance au Parti.

Le samedi, le groupe de Français avait prévu de visiter la mine de sel de Wieliczka et j'ai réussi, grâce à Iwonka, à me joindre à eux. En plus de leur guide et de l'interprète, il y avait aussi le secrétaire Ogourek en sa qualité d'exécutif de la Jeunesse socialiste.

Nous sommes descendus à cent vingt-cinq mètres sous terre par des escaliers en bois bringuebalants, puis nous avons suivi un long couloir humide pour parvenir à un balcon qui dominait la chapelle de la bienheureuse Kinga[1], une vaste salle intégralement en sel : sol, parois, plafond, autel, chaire, bas-reliefs. Même la crèche était en sel, ainsi que de nombreuses scènes bibliques comme la fuite en Égypte, le miracle de Cana, Hérode et le massacre des Innocents, la Cène, le Christ crucifié. Les cinq énormes lustres incandescents étaient également en cristaux de sel, les statues des saints, les bustes de rois, tous taillés dans les blocs de sel. Le guide racontait la légende de Cunégonde qui avait fait tomber dans un puits sa magnifique bague de fiançailles ; on avait dû creuser pour la chercher et c'est ainsi qu'on avait découvert le gisement de sel gemme. Christian a fait semblant de se fâcher et m'a demandé ce que j'avais fait de la mienne, celle qu'il venait de m'offrir.

– Une fille qui perd sa bague de fiançailles, princesse ou pas princesse, n'est qu'une gourde. Si tu ne la retrouves pas tout de suite, je ne t'épouserai pas !

Nous restions tout le temps à la traîne, dès que le groupe disparaissait dans une autre salle on se tenait par la main. Il ne voulait pas croire que tout était en sel et il s'est mis à lécher les parois et les statues. Puis il a mis sa langue dans ma bouche et m'a demandé si elle était assez salée ou si je voulais qu'il en ajoute. Entre les baisers, nous riions comme des enfants. Soudain, quelqu'un m'a attrapée par le col de mon chandail en hurlant :

---

1. Sainte Cunégonde.

– La voilà, la dévergondée ! Tu couvres de honte notre pays ! Si je te vois une fois encore avec ce Français, ça va être ta fête !

Le secrétaire Ogourek braillait comme un possédé.

Avant d'être poussée vers la sortie j'ai entendu Christian qui criait :

– Qu'est-ce qui lui prend à ce type !

Le lendemain, dans l'après-midi, Christian est venu me voir à l'improviste. Il désirait savoir ce que me voulait précisément le camarade Ogourek. Ce n'est pas moi qui lui ai ouvert la porte mais notre locataire. Moi, j'étais dans la cuisine où j'expérimentais un nouveau plat : les beignets de miettes de pain.

C'était un dimanche et ça ne pouvait plus mal tomber : toute notre folle famille était au complet, en plus de Pantchiola qui était venue siroter le thé avec Grand-Mère. Tous ont regardé Christian comme s'il était un extraterrestre. Marintchia passait et repassait devant lui sous un prétexte quelconque, lorgnait ses habits et la montre à son poignet. Jurek Kowalski montrait le blue-jean de Christian à sa sœur et à Waldek. Roman qui était en train de commenter un article où il était question de propreté a seulement levé sa tête fêlée et, impoli comme à son habitude, a répondu « salut » au « bonjour » souriant de Christian. Il n'a pas interrompu son défrichage du journal, il est seulement passé au français. Des scientifiques de renommée internationale étaient parvenus à donner un compte très précis du nombre de bactéries qui occupent un centimètre carré de peau humaine. J'étais trop embarrassée par la situation pour retenir le chiffre exact, mais je me souviens qu'il comptait plusieurs zéros.

– Pour une fois notre journaliste n'accuse pas les impérialistes de cette invasion planifiée de bactéries, pérorait Roman. Chacun voit bien la crasse qui nous envahit, en ville comme à la campagne.

C'était vrai. D'ailleurs, la Pologne arrivait bonne derrière dans les statistiques sur la consommation de savon. J'avais déjà lu quelque part qu'en Pologne, une personne utilisait à peine six kilos de savon par an contre neuf et demi en France et onze en Angleterre. C'était aussi ce que j'aimais chez Christian, qu'il sentait bon alors que chez les Polonais, la fraîcheur datait toujours de la veille.

Grand-Mère a tendu une tasse à Christian :

– Vous prendrez bien un thé avec nous ?

En s'asseyant, le sourire forcé, Christian m'a glissé à l'oreille :

– Mais d'où vous vient cette manie de boire du thé à longueur de journée ? En France on boit du thé si on est malade.

Néanmoins, il a pris la tasse et s'est mis à laper avec circonspection, même assez bruyamment pour être tout à fait franche. Son petit doigt relevé n'a sûrement pas échappé à Grand-Mère car elle a pris sa mine magnanime.

– Vous les Français, vous avez l'art de la conversation dans les gènes.

Et Pantchiola de renchérir :

– Tout le contraire des Polonais : soit ils se disputent, soit ils monologuent.

Toutes les deux étaient d'une politesse insoutenable qui me donnait envie de rentrer sous terre.

Non, franchement, elles se croyaient où ? Dans un de ces fameux salons parisiens d'il y a deux siècles ? Étais-je la seule à voir que nous nous trouvions dans notre appartement miteux et non chez une Mme Geoffrin ! Surtout que Christian restait coi, occupé qu'il était à se goinfrer de tartines sur lesquelles il avait étalé un bon centimètre de confiture de cerises. Et on ne parle pas la bouche pleine !

Père, lui, n'a même pas réagi au « bonjour » de Christian ni à sa poignée de main. Il ne prenait aucune part à la conversation. Il venait d'entamer une cure de désintoxication, et l'alcoolique qui arrête de boire est pire qu'un alcoolique en activité, chacun le sait. C'est un être ennuyeux, susceptible, insociable. En tout cas, tel était Père quand il cessait de boire. Au point que j'étais soulagée quand il reprenait la bouteille.

Comment aurais-je pu l'avouer à Christian : sans son alcool quotidien, Père devenait dépressif, suicidaire, tour à tour querelleur ou apathique, ou les deux à la fois. Il ne voulait voir personne, perdait tout sens de l'humour, toute joie de vivre. Il prenait une cuillère de bicarbonate de soude, buvait des potions de camomille et de fenouil préparées par Lidia Sokołowska, ne mangeait rien et attendait que son foie se régénère. Cela faisait une semaine que Lidia fumait assise dans le salon, ne le lâchait pas d'une semelle et faisait barrage à toute livraison clandestine.

– Viens dehors, on peut pas parler ici, a chuchoté Christian.

Nous sommes allés au café Warszawianki rue Sław-kowska et Christian a commandé deux *napoléonka*.

– Vous habitez à combien dans ce taudis ? voulut-il savoir.

J'essayai d'expliquer qu'ils n'étaient pas tous de la famille.

– La moitié sont nos locataires. La municipalité nous les impose car nous avons trop de mètres carrés et une pas assez bonne origine sociale.

– C'est quoi ces conneries ?

– Un jour je t'expliquerai, mais c'est difficile à comprendre pour quelqu'un qui ne vit pas ici.

Puis on a parlé d'autres choses. Christian manifestait son envie de casser la gueule à ce « merdeux d'Ogourek ».

– Si je n'ai pas fait ça hier c'était à cause de toi. Pour que tu n'aies pas d'autres ennuis. Ils pètent plus haut que leur cul, les gars comme lui, tu comprends ?

Il parlait, parlait, parlait... il en connaissait plein qui jouaient aux petits chefs. Tous des « merdeux »... J'écoutais distraitement car je ne voyais que sa jolie mèche de cheveux qui faisait petit garçon et qui lui tombait sur le front quand il s'excitait et qu'il rejetait sans cesse en arrière. J'observais ses lèvres qui bougeaient, mais je n'avais plus aucune idée de ce qu'il disait. Deux fois il s'est arrêté pour me demander si je connaissais la signification de tel ou tel mot en insistant pour que je le note. J'avais oublié mon cahier, j'ai donc noté sur une serviette en papier de la pâtisserie. Je pensais à mon amour pour lui et à rien d'autre. Au bonheur qui m'attendait, à la belle vie qui s'ouvrait enfin devant moi. Ce sentiment de bonheur était si brûlant qu'il m'étouffait presque. Surtout, il me faisait oublier la menace qui pesait sur moi en la personne du directeur, augmentée maintenant par cette ordure d'Ogourek qui ne tarderait pas faire son sale rapport au lycée.

Je me souviens aussi que Christian a sorti de son portefeuille des photos de ses parents et de ses deux frères. Il a raconté dans les détails leurs soirées en discothèque, leurs mauvaises notes en mathématiques, leur amour immodéré pour l'andouillette, les huîtres qui se mangent en France « les mois en *r* ».

– Ton père aussi est communiste ? ai-je demandé.

– Bien sûr, a-t-il dit avec fierté.

– Qu'est-ce qu'il fait comme métier ?

– Prof dans un lycée technique.

– Et ta mère ?

– Elle ne travaille pas. Elle s'occupe de son foyer. Elle prépare une tête de veau dont tu n'as pas idée ! Et aussi de la cervelle, des rognons. Elle nous fait souvent des tripes. Chez vous, quel est le plat préféré ?

Je n'allais quand même pas lui raconter que souvent j'avais la nausée tellement j'avais faim. Que je préférerais mourir qu'avaler le pain au saindoux que Marintchia nous servait quand il n'y avait rien d'autre dans le garde-manger. Quant au dernier repas que nous avions pris en famille, c'était une malheureuse carpe à Noël. Au lieu de cela, je l'ai taquiné :

– Nous ne sommes tout de même pas tombés assez bas pour manger des abats. Même si nous étions affamés, Grand-Mère ne le permettrait pas.

– La dame qui fumait dans le séjour, c'était ta mère ? Elle m'a jeté un de ces regards !

Christian m'inspirait confiance, me devenait proche comme personne, à lui seul j'aurais pu me confier, parler de ma mère en France dont je n'avais plus de nouvelles parce qu'il était interdit d'avoir des contacts avec des ennemis du peuple. Mais je ne l'ai pas fait. Quelque chose m'a retenue. J'ai éludé le sujet :

— Et vous habitez à quel étage ?

— Comment à quel étage ? Nous avons une maison.

— Une maison à Rennes !

— Ben oui.

— Et vous faites quoi les dimanches ?

— Souvent nous allons au bord de la mer. À Cancale.

— Vous baigner ?

— Pêcher. Manger des coquillages…

— Des grenouilles ?

— T'es folle ? Non, des moules et des tourteaux.

— C'est bon ça ?

— Et comment ! Je t'emmènerai un jour si tu veux.

Mon Dieu ! Si je veux ! Quelle question ! Voilà l'homme que j'attendais, ce beau garçon aux cheveux toujours propres et qui sent si bon. Même s'il ne le sait pas encore, il va tomber amoureux de moi. Il va m'emmener loin de ce pays, loin de Krostak et de tous ces locataires détestables et autres membres du Parti. Là-bas, en France, une famille aimante m'attend à bras ouverts. Enfin, peut-être pas tout de suite à bras ouverts. Tout d'abord sa mère ne verra peut-être pas d'un bon œil le choix de son fils – les mères se montrent parfois très jalouses – mais elle finira par s'amadouer quand elle me connaîtra mieux, quand elle verra comme je suis cultivée et bien élevée. Et quel gâteau aux pavots je sais faire, quel bortsch, quels pirojkis ! Et elle m'accueillera dans leur villa à Rennes où chacun possède sûrement une chambre à soi, heureuse de voir à quel point son fils est heureux.

Christian a interrompu ma rêverie :

– Il faut que je rentre. Ces cons ferment le foyer d'étudiants à huit heures, le dimanche comme en semaine. Comment pouvez-vous vivre dans ce pays avec autant de restrictions !

– À demain alors. Au café Warszawianki.

Le lundi matin, je n'ai pas attendu d'être convoquée, j'ai pris les devants. Il fallait à tout prix devancer le camarade Ogourek. Avant de monter en classe, j'ai frappé à la porte du bureau du directeur. Lorsqu'il a dit «Entrez!» de son habituel ton sec, j'ai poussé le battant.

Un affreux sourire de satisfaction a distendu ses lèvres noyées dans sa barbichette.

– C'est bien d'être venue de ton propre chef. Alors, raconte… j'écoute…

– J'ai de nouveau rencontré ce Français hier.

Et l'interrogatoire a recommencé. C'étaient à peu près les mêmes questions que la dernière fois et j'ai donné les mêmes réponses : oui, notre première rencontre était devant la sirène de Picasso. Qui avait abordé qui en premier ? C'était lui, je crois. Ah, tu crois… Comment savait-il que tu parlais français ? Ah, il a dû essayer à tout hasard… Re-rictus du directeur. Pourquoi avec toi et non avec Mlle Douda ? C'est cela… tu ne sais jamais rien, hum, hum…

J'ai essayé de garder mon calme, de jouer l'idiote et

surtout de ne pas me laisser déstabiliser par ses insinuations.

– Tu peux nous être précieuse si tu es vigilante, a-t-il dit en me retenant longtemps la main avant de me laisser filer rejoindre la classe.

Que voulait-il dire ? Dans sa bouche, ça sonnait comme une menace.

« Tant pis, me disais-je. C'est le prix à payer pour pouvoir voir Christian. »

J'avais peur, et malgré cela, je ne voulais pas renoncer. Qu'est-ce que j'attendais ? Que les choses s'arrangent d'elles-mêmes ?

Mais dans notre pays rien ne s'arrange de soi-même. Grand-Mère disait que chacun crée son propre enfer sur cette terre mais moi, j'étais maintenant d'accord avec l'oncle Roman. Pour nous les Polonais, quelqu'un d'autre s'en était chargé.

Je n'ai pas cessé de voir Christian, parfois quelques minutes, parfois une heure ou deux. Chaque matin je me rinçais les cheveux dans une infusion de camomille, puis je les attachais car j'aimais quand Christian les détachait. Le bain appartenait à un lointain passé. C'était à peine si on recueillait un peu d'eau pour remplir une bassine. Ce qui sortait du robinet était trouble et de couleur marron tant les deux usines qui s'étaient construites aux alentours, le Kombinat Lénine de Nowa Huta et l'usine d'aluminium et de plomb de Skawina, avaient pollué la Vistule. Mes allergies devenaient bien réelles, j'avais souvent du mal à respirer et j'étouffais comme un vieillard.

– Cette boue atmosphérique va tous nous tuer, prêchait Roman. L'acide fluorhydrique que ces usines dégagent est tel que les vaches des campagnes environnantes sont atteintes de décalcification. Bientôt elles vont brouter sur les genoux.

Je ne savais pas où Roman avait eu l'occasion de voir des vaches grandeur nature, on n'allait jamais à la campagne. Toute mon enfance s'était déroulée en ville et aujourd'hui encore je préfère le bitume aux promenades en forêt.

Père était inquiet de mes joues pâles.

— Il faut t'envoyer en colonie de vacances à la mer ou à la montagne.

Je me suis regardée dans le miroir pour voir ce que les autres voyaient. Mes joues étaient en effet creuses, mon visage émacié. J'en ai immédiatement profité pour remettre sur le tapis l'invitation pour les vacances à Zakopane.

— Je t'y conduirai avec ma voiture, a dit Lidia, la fiancée de Père. Dès que ton père sera guéri, on prévoit d'y faire une cure de remise en forme.

— On verra, on verra, a dit Grand-Mère, me dressant la liste des articles que nous devions nous procurer.

Depuis la mort d'Elżbieta tout reposait sur moi. On ne pouvait pas compter sur Marintchia. À peine lavait-elle encore nos draps, elle préférait se prélasser dans la tiédeur des salles de réunion enfumées du Parti.

Les queues devant les magasins grignotaient les trois quarts de mon temps libre. Partout il fallait attendre, pour le pain, pour le beurre, pour le sucre, pour la farine, pour payer la redevance d'électricité ou obtenir un bon pour le charbon. On passait de l'avant d'une file à l'arrière d'une autre. À la queue leu leu. Souvent pour atteindre un comptoir déjà vide. Les vendeuses vêtues de blouses élimées bougonnaient derrière le comptoir : «Messieurs dames, c'est fini pour aujourd'hui. La prochaine livraison sera pour demain. » Et rebelote dans un autre magasin.

– Tout part en URSS ! grommelait Roman. C'est pour cela que les magasins sont vides chez nous. L'exportation forcée, le butin de guerre.

Afin d'être plus disponible pour Christian, j'ai inventé un nouveau métier : remplaçante de queue. J'ai engagé la fille du concierge Marek, une fillette docile de onze ans, peu futée certes, mais serviable et, grâce à son père, souvent au courant des bonnes adresses de livraison. J'avais largement de quoi la rémunérer avec tout ce que je gagnais en écrivant les dissertations pour mes camarades.

J'avais cessé de prendre des cours de français chez Pantchiola depuis le dimanche où elle avait vu Christian quelques instants et critiqué son accent des faubourgs. Roman n'avait vu en lui qu'un communiste de salon.

– Ce sont les pires ! Comme ces braves Jacobins.

«Il ne comprend pas, il n'a jamais aimé, ai-je pensé. Le seul qui peut comprendre quelque chose au sujet du cœur, c'est Père. »

Là, je me suis bien trompée.

– Il ne te mérite pas, ce garçon. Tu es trop intelligente pour lui.

– Papa ! Les flatteries, gardez-les pour vos belles amies…

– Ne te fâche pas. Je dis ce que je vois. Même si je considère qu'il y a beaucoup d'inconvénients à être intelligent ou à trop penser.

À Grand-Mère non plus Christian n'avait pas plu, côté manières. Un jeune ne tend pas en premier la main à une personne plus âgée. On se lève quand on parle à une femme. On ne met pas les coudes sur la table.

Dieu que c'était ridicule ! Nous vivions dans une porcherie, au milieu de porcs, et elle exigeait un savoir-vivre et des manières surannés ! J'en avais assez de garder le dos bien droit, les mains sur mes genoux joints ! Si je m'y efforçais encore, ce n'était pas tant par la force de l'habitude que pour ne pas peiner Grand-Mère.

Nous avions pris l'habitude avec Christian de nous asseoir sur un banc dans un coin éloigné des Planty, cachés par un buisson face au monument du roi Jagellon au côté de sa belle Edwige. J'avais tout le temps envie de toucher sa main, sa joue, ses cheveux rebelles, ça me prenait par bouffées. Peut-on avoir des accès de tendresse comme on a des accès de fièvre ? Surtout, j'avais envie de me blottir dans ses bras et d'y rester sans bouger. Mais il remuait tout le temps, reniflait mes cheveux, titillait mes seins à travers le corsage avec son index. C'est vrai qu'ils n'étaient pas plus gros que des mandarines, il aurait été superflu d'utiliser toute la paume. Il se frottait contre moi comme un chat. Il ne manquait plus qu'il se mette à ronronner.

Je ne pensais pas à l'aspect physique de l'amour, les sentiments suffisaient. C'était déjà assez compliqué comme ça. Je savais évidemment qu'un jour viendrait où notre relation évoluerait vers ce plaisir effrayant et désiré à la fois, repoussé et tant attendu dont toutes les filles rêvent sans oser l'avouer. Simplement je n'étais pas encore préparée à me donner comme ça, sans longs préliminaires, sans fiançailles romantiques remplies de soupirs, de promenades, de baisers innocents.

Assis à côté de moi, Christian dévisageait les promeneurs avec insistance, surtout les filles. Que ça pouvait m'énerver ! Quand je boudais, il se défendait :

– Ne sois pas jalouse. C'est par curiosité sociologique. Regarde, il y en a qui ont des jambes poilues des cuisses aux mollets. On dirait la toison d'une poitrine d'homme.

– Père dit que c'est hormonal.

– Pourquoi elles ne s'épilent pas ?

– Parce que les hommes ont acheté toutes les lames de rasoir de la ville et qu'elles n'ont pas encore appris à se servir d'une coupe-chou, ai-je dit en tapant sur sa main qui pour la énième fois fouillait sous ma jupe.

– J'aime quand tu te mets en rogne, tu me rappelles ma mère. Seulement elle frappait plus fort.

– Avec quoi ?

– Avec ce qu'elle avait sous la main, un torchon, un manche à balai, une poêle à crêpes.

– Et ton père ?

– Quoi mon père ? s'est-il enquis, tout absorbé qu'il était à tirer sur l'élastique de ma culotte.

– Il te frappait aussi, ton père ?

– Vous avez fait vœu de chasteté dans ce pays ou quoi ! J'ai l'impression que les Polonaises sont plus compliquées que les Françaises.

– Ce n'est pas notre faute. On reçoit une mauvaise éducation.

C'était vrai. Même aujourd'hui, le peu d'empressement que je manifeste pour les choses du sexe, je le mets sur le compte de mon enfance. Trop pauvre en affection, trop riche en interdictions de toutes sortes.

J'avais entendu dire qu'à l'occasion de la Saint-Jean une fête folklorique se préparait sur les rives de la Vistule et je lui ai proposé d'y aller. Jamais, jamais je n'ai connu de moment aussi merveilleux que cette promenade le long des arbres au bord de l'eau, à la lumière du soir tombant.

– Aujourd'hui, c'est la fête des amoureux, la nuit du dieu païen Kupala, dieu d'amour. Enfin, de vie et d'amour. De soleil, de feu, de la lune, d'eau, de joie, de fertilité et de fécondité.

– Fécondité aussi ? Parce que tu sais comment on fait les bébés, toi ?

– Bien sûr, ai-je répondu en riant. Chez nous ce sont les cigognes qui les apportent. En ce qui me concerne, c'est un coucou qui s'est chargé de déposer son œuf, dont il se fichait pas mal, et il s'est trompé de famille.

– C'est ce qu'il m'a semblé aussi, a dit Christian.

Il s'est penché et m'a embrassée si tendrement que je me suis dit qu'après tout il m'aimait peut-être un peu.

– Bon d'accord. Tu sais comment les faire. Mais sais-tu comment ne pas les faire ? C'est encore plus important.

La fête battait son plein quand nous sommes arrivés. Nous nous sommes assis sur l'herbe un peu à l'écart du feu. L'alcool aidant, les hommes étaient déjà un peu échauffés, ils commençaient à sauter par-dessus le feu. Les filles chantaient en chœur des chants populaires empreints de tristesse. Beaucoup étaient vêtues de costumes bariolés à la cracovienne. Ça sentait bon l'herbe coupée et les saucisses grillées. J'ai dit à Christian que la tradition exigeait que les filles aillent cueillir des fleurs pour en faire des couronnes qu'elles jetaient dans la Vistule. On regardait partir dans le courant celles qui tourbillonnaient déjà près des berges, décorées de minuscules bougies. C'était fascinant, on aurait dit que la rivière entière brûlait. Les plus audacieux des garçons se jetaient à l'eau et les repêchaient. Cela signifiait qu'ils se marieraient dans l'année.

– C'est pendant cette nuit, la plus courte de l'année, que fleurit la fougère. Selon la légende, celui qui retrouve la fleur est destiné à mener une vie longue, heureuse et prospère. Tu n'as pas envie de trouver cette fleur ?

– C'est fait.

Et de nouveau il m'a embrassée longuement, tendrement. La tête sur ses genoux, je savourais ces instants, les yeux grands ouverts vers le ciel étoilé. Mais Christian ne savait pas rester longtemps inactif. Sa main est descendue le long de ma cuisse et a commencé à remonter ma jupe. Je me tortillais dans tous les sens mais, je l'avoue, ce n'était pas désagréable du tout. En pensant à ma culotte en coton épais et rêche, j'ai réorienté sa main vers mon visage.

– J'aime ton corps élancé.

– Tu ne me trouves pas trop laide alors ?

– Toi, laide ? Tu as le visage d'un lutin espiègle qui s'apprête à faire une blague. Si tu t'habillais un peu mieux, tu serais très dans le vent avec ton corps de garçon manqué.

Il a recommencé à m'embrasser et de nouveau sa main est descendue vers ma culotte. J'étais embarrassée mais en même temps je ne voulais pas que ça s'arrête. Il dirigeait ma main par-ci, puis par-là et j'y ai consenti, un peu comme un sacrifice à notre entente future. Pourvu que son intérêt pour moi ne faiblisse pas.

– Tu es si douce, murmurait-il, j'aime ton allure hautaine et distante. Ton air réfléchi. Ta détermination. Et puis tu regardes tout avec une intensité qui m'épate. Je me dis que tu dois voir sûrement plus de choses que les autres.

C'était la première fois que j'entendais tant de compliments. Je me considérais comme une fille quelconque. Je me suis bêtement sentie émue.

— Seulement pourquoi tu restes aussi inaccessible ? J'ai l'impression de te connaître et en même temps tu m'échappes. Tu es plus combative que les autres filles et plus secrète.

Je ne savais quoi répondre.

— Ce que j'aime, c'est qu'on ne s'ennuie jamais avec toi, a-t-il ajouté en s'attaquant aux boutons de mon corsage.

— Tu épouserais quelqu'un comme moi ?

— Je suis pas quelqu'un avec qui une fille qui veut avoir une vie rangée devrait se marier. On peut s'aimer sans se marier. Regarde Lénine et Nadiejda Kroupskaïa, Jean-Paul Sartre et Simone de Beauvoir, Rosa Luxembourg...

— Tu n'as pas d'autres exemples ?

— Pas sur le moment.

— Tu ne te marieras donc jamais ?

— Non. Je resterai vieille fille, répondit-il.

— Il te faut alors un chat et un canari comme Pantchiola, ma prof de français.

— Tu pourras m'en offrir pour mon cinquantième anniversaire.

— Je mourrai avant. D'amour.

— Il n'y a pas d'amour. Il y a seulement des preuves d'amour, a-t-il dit tandis que j'enlevais sa main de ma poitrine.

Alors il l'a posée sur ma cuisse, pour changer.

— Tu me chatouilles, dis-je.

– C'est que tu n'es pas amoureuse, les caresses ne cha-
touillent pas !

À côté de nous, on voyait des couples enlacés. J'entendais une fille qui gémissait et j'ai proposé de partir.

– Ça y est, l'orgie commence, a dit Christian en riant.
Bacchus est là !

– Rentrons, ai-je proposé.

– Je songe parfois que je m'endors et que tu abuses de
moi. Tu sais, comme dans l'histoire d'Endymion, celui qui
a fait cinquante filles à la Lune.

– Et comment il s'y est pris ?

– Il avait obtenu des dieux la grâce de dormir éternel-
lement sans jamais vieillir ni s'éveiller.

– Alors comment a-t-il pu faire cinquante enfants ?

– Il était si beau que la Lune s'en était éprise et ne pouvait se lasser de le regarder. Chaque nuit elle profitait de
lui, le couvrait de baisers à la dérobée, sans troubler son
sommeil. Tu aimerais que je te fasse des enfants ?

– Pas moins de cinquante !

Et de nouveau on riait comme des gamins. Sur la route
de retour, j'ai demandé quels prénoms il leur choisirait et
on a commencé à se chamailler car aucun ne lui convenait.
Je lui ai suggéré ceux qui comportaient au moins cinq
consonnes d'affilée.

– Encore un de ces gros mots et je m'arrache l'oreille !

Finalement nous nous sommes mis d'accord pour Zdzis-
ław-Przemysław-Apolinary Le Goff pour notre fils et pour
la fille Kunégunda-Katarzyna.

– Des noms pareils me donnent envie d'éternuer.
Quelle langue ! Qu'avez-vous fait de vos voyelles ?

– On les a exportées à Moscou. Avec la viande.

Et de nouveau nous repartions dans un fou rire.

Comme à l'époque nous, les filles, étions ignorantes des affaires de sexe ! Bien sûr, j'étais au courant que nous ne venions pas au monde par parthénogenèse et je subodorais que faire l'amour était plus pressant pour un homme que pour une fille. Mais parler de sexualité, oh, non, ça, nous ne savions pas du tout.

Comment expliquer à Christian que les filles se refusaient car il n'était pas d'usage de céder avant le mariage ? Christian ne connaissait rien de nos mœurs. Quant au flirt, les garçons polonais – à qui leur mères avaient inculqué le respect des femmes depuis la maternelle – ils s'y prêtaient naturellement. Pour ces Français, il en était tout autrement.

Je n'allais pas tarder à l'apprendre.

Mais à ce moment-là mon bonheur était associé à Christian, et le bonheur pour moi c'était d'avoir une vie où il n'y aurait pas de place pour la peur.

En semaine, il fallait que je sois à la maison à huit heures pour éviter les questions mais le samedi Grand-Mère permettait que je rentre plus tard. Il était dix heures et demie quand en revenant de la fête je suis tombée en pleine scène de ménage, si on peut qualifier ainsi une situation où Lidia vociférait en fourrant ses crèmes de beauté, ses cigarettes et ses foulards criards dans une valise pendant que Père chantait à tue-tête une rengaine :

*L'amour tout te pardonnera*
*Ta tristesse en joie transformera*
*L'amour sait si bien excuser*
*Mensonge, trahison, péché.*

– Puis-je demander ce qui se passe ici ? Papa a changé de métier ? Il s'est fait engager dans un cabaret ?
– Je quitte ton père définitivement ! Voilà ce qui se passe !

*Même si tu le maudissais en colère*
*Qu'il est mauvais et cruel*

207

*L'amour tout te pardonnera*
*Car l'amour, mon aimé, c'est moi.*

Père tenait son soulier comme un micro et virevoltait entre les valises comme Hanka Ordonówna[1] parmi les tables de son cabaret. Je me serais crue au cinéma. Je me suis demandé si Lidia allait claquer la porte comme dans les films. À vrai dire, j'avais pitié d'elle. Ça faisait dix jours qu'elle attendait la renaissance de l'homme nouveau, installée inconfortablement sur le sofa du salon, ne quittant pas son fiancé des yeux. Particulièrement vigilant à toute livraison clandestine d'alcool, son regard passait au crible chaque visiteur. Et malgré son habitude professionnelle des rayons X, elle avait laissé passer ce soir-là les pommes envoyées par le docteur Radziwillowicz. Une heure plus tard, quelle n'a pas été sa stupéfaction quand elle a découvert son Karol pompette. Grand-Mère ne comprenait pas non plus, personne n'était entré dans la chambre de Père. Lidia a rapidement découvert que le docteur Radziwillowicz, le généreux donateur des fruits, les avait saturés de vodka à l'aide d'une seringue. Et Waldek n'était pas étranger à cet exploit !

Père continuait son refrain sans prêter attention à tout ce vacarme.

*L'amour tout te pardonnerrraaa*
*Car l'amour, mon aimé, c'est moi aaaa.*

– Arrête de chanter ! Dis quelque chose ! hurlait Lidia bien que récidiviste matrimoniale, peu patiente avec les

---

1. Célèbre chanteuse réaliste des années trente.

hommes de l'espèce de mon père. Tu as promis ! Tu as juré que tu ne boirais plus !

Père avait déjà retrouvé des couleurs, son œil s'est éclairé et un sourire bienveillant est apparu sur ses lèvres.

– Mais c'est la Saint-Jean ! La fête des amoureux ! N'est-ce pas mon trésor ?

Père me prenait à témoin.

Il avait toujours un prétexte indiscutable. Il suffisait de regarder le calendrier. À peine finissait-on de fêter Stanislas que venaient Georges, puis Joseph, Marc, Paul ou Jakub.

Je m'étais plutôt bien faite à l'idée d'avoir une belle-mère, et surtout son auto, sa Moskvitch 400 – je fantasmais sur une fugue à Zakopane grâce à sa complicité. Il a pourtant bien fallu s'en séparer. L'alcoolisme polonais est tenace. Si différent de l'alcoolisme français et même de l'alcoolisme russe. En France, on peut y trouver des notes de gaieté. En Russie, du lyrisme. En Pologne, il se prétend philosophique et existentiel.

Je savais d'expérience qu'on n'en guérissait pas.

Le lendemain je suis allée à la bibliothèque de la rue Krowoderska emprunter *La Mythologie grecque*, histoire de ne pas être prise de nouveau au dépourvu comme avec cet Endymion. J'ai pris aussi *La Duchesse de Langeais* de Balzac car Christian m'avait raconté l'histoire de cette femme sans cœur qui s'était refusée à son amant et avait été punie. Je voulais savoir comment et s'il n'y avait pas d'allusions à mon propre refus.

Comme j'aimais la littérature française ! Je passais des nuits entières à lire. Dans les romans français les gens s'aiment ou se haïssent, sont riches ou pauvres, les hommes ont des maîtresses et les femmes des amants qui les aiment à la folie. Dans les romans polonais, quand on aime, c'est la patrie. On se bat et on meurt pour elle et les filles qui commettent le péché de chair finissent mal.

Le troisième livre, *Pour un mariage heureux*, on m'a laissée l'emprunter après m'avoir demandé si j'avais dix-huit ans. J'ai menti.

Si dans la préface l'auteur hongrois n'avait pas averti ses lecteurs que son objectif était d'affranchir les jeunes mariés, j'aurais juré que son ouvrage était destiné à de futurs vétérinaires. La moitié portait sur la *gestation*, la *parturition*, la *mise bas* chez les mammifères. Et tout était écrit dans un style si ampoulé qu'on eût dit du hongrois dans le texte. Le passage sur l'appareil génital de la femme était accompagné d'illustrations : mont de Vénus, vulve, grandes lèvres, petites lèvres, qui m'ont fait penser au détroit des Dardanelles et aux îles lointaines perdues dans l'océan. J'ai imaginé un pauvre marié qui aurait navigué des trompes de Fallope vers les glandes de Skene en passant par celles de Bartholin.

Le schéma de l'appareil génital de l'homme m'était plus familier, il ressemblait à un pot d'échappement cassé.

Je terminais la lecture de ce joyeux ouvrage quand Grand-Mère est entrée. J'ai eu juste le temps de le couvrir d'une feuille sur laquelle j'avais commencé une dissertation pour Iwonka. Elle a jeté un coup d'œil par-dessus mon épaule.

– Qu'est-ce que tu écris ? Une lettre d'amour ?

– Non. Un exposé pour Iwonka.

J'ai lu la première phrase :

« À l'heure actuelle où la littérature polonaise et la science vivent un véritable épanouissement… »

Roman a ri de son rire imbécile. Grand-Mère s'est bouché les oreilles.

Le lendemain, au coin de la rue Basztowa, je suis tombée sur une livraison de papier-toilette. Les gens se bousculaient car on ne vendait que six rouleaux par personne, reliés par une ficelle. Je suis passée prévenir Grand-Mère et nous sommes rentrées ensemble, nos gros chapelets de papier-water autour du cou, riant de notre allure. Pourtant, mon cœur se serrait à la regarder marcher si droite avec son chapeau de paille démodé, emplie d'une dignité très ancien régime même en robe usée, lustrée sur la poitrine et les hanches.

– Je ne reconnais plus les Polonais. Le changement qui s'opère en eux est plus grave que ce qui se passe dans le pays, a-t-elle dit.

Son haleine était désagréable comme celle des gens qui ont l'estomac vide.

Une camionnette barrait notre rue. Des ouvriers en uniformes de travail gris-brun nous ont fait patienter au pied de notre immeuble. Ils ont dit qu'ils changeaient des câbles électriques usés et viendraient le lendemain chez nous pour effectuer un branchement.

Pendant que nous attendions, de la musique s'échappait par les fenêtres grandes ouvertes de notre appartement.

– C'est la *Fugue en* la *mineur*, la seule et unique fugue écrite par Chopin, a dit Grand-Mère. C'était le morceau préféré de Roman... Quel dommage qu'on ait vendu le piano.

Roman ne nous a pas entendues quand nous sommes entrées. Il était assis dans la salle à manger et jouait sur les touches du piano imaginaire avec une telle maestria qu'on aurait pu croire que la vieille table s'était soudainement transformée en l'instrument de musique le plus docile. Je contemplais ses mains. Je savais bien que le son venait de la radio mais en les regardant, j'avais l'illusion que la musique bondissait réellement sous ses doigts agiles. J'étais fascinée par la dextérité avec laquelle il faisait courir ses longs doigts, passait la main droite derrière la main gauche, déplaçait son pouce d'un bout à l'autre de ce clavier inexistant. Après la fugue, le concert se poursuivait par une mazurka de Chopin et Roman la suivait sur un rythme si entraînant que je me suis mise à danser en rond. Soudain, nous avons entendu le crissement des pneus d'une voiture qui freinait dans la rue, le bruit de pas rapides dans l'escalier et déjà on cognait à la porte. Trois miliciens sont entrés, l'un s'est posté devant la porte, deux autres m'ont poussée brutalement. Roman n'a pas eu le temps de se cacher.

– Qui écoute cette musique ?

Il a posé la main sur l'épaule de Roman.

– Vous êtes en état d'arrestation.

– Pour quelle raison ? a demandé Grand-Mère.

– Tapage nocturne.

– Mais il est quatre heures de l'après-midi !

– Justement. Il y a des gens qui dorment.

– Délit politique, a ajouté l'autre. Il écoute des mélodies joyeuses. Vous savez bien que la nation est en deuil.

– De qui s'il vous plaît ?

Le milicien n'a pas répondu. Roman le regardait avec ses yeux myosotis, lui souriait de son sourire asymétrique pendant que ses doigts continuaient à vibrer dans l'air comme si la musique qu'il entendait dans sa tête ne s'était pas interrompue.

– T'es con ou quoi ? a demandé poliment le milicien à la tête de maton. Habille-toi, on t'emmène au poste.

Pendant ce temps-là, l'autre milicien examinait attentivement les touches de piano peintes sur la table. Soudainement, il a éclaté d'un rire tonitruant.

– T'es cinglé, vieux !

Puis il s'est tourné vers son camarade en se frappant le front du doigt.

– Il est cinglé, j'te dis. Laisse tomber. On n'va pas le tabasser, la vie s'en est déjà chargée.

J'ai eu instantanément, comme Grand-Mère, envie de protéger cet oncle fantasque à qui sa candeur attirait tant d'ennuis. Il était si peu armé pour cette vie-là...

Ce que Roman commençait à réaliser, à force d'écouter les radios étrangères, c'était que l'Amérique ne viendrait pas au secours de la Pologne. Que personne, aucun pays, ne viendrait la délivrer de l'amitié du Grand Frère.

– La répression se durcit, Roman. Tu ne peux pas rester comme cela. Avec ton diplôme d'entomologiste, tu pourrais travailler dans un laboratoire. Ou au moins, comme des milliers de Polonais à présent, faire semblant de travailler.

– C'est ça... et l'État ferait semblant de me payer. Désolé, maman. Je ne sais pas faire semblant.

– Toi qui as étudié les animaux, tu sais mieux que quiconque que parmi les animaux l'homme reste le plus adaptable.

– En effet. Le caméléon est battu à plate couture.

– Je crains que cela ne se termine mal, Roman. Si tu ne veux pas travailler au laboratoire, écris au moins des contes pour enfants, de belles histoires sur les insectes par exemple, je les proposerai à la radio. La censure n'y trouvera rien à redire.

– Je ne suis pas La Fontaine.

La voix de Grand-Mère était irritée :

– Réagis, Roman, avant qu'il ne soit trop tard. Ils peuvent t'expulser, t'enlever définitivement l'autorisation d'habiter Cracovie comme ils nous ont interdit de mettre les pieds à Zboraw. Et même Czesław ne pourra rien pour toi !

– Je ne demanderai jamais rien à ce communistoïde.

Père s'est mêlé à la conversation :

– Quel merveilleux pays que la Pologne ! Où ailleurs les gens peuvent-ils se permettre le luxe de ne pas travailler ? Et ce depuis des années !

– Tu as raison, où ailleurs peut-on se soûler la gueule tous les jours et prétendre qu'on est un bon médecin ? Où ailleurs peut-on être médiocre et être félicité pour cela, n'est-ce pas, mon cher *panie* Kowalski ?

*Pan* Kowalski qui émergeait de sa sieste de l'après-midi sur son matelas gonflable a grommelé un « bonjour » à peine audible en se secouant comme un labrador qui sort de l'eau.

– L'asile des aigrefins, des parasites, des ivrognes, la voilà votre nouvelle Pologne.

Père s'est penché sur mon oreille.

– Ne t'en fais pas pour Roman. Sa maladie n'est pas grave. Nous avons ici un cas banal de pratiques solitaires aboutissant à l'habituelle culpabilité qui se transforme en agressivité.

Puis, se tournant vers son frère :

– À mon avis, ce n'est pas tellement d'un psychiatre que tu as besoin. Ce qui te manque, vieux, c'est un bon coït. Moi…

Roman ne s'est pas laissé décontenancer :

– Épargne-moi tes expériences. Et fais attention. Les scientifiques sont formels là-dessus : chaque éjaculation raccourcit la vie d'un homme d'un jour.

– J'ai entendu dire qu'on cherchait un pianiste d'ambiance rue Sławkowska au Café Literacka[1], a dit Grand-Mère. Allez voir au lieu de vous disputer comme des enfants.

Nous y sommes allés dans la soirée. C'était un des plus jolis cafés de Cracovie. Le plafond était en vitraux teintés magnifiques, des lampes en verre coloré éclairaient chaque table. Le Literacka était très fréquenté par toutes sortes d'écrivains, confirmés ou débutants, des acteurs de théâtre, des journalistes, même s'ils avaient un club à eux. Un pianiste interprétait un air langoureux.

– Il n'est pas meilleur que toi, a dit Grand-Mère. Au lieu de t'exercer sur la table de la salle à manger, tu pourrais venir ici jouer vraiment.

– Je joue vraiment, même sur une table de salle à manger, s'est offusqué Roman.

Grand-Mère a commandé des cafés pour elle et Roman et une limonade avec une *kremówka*[2] pour moi.

Roman dévisageait les gens en dissipant la fumée avec ses mains.

– Il y a autant de flics en civil que de clients dans ce café ! Des agents de l'UB[3] et des mouchards ! Ils font le boulot pour les Soviétiques parce qu'ils sont payés, ou parce qu'ils en ont assez de végéter ?

La serveuse s'est penchée à l'oreille de Grand-Mère en apportant notre commande.

---

1. Café littéraire.
2. Un millefeuille.
3. UB : Urząd Bezpieczenstwa, la Bezpieka (police secrète).

– Dites à votre fils de parler moins fort. Quelqu'un va s'apercevoir qu'il n'est pas soûl et les ennuis commenceront.

Le gâteau était au millefeuille ce qu'un unijambiste est à un mille-pattes. Le café n'avait de café que la couleur. Roman a repoussé sa tasse.

– Beurk, je ne veux pas boire ça !

La serveuse a haussé les épaules :

– Personne vous force.

– Je n'ai pas envie de rester ici, je rentre, j'ai à faire.

Roman s'est levé et est sorti. Grand-Mère s'est mise à tourner nerveusement sa cuillère dans son café.

– Ça va mal se terminer, je le crains...

– Pas la peine de mélanger, il n'y a pas de sucre. Nous n'avons pas été livrés, a bougonné la serveuse en passant.

Grand-Mère a sorti un sachet de bonbons de son sac. Elle en a mis un dans son café et en a tendu un à la serveuse. D'autres clients la regardaient avec envie, Grand-Mère leur en a donné à eux aussi. Quand elle a demandé l'addition, la serveuse n'a pas accepté le pourboire.

Je ne comprenais pas à l'époque les raisons de la popularité de Grand-Mère. Pourquoi les serveuses n'acceptaient-elles pas ses pourboires, pourquoi la seule épicière privée du quartier ajoutait-elle des fruits dans son panier une fois la marchandise pesée ? Pourquoi le cordonnier *pan* Botchiek ressemelait-il gratuitement ses souliers ? Pourquoi les gens changeaient-ils en sa présence ? Peut-être sa noblesse surannée imposait-elle le respect quand chez d'autres, elle aurait été caricaturale ? À l'époque, je ne voyais en elle qu'une vieille de cinquante-quatre ans qui avait donné naissance à une fille cynique et à deux fils complètement ratés comme Père et Roman. « Soit les circonstances de la vie les ont transformés, soit l'exemple ne sert à rien », ai-je pensé.

Un orage a éclaté et nous avons décidé d'attendre qu'il passe. Un homme habillé avec une élégance rare s'est abrité dans le café. Je l'ai regardé : il ne pouvait pas être polonais.

— Chère Frederyka ! Comment allez-vous ? On ne vous a pas vue chez nous depuis longtemps ! Nous commencions à nous inquiéter, a-t-il dit en français.

— Bonjour Honoré.

Il a fait un baisemain à Grand-Mère en s'inclinant. Elle a fait les présentations :

— Bashia, la fille de mon aîné. M. le consul de France.

— J'ai beaucoup entendu parler de vous, mademoiselle, je suis ravi de faire votre connaissance

— Vraiment ? ai-je répondu stupidement avant que Grand-Mère me dise en polonais :

— Cela ne veut nullement dire que M. de Kérouadec est ravi de te voir, toi précisément. Ça s'appelle la politesse.

Puis elle a continué en français :

— J'ai reçu la consigne de ne plus dîner chez vous, nous n'avons plus le droit de fréquenter les étrangers.

J'ai tendu l'oreille. Saint Jude Thaddée, au secours ! Pourvu qu'on ne m'interdise pas de voir Christian !

— La situation ne s'améliore pas…

Le consul a baissé la voix et s'est presque mis à murmurer :

— À propos… Il faut que vous m'aidiez à trouver une nouvelle femme de ménage. Nous avons licencié la nôtre la semaine dernière. Imaginez-vous que les enfants lui ont demandé quelque chose et qu'elle a répondu en français !

C'est ainsi qu'on a découvert qu'elle parlait parfaitement notre langue !

– Il paraît que le métier d'agent est le deuxième métier le plus vieux du monde, a souri Grand-Mère.

J'ai demandé quel était le premier et ils ont ri tous les deux.

– Chaque jour je m'attends à être remerciée. Maintenant ce sont les illettrés qui accèdent aux postes les plus élevés.

– C'est hélas bien vrai. Vous savez qu'un brave « à eux », un certain camarade Paluch, vient d'être nommé ambassadeur en Suède ? La tradition exigeant que l'ambassadeur présente ses lettres de créance au roi, Sa Majesté lui a envoyé un somptueux carrosse attelé de quatre chevaux mais à peine a-t-on eu le temps d'ouvrir la portière que Son « Excellence » a grimpé à la place du cocher. Le chef du protocole a eu toutes les peines du monde à le faire descendre et a dû le faire entrer de force dans « son » carrosse.

Nous avons ri, les clients des tables d'à côté nous fixaient, ce qui a sans doute décidé le consul à se lever.

– N'ayez crainte, chère Frederyka. Heureusement, il y a encore des postes où ils sont obligés d'accepter des éléments de l'ancien régime.

En me serrant la main il a dit :

– Bon courage, mademoiselle.

Grand-Mère a répondu à ma place :

– J'ai l'impression que par les temps qui courent, on a besoin d'autant de courage que pendant la guerre. Si ce n'est plus…

Quand le consul est sorti, j'ai montré à Grand-Mère

un homme qui était assis à une table derrière son dos en compagnie d'un autre, plus vieux, portant une barbe d'instituteur. Je l'avais déjà aperçu plusieurs fois dans notre rue ces derniers jours, notamment en train de superviser les travaux d'électricité devant notre immeuble. Une telle coïncidence n'était-elle pas curieuse ?

Grand-Mère s'est retournée et a pâli.

— Vous le connaissez ?

— Oui, c'est sûrement un Ubek[1]. Quand les Soviétiques ont envahi Lvov, il y faisait du marché noir. Cette sorte d'individu s'accommode parfaitement des changements « climatiques ». Une carte du Parti efface bien des vilenies.

À la maison, je l'ai décrit à Roman.

— Serions-nous si importants pour qu'on nous espionne ? s'est-il étonné.

Grand-Mère n'avait pas du tout envie de rire.

— Je t'en prie. Ce n'est pas le moment de plaisanter.

Roman a regardé tomber la pluie par la fenêtre.

— Le pauvre ! Il doit être trempé. Pourvu qu'il n'attrape pas une pneumonie.

---

1. Agent de l'UB (Urząd Bezpieczenstwa – la Bezpieka).

Tout a commencé à se gâter sérieusement à partir du 26 juin. Le camarade Ogourek m'a confié des tracts pour la journée de volontariat appelant à nettoyer les espaces publics. Il fallait les distribuer dans tous les lycées de la ville. Mais Christian m'attendait au café Fafik, rue Sienna. Il faisait très chaud et il a proposé qu'on aille à la piscine.

– Je ne peux pas. J'ai tous ces tracts à distribuer.

Je lui ai montré le paquet qui dépassait de mon fourre-tout.

– C'est à quel sujet ?

– Appel aux volontaires. Dimanche prochain, on va être obligés une fois de plus de peindre l'herbe en vert.

– Alors ce n'est pas obligatoire.

– Chez nous, quand c'est écrit « volontaire », c'est toujours obligatoire, ai-je rectifié.

– Oh la barbe ! On le fera après, je t'aiderai.

Il y avait beaucoup de monde à la piscine, mais essentiellement dans les deux premiers bassins. Nous nous sommes dirigés vers le grand bassin, réservé strictement aux bons nageurs. Le maillot de bain de Christian ressemblait à un short de boxeur. C'était beaucoup plus

221

seyant que les slips moulants des Polonais. On a fait la course, il crawlait deux fois plus vite que moi. Quand il sortait la tête de l'eau sa mèche lui barrait le visage, il était musclé et bronzé. J'étais toute pâlotte à côté, anguleuse et sûrement pas à mon avantage dans un maillot de bain blanc, obligatoire selon le règlement de l'école afin qu'on voie qu'il était bien propre.

Il était sept heures du soir quand nous avons quitté la piscine.

– Et mes tracts ! me suis-je exclamée.

– Oh, tes tracts, voilà ce qu'on va faire de tes tracts !

Et il a renversé tout le contenu du paquet dans une boîte à ordures qui se trouvait près de la sortie. J'ai jeté autour de moi un regard paniqué, persuadée que nous étions suivis, mais la rue était déserte.

Ce soir-là, je me suis longuement regardée dans le miroir de la salle de bains. Il était trop petit, accroché trop haut, on ne voyait que le haut de mes cheveux. Je me suis haussée sur la pointe des pieds. Mes yeux mangeaient la moitié de mon visage. Je suis montée sur un tabouret pour examiner minutieusement le reste. Ce jour-là j'ai noté dans mon journal :

Yeux : verts, en amande, étirés vers les tempes.

Cils : joliment recourbés mais trop clairs. Ça s'arrangera plus tard avec du mascara. À l'université j'aurai le droit de me maquiller.

Peau : parsemée de taches de rousseur – continuer d'éviter le soleil.

Cheveux : brillants et bien plus blonds que dans mon souvenir – poursuivre la camomille.

Joues : pommettes hautes et saillantes. Plus tard, un peu de rouge les mettra en valeur.

Nez : toujours retroussé mais taches de rousseur moins nombreuses, en tout cas plus pâles, comme sur le reste du visage.

Seins : deux petites taupinières qui parfois démangent désagréablement. Elles vont peut-être encore pousser. Sinon, pas trop grave. Apparemment, les Français n'aiment pas les filles aux gros seins comme on les aime chez nous.

Ventre : bien plat, joli nombril.

Poils du pubis : blonds, peu fournis.

Cuisses : longues.

Genoux : trop anguleux.

Le miroir était trop petit, même haussée sur un tabouret je ne voyais ni mes mollets ni mes chevilles. Ils ne devaient pas avoir d'intérêt particulier, idem pour les orteils, car je n'avais rien noté les concernant.

Résultat d'ensemble : rien d'une beauté renversante, mais passable.

Je suis montée sur la cuvette des W-C et ai remis mon journal avec son crayon derrière le réservoir de la chasse d'eau. En descendant, j'ai envoyé un sourire satisfait à mon image dans le miroir. Visiblement, Christian m'avait rendue désirable à mes yeux. Je pouvais plaire.

Quand les hommes me regardaient un peu plus longuement dans la rue, je ne baissais plus les paupières, au contraire, je soutenais leur regard. « Tu vois Christian, pas si mal », me disais-je. Les jours où il m'attendait au café ou sur notre banc, je ne sentais plus mes jambes tant je courais ; je volais littéralement pour le rejoindre. Je dansais dans la rue, je chantais à tue-tête : « Je suis amoureuse, je suis amoureuse. » Certains jours j'avais envie d'embrasser les passants, même les vieilles mémés acariâtres dans les files d'attente. Je commençais comme la tante Jadwiga à m'admirer dans les glaces et les vitres des magasins. Ne me trouvait-il pas laide ? Il disait que non, mais mes doutes ne disparaissaient pas pour autant. Me laisserait-on l'aimer ? Quand ces pensées noires m'envahissaient, je traversais les jours en somnambule et les nuits en insomniaque. Je vivais dans l'attente de nos rencontres. Le premier samedi soir où Christian n'est pas venu au rendez-vous, je suis allée voir Piotr pour me prouver que je n'avais pas besoin de lui. Que la vie sans lui était supportable.

C'était la Saint-Pierre et Piotr organisait une *prywatka*[1]. Ses parents étaient partis voir leurs cousins à Lublin, le laissant recevoir qui il voulait. Il était le seul dans notre classe à jouir d'une telle liberté.

Il faisait chaud sous les combles malgré les fenêtres ouvertes. L'odeur de térébenthine m'a fait éternuer. Piotr enduisait une toile de peinture blanche, on aurait dit qu'il la beurrait. Je l'ai aidé à pousser les meubles contre les murs, le bahut, la table, les chaises, les sculptures de femmes nues. Nous avons disposé sur la table des bouteilles de vin étiquetées *TOPAZ wino deserowe*[2] reconnaissables aux dessins de pommes qui les ornaient. Il y avait des bouteilles de jus de fruits, de bière et de la limonade, prévue pour être mélangée à la bière.

– Mes copains des Beaux-Arts se chargent de la vodka.

Nous avons coupé le pain de seigle pour faire des canapés, débité des rondelles de saucisson sec en fines tranches et disposé un cornichon sur chacune. Sur d'autres tartines, nous avons mis des rondelles d'œuf dur parsemées de ciboulette.

– Tu as invité qui de notre classe ?

– Iwonka seulement. Si elle apprenait que tu venais et pas elle, elle m'arracherait les cheveux. Et j'en ai pas beaucoup.

Ses cheveux étaient rares, mal coupés, comme s'il l'avait fait lui-même, et pas devant un miroir.

– Elle a dit qu'elle viendrait avec les Français parce qu'ils s'ennuient à Cracovie. Les réunions ne suffisent pas à les distraire. Ton Français sera là.

---

1. Une soirée dansante.
2. Sorte de cidre fortement alcoolisé.

– Christian ? Tu l'as rencontré ?

– Je n'ai pas eu cet honneur. Je ne parle pas français. J'ai déjà l'immense mérite de parler polonais. On dit qu'il en pince pour toi.

– Qui l'a dit ?

– Tu vas sans doute me haïr de te dire ça, mais tu ne devrais pas…

– Je ne devrais pas quoi ?!

– Oh, la barbe ! J'ai pas envie parler de lui. Tu veux voir mes dernières toiles ? J'en ai peint cinq nouvelles.

Lorsque Piotr parlait peinture, on eût dit un prêtre parlant de Dieu. Évidemment que je voulais voir ses toiles, mais je voulais aussi savoir ce qu'il avait à dire sur Christian. J'allais remettre le sujet sur la table mais les toiles qu'il m'a montrées m'ont laissée sans voix. Sur son chevalet il y en avait une, étrange, complètement différente de ce que j'avais vu jusqu'à présent : un pouce énorme, rose, d'une nudité obscène, surtout la peau rongée près de l'ongle. J'ai soulevé le tableau pour mieux regarder. Je n'aurais pas dû. Il en cachait un autre. J'ai failli pousser un cri d'horreur. C'était moi et pas moi. Les yeux ressemblaient aux miens mais de ma tête sortaient les tentacules d'une pieuvre, la tête était posée sur une carapace d'écrevisse ou peut-être était-ce un scorpion dressé sur sa queue. Il fallait être malade pour peindre de pareilles horreurs !

Devant ma mine défaite, Piotr m'a prise par la main et conduite derrière le paravent. Dos au mur se trouvaient d'autres tableaux.

– Tu préféreras peut-être ceux de l'ancienne période ? Les voilà.

C'était le même sujet qu'auparavant. Toujours cette maison sur la colline, ce ciel noir au-dessus, ces oiseaux de proie, horribles et menaçants, tout juste si je ne les entendais pas croasser. Les traits du portrait étaient différents, plus nets, mais on retrouvait ces yeux verts de chat, ces yeux qui paraissaient être les miens, mais qui n'avaient plus cette expression apeurée. Sur le dernier, une femme au-dessus d'un gouffre se cramponnait à un rachi-tique arbre solitaire. J'ai été saisie de vertige comme si c'était réellement moi qui me trouvais au-dessus de cet abîme.

Les invités ont commencé à arriver.

– Embrassez-moi ! criait Piotr en ouvrant la porte. C'est ma fête !

Tous posaient une bouteille de vodka sur la table et l'embrassaient. C'étaient des garçons barbus aux cheveux longs et des filles aux cheveux courts vêtues de robes noires lugubres, excepté l'une d'elles qui portait une jupe en patchwork, sans doute confectionnée par ses soins. Elle ressemblait à un caniche avec ses cheveux noirs et crépus. Elle est arrivée en même temps que Christian, c'est pour cela je l'ai observée davantage. Christian dis-tribuait de cordiales poignées de main. Piotr et Christian se sont toisés un instant. Puis Piotr lui a tendu un verre de vin. Christian en a avalé une gorgée et l'a recrachée aussi-tôt.

– Qu'est-ce que c'est que cette saloperie ? On dirait un sirop contre la toux !

– Chez nous, on n'aime que le vin doux, ai-je expliqué. Aujourd'hui encore, le vin sec français est considéré par beaucoup de Polonais comme une hérésie, car d'une aigreur imbuvable.

Un barbu s'est mis à siroter la vodka directement à la bouteille, on voyait qu'il avait l'habitude de boire. Il a tendu la bouteille à Christian qui a délaissé le vin de pommes et bu à son tour au goulot. Le barbu a commencé à raconter des blagues cochonnes et je me suis éloignée. Piotr a mis un disque : *Le cœur cogne au rythme du tcha-tcha-tcha*, Iwonka a commencé à se trémousser en entraînant « le caniche ». Elles se collaient l'une à l'autre et leur danse me faisait penser aux gens qui essayent de se débarrasser de vêtements mouillés collant trop à la peau. Piotr manquait la cadence, ne trouvait pas le rythme et a vite abandonné. Il m'a servi un verre de jus de pomme coupé de vodka. C'était un peu tiède, sucré, pas mauvais du tout. Christian avait déjà bu pas mal de vodka et commençait à fraterniser avec le barbu qui essayait de l'embrasser. Il ne pouvait pas savoir qu'un Polonais devient votre meilleur ami après deux verres de vodka.

Du gramophone posé sur un carton venait à présent la chanson d'Ordonka *L'amour tout te pardonnera*. Christian m'a prise par la main. La chambre s'est mise à tourner comme un manège. Ma main devenait moite, je me suis collée à lui, il m'a enlacée dans un slow serré, il dansait comme un dieu, j'aurais pu danser avec lui toute ma vie. Il alternait les pas, je virevoltais à l'endroit et à l'envers. J'ai oublié Piotr et ses tristes yeux marron.

Était-ce l'alcool qui avait allégé mon corps ou était-ce Christian qui savait enlever ce poids qui pesait sur ma poitrine ? Toujours est-il que je flottais dans ses bras. J'ai même posé ma tête sur son épaule, indifférente au sombre regard de Piotr. Christian était si beau, différent, désinvolte. La tête me tournait. J'ai aperçu Iwonka qui ne dansait plus et faisait la fine bouche comme chaque fois qu'elle n'était pas le centre d'intérêt.

La pièce était sombre, pleine de chuchotements, de caresses, de corps enlacés. Certains assis par terre avec leur verre de vodka, la cigarette entre les lèvres.

— Elle n'est pas gênée, celle-là, dit Christian.

En effet, « le caniche » se tenait debout contre la porte et nous observait. Quand nous nous sommes assis, elle est venue écraser sa cigarette tachée de rouge dans un cendrier en frôlant les genoux de Christian. Iwonka dansait avec Piotr qui avait une tête de moins qu'elle.

En regardant Iwonka, Christian a avoué :

— J'aime pas trop les gros seins. J'ai toujours l'impression qu'ils sont pleins de lait. Les tiens sont juste comme il faut. Ce qui me plaît, c'est que tu ne portes pas de soutien-gorge, m'a-t-il murmuré à l'oreille.

— Parce que dans les magasins on n'en trouve pas à ma taille.

— Regarde au rayon enfants.

La main de Christian s'est mise à me caresser la pointe des seins et je me suis levée, je n'avais pas envie de m'exposer aux regards des autres. Le barbu a pris ma place à côté de Christian et ils ont commencé à discuter. Christian parlait toujours politique avec ardeur. Il s'est présenté comme appartenant à la Jeunesse communiste de France.

— Nous remettons globalement en question la société bourgeoise et ses mécanismes de pensée, pérorait-il.

– C'est cela, se gaussait le barbu, c'est pour ça toi venir en Pologne. En Pologne, il y a plus de bourgeois.

La discussion s'envenimait. Le barbu refusait d'admettre que notre régime avait du bon. Qu'il n'y avait pas de crimes chez nous ! Que tout le monde avait du travail ! Que la classe ouvrière n'était pas opprimée par les capitalistes comme elle l'était en France ! Que les écoles étaient d'un niveau supérieur à celles de l'Ouest.

Je ne me suis pas mêlée à la conversation, pourtant j'en savais long sur les écoles. Aucun de mes camarades de classe ne savait rédiger une dissertation. La veille j'avais encore écrit vingt-quatre fois trois pages sur le thème : « Que comptes-tu faire pour renforcer la vigilance révolutionnaire contre les ennemis de la nation polonaise ? » Et pour mercredi suivant un autre thème m'attendait : « Les impérialistes persécutent les Noirs. »

Le barbu était déjà complètement bourré car il s'est mis à parler des prisons.

– Ils emprisonnent qui ? voulait savoir Christian.

– N'importe qui ! Tous ceux dont la tête ne leur revient pas !

Le ton montait. Le barbu utilisait des verbes à l'infinitif, ignorant le masculin et le féminin. Quand Christian se trouvait à court d'arguments, il se mettait à le corriger.

– Moi discuter des choses sérieuses, moi pas demander à un con un cours de grammaire ! s'énervait le barbu.

Quelqu'un a tenté le faire taire et de détourner la conversation de la politique.

J'assistais à ce dialogue imbécile sans comprendre leur hargne, ni la différence entre communistes et trotskistes. Depuis le berceau, j'étais contre tous les -istes.

Puis je me suis rappelé ce que Grand-Mère disait au sujet des fins de soirée où ne restent que les ivrognes qui ont peur de rentrer chez eux et je suis partie. Il n'était pas loin de dix heures. La rue était déserte et mal éclairée. Iwonka m'a rejointe et nous avons couru attraper le tramway place de la Liberté en nous tenant par la main comme avant. Nous nous sommes séparées rue Basztowa, elle m'a embrassée sur la bouche et a continué son chemin. Sous la Brama Floriańska[1] se trouvait un tableau de la Vierge Marie entourée de cierges qui brûlaient jour et nuit. J'aimais cette madone noire sombre et grave. Les hommes se découvraient en passant, les fidèles s'arrêtaient le temps d'une prière. Je me suis agenouillée devant l'image miraculeuse et j'ai prié longtemps, le visage dans mes mains en incluant Christian dans mes prières.

Le dimanche Christian n'est pas venu au rendez-vous. J'ai fait la tournée de nos cafés habituels, puis je suis restée sur notre banc une heure au moins à l'attendre, en vain. Christian n'est pas venu le lundi non plus.

L'habituelle séance chez le directeur le lundi qui a suivi la fête de Piotr a commencé de la même manière que les précédentes. Le directeur me transperçait de son regard soupçonneux et ironique. Il m'a fait remarquer que les renseignements que j'apportais ne se recoupaient pas. En effet, à mesure que la fin de l'année scolaire approchait, je prenais un peu plus d'assurance, mes mensonges étaient plus fluides mais moins élaborés. Et comme le directeur notait tout, il a trouvé facilement que les itinéraires

---

1. La porte de Florian.

empruntés n'étaient pas exacts, que je prétendais avoir pris un gâteau au café Warszawianki, alors que c'était le café Fafik que je lui décrivais. J'avais dit aussi que nous étions au cinéma mais j'étais incapable de donner le titre du film.

— Tu me prends vraiment pour un idiot ?

J'ai alors vu l'éclair mauvais dans ses petits yeux, cette insoutenable haine que ces gens avaient pour nous, alors qu'on ne leur avait rien fait de mal.

Il voulait connaître le nom de l'étudiant des Beaux-Arts qui avait discuté avec Christian chez Piotr.

— Je ne le connais pas.

— Vraiment ?

— C'était la première fois que je le voyais.

— Tu ne sais pas qu'à nous, on ne peut rien cacher, hein ? Comment était-il ? Décris-le-moi. Grand ? Petit ? Gros ? Maigre ?

— Barbu, ai-je dit et le rouge m'est monté aux joues.

— Il parlait de quoi avec le Français ?

— De rien en particulier. De musique surtout.

Il s'est mis à me singer :

— *Vous parlai fransai ?* Oh, *yob tvoïou mat'* [1] ! Je saurai te mettre au pas, fais-moi confiance ! J'en ai maté de pires que toi ! On a des méthodes pour vous apprendre à penser collectivement !

J'ai mis mes mains dans mes poches pour cacher leur tremblement et je me suis lancée d'un seul trait :

— Je voulais vous dire que ce Français, le camarade Christian, est un communiste engagé, il trouve notre

---

1. En russe, « nique ta mère ».

pays épatant, il croit dans notre avenir radieux, d'ailleurs, je sens le changement qui se produit en moi depuis que je le fréquente, moi aussi je retrouve cet enthousiasme de bâtir un nouveau monde, regardez le livre que je lis.

J'ai voulu sortir de mon cartable le *Manifeste du parti communiste* mais il s'est mis à frapper sur le bureau avec une règle.

– Arrête tes bobards ! Nous avons le droit de savoir pour qui nous dépensons l'argent de notre république populaire. Crois-tu que nous éduquons nos jeunes pour qu'ils nous remercient en nous calomniant !

Il m'a fallu un moment pour comprendre qu'il parlait de moi.

– Personne ne calomnie.

– Ah oui ! Si tu es tellement d'accord avec notre ligne d'éducation, pourquoi n'es-tu pas aussi active que Mlle Douda par exemple ?

– J'ai moins de temps. J'ai beaucoup à faire à la maison.

– Comment est-ce possible ?

– J'aide ma grand-mère.

– Tu as besoin d'aider ta grand-mère alors que vous avez une bonne que vous exploitez ?

J'ai senti mon estomac se retourner. Était-ce Marintchia qui... ?

Heureusement, le directeur excellait dans le changement de registre :

– Que t'a raconté ta grand-mère sur la vie en France ?

– Pas grand-chose. Ses souvenirs datent d'avant-guerre.

– C'est un mauvais pays, à la conscience bourgeoise. Le camarade Staline a dit que les Français ne pensent qu'à manger, à boire et à forniquer. Et à faire des révolutions toutes les décennies.

J'ai baissé la tête. En ces temps de soumission totale, c'était la seule attitude à adopter pour ne pas être accusée d'insolence.

Il est à nouveau passé du coq à l'âne :

– Que penses-tu de ces lâches qui quittent leur pays ?

– Quels lâches ?

– Les lâches comme ta mère, voyons !

J'ai senti mon visage devenir livide. Le directeur a gardé le silence pendant un instant, comme pour mieux savourer ce spectacle. Comme s'il devinait le sentiment de culpabilité qui me gagnait chaque fois qu'on mentionnait ma mère. Puis il a repris ses menaces :

– Tu es en train de gâcher ta vie. Ne me dis pas plus tard que je ne t'avais pas prévenue. Ce n'est pas parce que l'année scolaire s'achève que tu dois omettre de me faire un rapport. Tu me trouveras tous les matins à mon poste.

À ce moment-là, j'ai abandonné tout espoir de m'en sortir avec une pirouette, avec des renseignements anodins, car voilà ce qu'il attendait de moi : que je devienne une moucharde, celle qui dénonce, qui trahit…

C'était si clair qu'il n'avait plus besoin de prendre de gants.

– Chaque semaine tu vas me faire un rapport sur tes camarades, sur ton ami Weisman et les autres mais aussi sur les connaissances de ta grand-mère, y compris les prêtres que vous fréquentez. Parce que tu crois en Dieu, n'est-ce pas ? C'est ta grand-mère qui te force à aller à l'église ?

« Mon Dieu ! Quelle absurdité ! ai-je pensé. Personne ne me force. Grand-Mère est la dernière personne à nous forcer à quoi que ce soit. »

J'ai dit à haute voix :

– Non, elle me fait confiance.

– Faire confiance, c'est bien, contrôler, c'est mieux. Vas-y, appose ta signature ici.

Il a pris ma main presque inerte et a paraphé le bas d'une page de mes initiales : B.Z.

À ce moment-là, j'ai compris. Tout ce que disait Roman m'a paru vraisemblable. J'ai accepté de croire que des gens disparaissaient en plein jour et qu'on n'entendait plus parler d'eux. Que les prisons étaient remplies de patriotes. Que c'étaient les Polonais qui torturaient d'autres Polonais. Que des gens très bien, acculés, étaient passés de l'autre côté, avaient accepté des postes infâmes. Qu'ils avaient oublié leurs vieux principes, leur éducation, leur religion et scandé des slogans stupides prétendant que le bonheur était pour le lendemain.

Ce jour-là j'ai noté dans mon journal :

J'arrive presque à envier à Père son attitude. Pendant que nous sommes obligés de vivre, lui, grâce à l'alcool, peut tranquillement se la couler douce.

Mais malgré la peur, une autre idée avait aussi traversé mon esprit : il fallait protéger Christian. Le prévenir. Le convaincre. C'était un idéaliste, il ne savait pas de quoi ces gens étaient capables. Je ne réalisais pas, pas encore du moins, que ce n'était pas mon amour qui était en danger, mais ma vie. Je me fichais des risques que je courais. L'amour passe avant la survie. J'étais comme ces femmes qui, après la conspiration marquée contre le tsar Nicolas I$^{er}$, avaient renoncé à tout pour suivre leurs maris déportés au fin fond de la Sibérie.

Mais moi on ne me laisserait pas partir en exil. Mon exil serait ici !

Quand le lendemain j'ai appris par Piotr que Zbigniew, le barbu des Beaux-Arts, avait été arrêté, j'ai été atterrée. Et si c'était ma faute ? Si c'était moi la responsable ? Je tâchais de me rappeler avec précision chaque question du directeur et chacune de mes réponses. Et même si j'étais arrivée à la conclusion que le directeur savait déjà tout sur le barbu avant de m'avoir interrogée, cela ne m'a pas consolée. J'ai eu l'impression de porter toute la culpabilité du monde sur mes épaules et que ce fardeau me suivrait jusqu'à la tombe.

Ne pas pouvoir tout raconter à Christian m'empêchait de dormir. Pourquoi ne venait-il plus aux rendez-vous ?

J'ai noté dans mon journal :

Et si on l'avait mis en garde contre moi ? Peut-être m'a-t-on dénoncée comme appartenant à une famille réactionnaire ? Et personne à qui parler. Père est toujours aussi inaccessible derrière son état d'ébriété joyeuse. Il revient chaque jour tellement ivre qu'il faut l'aider à se mettre au lit. Quelquefois je ne peux pas le supporter, et cela me rend pleine de remords car je sais qu'il m'aime.

Roman ne m'est d'aucun secours. En plus il a subi un chagrin insurmontable : une de ses puces savantes est morte
cette nuit. Je lui ai demandé où il allait l'enterrer, il faut que
je sache afin de fleurir sa tombe.

Le plus intenable, c'est que je me sens sans cesse menacée,
peut-être trahie. Par qui ? Je ne sais pas. Chaque ami peut
être le traître. Roman dit que la guerre fabrique des héros
et le régime communiste des lâches. Et que parfois c'est la
même personne.

Grand-Mère non plus n'a pas une bonne opinion des Polonais parce que les uns boivent, les autres courent les femmes
Père fait les deux. Et pourtant elle l'excuse comme si elle
savait les raisons qui ont déclenché ça. J'aimerais moi aussi
percer son secret. Que cherche-t-il à oublier ? Est-ce qu'ainsi
il est moins malheureux ? Mais qui est heureux ici, nom
d'une pipe ? Personne ! Et pourtant nous ne sommes pas
tous noyés dans l'alcool !

Plusieurs jours ont passé et je n'ai pas revu Christian.
Chaque jour j'ai trouvé un prétexte pour sortir et j'ai filé
voir s'il ne m'attendait pas sur notre banc ou dans un de
nos cafés mais il est resté introuvable. J'ai revu Piotr plusieurs fois car le sort de Zbigniew nous préoccupait.
D'ailleurs, Piotr a voulu rencontrer ses parents et je l'ai
accompagné. Ils habitaient au numéro 12, place Na Groblach. Piotr a sonné deux coups rapides, on a entendu des
pas s'approcher de la porte puis s'éloigner, puis de nouveau un bruit de pantoufles. Enfin quelqu'un a regardé
par le judas.

— C'est moi, Weisman, a chuchoté Piotr à travers la
porte.

L'appartement sentait le charbon, le tabac bon marché,

le bortsch de la veille. J'ai aperçu le lit défait, les draps malpropres. Sur la table, un cendrier vomissait une montagne de mégots. Quand j'ai vu les yeux de ce vieux monsieur, fou de désespoir, mon cœur s'est serré et je n'ai pas pu rester. J'ai dit à Piotr que je l'attendrais en bas. Quelque chose m'avait soufflé de ne pas rester là une minute de plus, comme une prémonition, ou le remords peut-être. Je me suis mise à arpenter la rue en regardant les passants. Au rez-de-chaussée, une mémère sans formes, comme le deviennent beaucoup de Polonaises après le mariage – peut-être par la faute des patates et du chou quotidiens – frottait avec du papier journal des vitres qui ne m'ont pas paru sales du tout. J'aurais juré qu'elle m'observait du coin de l'œil. Je me suis éloignée et je suis arrivée au carrefour qui mène vers le Wawel quand Piotr m'a rattrapée. Il avait une mine défaite. Les parents de Zbigniew n'avaient pas de nouvelles récentes de leur fils, il avait été transféré à la prison de Monteluppi et toute visite était interdite.

L'air était tiède et parfumé par les tilleuls en fleur, nous marchions au pied du château, sur cette route que d'habitude j'aimais tant, l'une des plus pittoresques de Cracovie. Mais tout ce que j'éprouvais cette fois-ci était de la peur et je l'ai dit à Piotr. Il a passé délicatement le bras autour de ma taille et m'a embrassée doucement, du bout des lèvres, c'était plutôt un frôlement, comme un papillon qui n'aurait pas osé se poser. Il y avait une tristesse infinie dans ses gestes comme dans ses yeux, sombres et mélancoliques. Nous avons marché enlacés ainsi, sans rien dire pendant assez longtemps, peut-être une demi-heure. Partager des moments de silence avec Piotr était moins gênant qu'avec Christian. J'ai senti que son amour pour moi était sincère, douloureux, et que même si je parvenais un jour à l'aimer à mon tour, il ne saurait se débarrasser de cette tristesse ancestrale qui m'effrayait. J'avais assez à faire avec la mienne...

Je ne sais même pas quand nous avons bifurqué par la Stradomska jusqu'à Miodowa, dans le quartier de Kazimierz[1]. Le quartier était malfamé la nuit ; de jour, il donnait une impression d'abandon, comme si ses habitants venaient d'être déportés.

– C'est quoi ce bâtiment ? On dirait une église.

– C'est une synagogue.

– On peut entrer, elle semble en travaux ? ai-je dit en voyant l'échafaudage.

– Depuis des années. Pour empêcher les gens de s'y rendre, la méthode communiste consiste à faire croire qu'on la rénove. Regarde autour. Tous ces échafaudages que tu vois ne prouvent en rien qu'on restaure quoi que ce soit. Quand le bâtiment sera si abîmé qu'il risquera de s'écrouler sur les passants, on installera une clôture et basta ! Elle y restera *ad vitam aeternam*.

Piotr avait raison. Nous avons fait le tour du quartier, c'était pareil rue Jacob, rue Estery, rue Lewkowa, rue Izaak. Nous nous sommes arrêtés rue Szeroka devant l'entrée du cimetière juif. De l'allée centrale sortaient des hommes habillés de caftans noirs, des papillotes sortaient de leurs kippas. Ils arboraient des lunettes cerclées de

---

1. L'ancien quartier juif de Cracovie, fondé au XIVe siècle par le roi Casimir le Grand. Quelque 65 000 juifs y habitaient avant la guerre. Déportés par les nazis à Auschwitz, Treblinka et Bełżec, la plupart ont péri.

métal comme en portent les gens importants. Nous nous sommes tus. Je savais que nous ressentions la même infinie tristesse, la plus douloureuse compassion pour ces survivants miraculés de l'Holocauste. J'avais le sentiment confus qu'avec ce gouvernement ils n'étaient pas à l'abri de nouveaux malheurs.

De retour à la maison, revigorée par la protection maladroite de Piotr, j'ai eu le courage d'aborder le sujet du directeur, de ma signature forcée en bas d'une feuille blanche, de ce qu'il m'avait dit au sujet de Marintchia. J'ai attendu en vain la réaction de Grand-Mère. D'habitude avec elle, on ne discutait pas avec la même intensité de toilettes bouchées que de la position à adopter face à la Milice. J'ai réalisé à quel point, chaque jour, elle devenait plus fragile, un peu plus usée et éteinte. Quand elle regardait par la fenêtre sans bouger, on aurait pu la prendre pour une statue. Père a braqué sur moi ses yeux de vedette de cinéma sans donner pour autant l'impression de saisir mon angoisse. Il s'est levé pour se servir un verre. Puis, sans attendre, un deuxième et un troisième.

– Il y a bien dix minutes que je n'ai rien bu, s'est-il excusé.

Roman tournait des boutons de la radio, cherchant les ondes de Radio Free Europe. Le son était brouillé et à peine audible. Une étrange voix non polonaise mais qui pourtant parlait polonais, a annoncé :

« Chers compatriotes, vous allez entendre une radio libre. Voici le bulletin d'informations de Henryk Herzen. »

– Veux-tu éteindre cet aboyeur ! a crié Père.

– Tu ferais mieux d'écouter ta fille. Ils veulent la

pousser dans la fosse à purin, la faire moucharder comme les autres !

– Chuuut ! l'a grondé Grand-Mère. Les murs ont des oreilles.

Roman a baissé le son, mécontent. Quand il retenait sa colère, il prenait de l'air dans sa bouche et cessait de respirer. Il me faisait penser à un enfant assis sur son pot.

– Il faut demander des explications à Marintchia, a enfin articulé Grand-Mère. Se croit-elle vraiment exploitée chez nous ?

– Demandons-lui plutôt sa protection, elle est membre du comité du Parti de l'usine, a dit Père qui jusque-là n'avait pas montré qu'il prenait la mesure de la situation. Visiblement, il fallait attendre un peu. Très rapidement l'alcool lui a dilaté les vaisseaux, permettant à l'oxygène véhiculé par le sang de lui parvenir au cerveau. Elle nous doit bien ça, a-t-il conclu.

– Elle ne nous doit rien, a coupé sèchement Grand-Mère. Et quel poids peut avoir une illettrée comme elle ?

– Oh, un bien plus grand poids que tous les autres !

Puis il m'a pincé la joue.

– Le plus important, c'est de ne pas s'en faire, mon trésor… Moi, je me contente de vivre sans philosopher. Et c'est pour cela que je suis le plus heureux des hommes.

Et il est allé se coucher en pensant comme d'habitude que tout finirait par s'arranger tout seul.

Quand pour la cinquième fois, je suis tombée sur l'homme en imperméable beige dans notre rue, ma peur s'est transformée en terreur. Quand viendraient-ils m'arrêter ? Qui était suivi ? Roman ? Grand-Mère ? Moi ? J'avais encore plus peur pour ma famille que pour moi-même. J'appréhendais le licenciement de Grand-Mère car je ne savais pas comment on pourrait vivre sans son salaire. Je craignais l'expulsion de l'oncle Roman ou un accident pour Père même si on disait qu'il y avait un dieu pour les ivrognes. Je me réveillais la nuit au moindre bruit. Cela s'était-il passé de cette façon pour Grand-Père ? À Lvov, c'était le NKVD. Les temps avaient changé, la peur restait la même.

Les discussions dans la famille n'ayant rien donné, je me suis accrochée à l'espoir de pouvoir parler à Czesław. Lui seul saurait nous préserver du danger. Mais l'occasion ne s'est pas présentée tout de suite. Il habitait maintenant Varsovie et nous n'avions toujours pas de téléphone même si Père, en sa qualité de médecin, était supposé se le faire attribuer en priorité depuis sept ou huit ans. Je n'osais pas me rendre à la poste, faire la queue, m'inscrire auprès d'une opératrice. Je savais pour avoir accompagné Grand-Mère plusieurs fois lorsqu'elle téléphonait à Jadwiga que cela n'était jamais discret. Les appareils n'étaient pas isolés dans des cabines, tout le monde hurlait à qui mieux mieux. Non, il me fallait attendre que Jadwiga m'invite chez elle au début des grandes vacances.

À la fin d'un après-midi que j'avais passé à attendre Christian en vain sur notre banc, je suis tombée sur une bonne femme qui cognait comme une sourde à notre porte.

– Ouvrez ! C'est un ordre !

Elle m'a mis sous le nez une carte avec des tampons.

– Je suis l'inspectrice du travail. Je suis venue vérifier comment le citoyen Roman Zborawski gagne sa vie puisqu'il ne travaille pas.

– Je ne suis pas sûre qu'il soit là.

– Nous savons bien qu'il est là !

Roman est sorti de sa cachette, ébouriffé et mal rasé.

– D'où vient votre argent ? a-t-elle demandé. De l'étranger ? De la CIA ?

– Quel argent ? s'est étonné Roman.

Je me suis assise en face d'elle et l'ai regardée remplir le questionnaire notant des « non » et des « non » à chaque page. Discrètement, j'ai soulevé le couvercle des *Pulex irritans*. Tant pis, l'oncle Roman perdrait une autre de ses trapézistes, mais au moins j'aurais la satisfaction de voir bientôt la dame se gratter partout.

Les conséquences de la visite de l'inspectrice du travail n'ont pas tardé : deux jours après, Roman a reçu un avis d'expulsion. Il devait quitter Cracovie au plus tard à la fin de l'année. La lettre stipulait que :

1) Le citoyen Zborawski ne serait pas jeté dans la rue bien qu'il le mérite. La République de Pologne lui donnait une nouvelle chance de se réhabiliter.

2) Dans un but de rééducation, les autorités compétentes avaient décidé de transférer le citoyen Zborawski dans un village en Silésie où il allait travailler à la mine.

3) Le citoyen Zborawski pouvait remercier la République de la Pologne populaire de ne pas lui avoir infligé une condamnation plus lourde.

4) Que cela lui serve d'avertissement : celui qui ne travaille pas ne mangera pas.

Quand Grand-Mère a lu la lettre elle a blêmi :

– Mais tu ne peux pas aller en Silésie ! C'est une terre allemande !

– Et ici, vous croyez que la terre est à nous ? a rétorqué l'oncle Roman.

Le soir, Père a pris connaissance de la lettre.

– J'ai une idée pour sauver mon imbécile de frère. Je vais lui obtenir un certificat pour l'hôpital psychiatrique. Ça ne va pas être difficile, il est fou, tous les médecins le constateront. Et comme thérapie, on va lui trouver une occupation manuelle. Cet imbécile est intelligent, j'espère qu'il comprendra qu'il n'y a pas d'autre solution. C'est ça ou la mine jusqu'à en crever !

Grand-Mère a trouvé une autre idée thérapeutique :

– Et si on transformait la cour de l'immeuble en potager ? Personne ne l'occupe à part Salawowa qui y bat son tapis – et encore, moins pour le nettoyer que pour montrer aux voisins qu'elle aussi en a un. On poussera les bacs à ordures vers le fond et chacun pourra semer ce qu'il voudra.

Père a approuvé.

– Roman avec ses réflexes de mathématicien pourra diviser la cour en triangles et superviser l'attribution de lopins à chaque voisin. En médecine, s'occuper de la verdure fait partie de la thérapie des fous.

Grand-Mère a ordonné à Marintchia de bêcher le sol dès que possible.

– Vous êtes une fille de la campagne, oui ou non ? Vous devriez vous y connaître en légumes. Nous allons faire un potager comme celui que nous avions à Zboraw.

Elle a fait le tour des voisins, les a persuadés qu'ils n'auraient plus besoin d'acheter leurs légumes et a ordonné à tous de planter des fraises, des radis, du persil, de la salade, des tomates. En trois jours, le terrain vague a commencé à ressembler à un jardin. Grand-Mère a insisté pour l'agrémenter de quelques rosiers.

– À l'automne, nous ajouterons des oignons de tulipes, de jacinthes et de narcisses.

Le concierge Marek était mécontent.

– *Pani* Zborawska, avez-vous la permission de l'administration ?

– La permission de quoi ?

– Vous le savez très bien : d'occuper ce « jardin ».

– Quel « jardin » ? Je ne vois pas de jardin. Il le deviendra si vous vous y mettez aussi. Au lieu de me surveiller, débrouillez-vous pour faire un banc où il sera agréable de s'asseoir après une journée de travail !

– J'vous demande pas ce qui sera agréable ou pas, *pani* Zborawska. La permission, on l'a ou on l'a pas ! Je risque déjà trop souvent ma position à cause de vous.

En effet, le concierge avec son âme de receleur nous

rendait bien des services et Grand-Mère continuait à le gratifier de bouteilles de vodka. Il connaissait des tas de gens débrouillards qui achetaient à Grand-Mère toutes sortes d'objets. Après la saucière et la louche, Grand-Mère l'avait chargé de la vente des fourchettes en argent. Les couteaux ayant été vendus séparément, Marek s'était excusé de ne pas avoir pu en obtenir un prix décent.

– Personne n'en voulait, *pani* Zborawska, à part ce sculpteur Śliwa. Et encore, il n'a pas voulu donner plus de mille deux cents zlotys. Il doit les faire fondre pour fabriquer des bracelets.

– Fondre des fourchettes monogrammées ! Elles portent nos initiales !

– Que *pani professorova* ne se fasse pas de mouron. Il va sûrement graver les siennes à la place.

Christian est réapparu une semaine plus tard, alors que je ne dormais pratiquement plus et que des cernes s'étaient creusés sous mes yeux. Quand je l'ai revu à nouveau assis sur notre banc, j'ai couru me jeter dans ses bras.

– Où étais-tu passé!? J'ai eu peur que tu ne viennes plus, ai-je balbutié.

– Pourquoi je ne viendrais plus ?

Il m'a fait tournoyer, m'a couverte des baisers. Puis il a tiré comme d'habitude sur l'élastique de ma queue-de-cheval.

– Là, c'est beaucoup mieux. Laisse tes cheveux tomber sur tes épaules.

Je le regardais sourire, avec ses dents qui se chevauchaient un peu, et j'étais heureuse. Je lui ai tout de même reproché cette longue semaine de silence mais je n'ai pas voulu poser trop des questions. Alors j'ai demandé comme si de rien n'était :

– Jusqu'à quand tu restes en Pologne ?

– J'sais pas encore. Je reprends les cours en octobre. Mais je reviendrai. Tu veux que je t'apporte un cadeau de France ?

– Un parfum ? Un vrai ? Comme *Soir de Paris* ?

– Non. Une tour Eiffel.

– Sous cloche avec de la neige artificielle alors ?

Mon cœur s'emplissait de nouveau d'un espoir naïf et irraisonné. Christian partageait-il mon état euphorique ? Aujourd'hui encore je me pose cette question : était-il amoureux de moi ou était-ce mon imagination ? Je me souviens de lui avoir demandé :

– Tu m'aimes ?

– Ouais.

– Moins fort que le Parti ou plus que le Parti ?

Son engagement dans la Jeunesse communiste était au nombre de nos menues querelles.

– Rien n'est au-dessus du Parti.

J'ai éclaté de rire en pensant qu'il plaisantait. Mais le visage de Christian restait sérieux.

– Tu me fais marcher ? j'ai murmuré à son oreille.

Il n'a pas répondu. Je lui ai mordu le lobe.

– Aïe !

Sa vision révolutionnaire du monde me faisait sourire. Ces pauvres Français étaient pleins de cette belle utopie communiste. Ils voulaient réformer le monde en prenant l'URSS comme modèle. Pour arriver où ? Au point où nous en étions ?

– Non, chez nous ça sera différent, maintenait Christian.

« C'est le moment de lui parler de mes angoisses », ai-je pensé, mais soudain j'ai entendu une voix graillonner derrière nous :

– Alors, on se promène ? On sèche l'action de bénévolat destinée à embellir notre ville ?

Le directeur se tenait devant nous.

– Puisque tu as distribué les tracts, tu as été informée la première que ce dimanche est consacré à un travail volontaire d'utilité sociale.

– Je reviens de chez le médecin, ai-je bredouillé, vous savez, au sujet de mes allergies…

– C'est ça… Un dimanche… Allez ! File rejoindre les autres ! Et toi, jeune homme, on va faire quelques pas ensemble…

C'est arrivé la dernière semaine d'école. Le jeudi matin j'ai frappé à la porte du directeur mais il n'était pas là et, soulagée, je suis entrée dans le gymnase où se déroulait la cérémonie de remise des prix et des certificats. Le mien contenait beaucoup de minables « assez bien ». Rien à voir avec mes résultats des années précédentes où ne figuraient que des mentions « très bien ».

« Ni Grand-Mère ni Père ne se donneront la peine de le regarder, alors, cela n'a aucune espèce d'importance. » Mais je ruminais amèrement car, grâce à mes dissertations, Iwonka avait de meilleures notes que moi.

J'ai essayé de balayer ces pensées négatives. Après la cérémonie, je devais passer par l'hôpital faire une radio des poumons et dans l'après-midi me rendre chez Iwonka pour mettre au point notre virée à Zakopane. Aucune raison de ne pas être d'excellente humeur : Christian était revenu, Jadwiga avait envoyé à Grand-Mère un nouveau chapeau et à moi un chandail en laine multicolore presque neuf, juste un peu feutré sous les aisselles. Père avait enfin reconnu qu'il me fallait du soleil et du bon air et que

Zakopane était l'endroit parfait pour trouver l'un et l'autre.

J'ai décrit à Iwonka comment chaque matin je chauffais le thermomètre contre ma couverture pour arriver à 37,8 °C.

– Les poitrinaires ont toujours la fièvre, tu sais ? Chopin avait 38 °C au réveil dès ses seize ans.

– « On va faire l'examen de tes expectorations – j'imitais la voix grave de Père. Tu as partagé trop longtemps la chambre d'Elżbieta à respirer les émanations putrides des bacilles de Koch. Mais ne t'inquiète pas, le *Mycobacterium tuberculosis* est guérissable de nos jours. »

Iwonka riait. Nous étions encore sur la place Matejko quand j'ai aperçu avec stupéfaction oncle Roman courir vers nous en faisant de grands gestes.

– Viens vite !

– Il est arrivé quelque chose à Grand-Mère ?

Roman ne répondait pas. Dans la rue Floriańska, il a désigné du doigt un individu qui se tenait sur le trottoir face à notre immeuble :

– Regarde ce type en noir ! Depuis ce matin, il reste sans bouger et lorgne nos fenêtres. Je me suis évadé par la cour pour te prévenir.

– Grand-Mère l'a vu ?

– Elle n'est pas encore rentrée.

L'homme était habillé d'un manteau noir en tissu épais avec deux rangs de boutons dorés, il portait une chapka avec des oreillettes malgré la chaleur de l'été. Il me faisait penser aux prisonniers de guerre de l'époque napoléonienne des livres de notre bibliothèque : une barbe grise de plusieurs jours, un regard peu assuré, un *tchemodane*[1] à la main.

Les voisins se sont assemblés à la fenêtre. Je crois qu'ils ont compris avant nous.

Je ne peux pas dire que je l'aie accueilli avec joie. Grand-Mère non plus. Tout d'abord elle ne l'a pas reconnu. Il ne ressemblait en rien à cet homme distingué dont la photographie se trouvait sur la commode Empire.

Grand-Mère essuyait des larmes.

– Je ne savais pas que tu étais en vie, a-t-elle balbutié. Toutes mes lettres sont restées sans réponse. Douze ans ! Pourquoi tu ne m'as pas prévenue ? J'aurais pu avoir une crise cardiaque devant une telle surprise.

– Allons, allons, *pajalouysta*[2], a dit l'homme en russe en prenant sa femme dans ses bras.

J'ai pensé qu'il allait faire la même chose avec moi, je me tenais toute prête à l'embrasser mais il m'a seulement regardée :

– Sais-tu qui je suis ?

– Le mari de Grand-Mère.

– Ton grand-père.

Roman serrait la main de son père à deux mains.

– Je n'ose le croire. Est-ce qu'il y en a d'autres qui reviennent ?

– Je suis probablement parmi les premiers.

En me montrant du menton, il a dit quelque chose en allemand. Grand-Mère a répondu en polonais :

– Tu peux parler devant elle sans crainte. Ici la

_____

1. En russe : coffre en bois en forme de valise.
2. En russe : « Je vous en prie. »

première chose qu'on apprend à un enfant qui commence à parler, c'est à se taire. D'ailleurs, elle n'est plus une enfant, l'année prochaine, elle aura son baccalauréat et étudiera à l'université Jagellone.

– Est-ce qu'on vous apprend encore de la poésie dans vos écoles ?

– Oui, ai-je répondu, étonnée.

C'était une drôle de façon de se renseigner sur ma vie après tant d'années d'absence.

– Connais-tu les poèmes de Lermontov ?

– Quelques-uns.

– Connais-tu celui-ci ?

*Le poète est tombé, prisonnier de l'honneur ;*
*Tombé calomnié par l'ignoble rumeur,*
*Du plomb dans la poitrine, assoiffé de vengeance ;*
*Sa tête est retombée en un mortel silence.*

– Non, pas celui-ci.

– Et celui-là ?

*Oh ! Non, ce n'est pas toi que j'aime avec ardeur,*
*L'éclat de ta beauté ne m'éblouit plus guère,*
*Mais je chéris en toi mon ancienne douleur,*
*Ma jeunesse perdue et qui me reste chère.*

– Non plus.

– Et celui-là :

*Un voilier solitaire se découpe en blanc...*

Ma voix s'est jointe à celle de Grand-Père :

*... Dans le brouillard bleu de la mer*
*Que cherche-t-il dans un pays étranger ?*
*Qu'a-t-il laissé là-bas, en pays natal ?*

— Tu vois, Bashia, les vers russes sont si beaux qu'ils entrent tout seuls dans la tête comme une mélodie. C'est ça, le miracle de la langue russe.

— C'est vrai, je les retiens souvent à la première lecture.

Grand-Père m'a considérée quelques minutes avec plus de bienveillance, puis ne m'a plus prêté attention. J'ai eu le temps de bien le regarder. Il était d'une maigreur squelettique, son teint était rougeâtre, son nez violet, ses cheveux blancs tournaient au jaune pisseux. Il ne lui restait plus qu'une dent en haut et une en bas.

« Il doit être extrêmement âgé », ai-je pensé.

Plus tard j'ai appris qu'il avait cinquante-cinq ans. Sur le moment, je lui en aurais donné quatre-vingts.

Ils ont parlé la moitié de la nuit. J'ai essayé d'écouter mais je me suis endormie pour me réveiller un peu plus tard d'un cauchemar où mes cheveux s'étaient transformés en fils barbelés. À la lumière d'une lampe de chevet, j'ai aperçu Grand-Mère qui ne dormait pas. Elle était assise le regard fixé sur le mur d'en face, ses mains reposaient sur ses genoux. Je me suis assise à ses pieds et je l'ai entourée de mes bras.

— Nous allons nous en sortir, ai-je murmuré. Comme toujours. Courage !

Toute mon enfance je l'avais vue se battre contre vents et marées. À présent, elle était usée. Elle portait une robe démodée, ses cheveux demandaient un coiffeur. Pendant que mon esprit combatif ne cessait de grandir dans cette animosité ambiante, celui de Grand-Mère semblait se résigner.

Le matin, pendant que dans son lit ronflait l'homme du goulag, satisfait d'être enfin rentré chez lui, j'ai entendu Grand-Mère s'excuser auprès de notre voisine Salawowa de ne plus pouvoir l'accueillir pour écouter son émission préférée à la radio :

– Mon mari est revenu de là-bas. Toute notre vie est chamboulée à présent.

– Ne vous en faites pas, chère *pani* Zborawska, après tout, un mari, ce n'est pas la famille.

Père a fêté le retour de son géniteur sans discontinuité. Il y avait tant de bouteilles dans la cuisine que j'ai mis plus d'une heure à les laver. Il fallait faire vite car Waldek, une fois sorti de sa cuite de la veille, ne rêvait que de les rapporter à la consigne pour pouvoir se payer une bonne bière pour son petit déjeuner.

Ce jour-là, j'ai empilé toutes les pièces de un zloty que j'avais gagnées récemment pour mes dissertations – ça faisait vingt jolies colonnes de dix. Je les ai recomptées et les ai apportées à la consigne avec les bouteilles.

– Bonjour madame ! Je voulais vous dire qu'il n'est pas mort.

– De qui tu parles ma petite ?

– De mon grand-père. Le professeur Zborawski.

– Comment tu le sais ?

– C'est parce qu'il est revenu.

– Revenu ?! De là-bas ?! En es-tu sûre ?

– Aussi sûre que je vous vois. Il est à la maison. Il dort.

– Ça veut dire que les autres reviennent aussi ?

– Ça, je ne sais pas. Il a dit qu'il était sorti avant les autres grâce à la poésie.

– La poésie !

– Oui, il en récite sans cesse. Surtout Lermontov.

– Qu'est-ce qu'elle a à voir là-dedans la poésie ?

– C'est que les Russes aiment la poésie plus que tout. Cela permet d'élever l'esprit, ils disent.

La dame m'a regardée comme si j'avais perdu la raison.

– Tout ce que je sais, c'est que Grand-Père en connaissait des centaines par cœur, le commandant du camp aimait les mêmes poèmes et a fait mettre son dossier en haut de la pile. Mais il ne faut pas en parler. Article 206.

La dame était lente à comprendre. J'ai donc changé de sujet et je lui ai demandé de m'échanger mes pièces de un zloty contre des billets. Elle a ouvert son tiroir, compté les pièces et m'a tendu deux billets de cent. En les mettant dans mon plumier, j'ai vu que sur l'un, l'image du métallurgiste au verso était tachée d'encre.

J'ai passé, après le retour de Grand-Père, des journées épuisantes. Je n'avais rien contre ce grand-père revenu des neiges sibériennes mais il aurait pu attendre un peu ! Quand on a passé douze ans au goulag, que signifient quelques semaines de plus ! Quelques jours au pire ! Sans lui, je me serais promenée avec Christian, je serais partie en randonnée à Zakopane, j'aurais dormi sous la tente, je me serais réveillée au pied des Tatras.

Au lieu de cela, j'étais obligée de l'accompagner partout. Tout seul, il se serait perdu. Grand-Père avait du mal à reconnaître Cracovie. Pourtant la ville n'avait pas été bombardée pendant la guerre et peu de rues avaient vraiment changé. Mais il les confondait avec Lvov. Dans la rue Karmelicka il cherchait la Pelczynska, la rue Matejko était pour lui Tomickiego, la prison Monteluppi, la Loubianka. L'hôpital psychiatrique de Cracovie, Kobierzyn, il le nommait Kulparkov. Même s'il savait que jamais il ne reverrait Lvov, il répétait inlassablement qu'elle était la plus gaie de toutes les villes polonaises, la plus colorée, la plus européenne.

À la différence de Grand-Mère qui détestait les tramways où les gens avaient le regard apeuré de Joseph K., étaient malodorants en semaine et empestaient l'eau de toilette *Lechia* le dimanche, Grand-Père ne voulait pas marcher, même pour les courtes distances. Il avait parcouru des centaines de kilomètres, de Starobielsk à Lougansk, puis jusqu'à Svierdlovsk, et ses pieds étaient déformés par les engelures.

Grand-Père passait son temps à écrire des requêtes auprès de l'administration, bataillait avec les fonctionnaires, postulait dans des usines, des écoles, des restaurants. J'allais avec lui de bureau en bureau. Il a présenté sa candidature à la rédaction de journaux, aux bibliothèques et aux archives. Partout il essuyait des refus. Personne ne voulait embaucher un ancien de Sibérie. En désespoir de cause, il a demandé à accomplir des travaux manuels : conduire un tracteur, déblayer la neige, laver les carreaux. À quoi lui servaient ses diplômes ? Lui, le docteur ès sciences, ne les mentionnait plus. Je savais qu'avant la guerre, il enseignait à l'université Jan-Casimir, c'était un agronome de renom et un biologiste respecté, auteur de travaux scientifiques sur la *Drosophila melanogaster*[1], un précurseur en génétique animale et végétale. Il échangeait des idées avec le célèbre Thomas Morgan, Prix Nobel en 1933. Quand le NKVD est venu le cueillir en 41, la première chose qu'il a emportée, ç'a été sa correspondance avec le célèbre scientifique.

Mais en 1953, ces mérites-là étaient devenus des tares.

Un fait s'est imposé immédiatement : notre vie déjà difficile sans Grand-Père était devenue carrément impossible avec lui. Pour commencer, il a annexé le petit salon qui

---

1. Appelée communément « mouche du vinaigre ».

servait de cabinet à Père et confisqué la radio de Roman. Quand il écoutait une émission de Radio Free Europe ou de Voice of America, il réclamait d'un ton inflexible un silence religieux et tout le monde se mettait à marcher sur la pointe des pieds comme s'il y avait un défunt dans la maison. À l'inconvénient de la promiscuité s'étaient ajoutées les souffrances olfactives. Comme il avait tout le temps froid alors qu'on était en été, il s'était procuré un petit poêle à pétrole dont la puanteur se mêlait à une odeur âcre d'urine, de moisi, de mourant, de je ne sais quoi d'autre, peut-être du lait caillé qu'il buvait en grandes quantités ou de la fumée de ses cigarettes de la marque Sporty.

Je n'arrivais pas à m'habituer à la présence de ce grand-père méconnu. Il était taciturne, m'adressait rarement la parole. Même ses tête-à-tête avec Grand-Mère étaient remplis de silences. Quand elle le regardait, elle avait les yeux qui s'embuaient, alors que lui détournait le regard, déçu aurait-on dit.

– Grand-Père, avant, il ne parlait donc jamais ? Ou est-ce le résultat des camps en Sibérie ?

– Ne lui en veux pas, Bashia. Qui a survécu à Auschwitz, à Buchenwald ou à la Sibérie n'est plus jamais intact. Il est brisé et il lui faudra du temps avant de revenir dans le monde des vivants.

Visiblement, il n'était pas capable de résumer douze années de camp en Sibérie. Douze années de terreur, de travail inhumain, de privations, d'engelures, de famine.

Un malaise inquiétant, secret et nouveau, s'ajoutait à mes peurs existantes. J'avais l'impression de le gêner.

Quand il parlait, il s'interrompait en m'apercevant. Un jour j'ai pourtant entendu :

— Ne dis pas ça devant elle. On ne sait jamais... si on l'interroge... Eux, ils savent obtenir des aveux.

Une autre fois, je l'ai entendu critiquer le mariage de sa fille.

— Comment a-t-elle pu épouser un homme à eux !

— C'est un honnête officier de l'armée, est intervenu Père. Avant la guerre, vous vouliez vous-même que je fasse l'École des cadets et que je devienne officier.

— Mais de l'armée polonaise, voyons ! Jamais de l'Armée rouge !

— Peu importe la couleur, il l'aime.

Grand-Père restait sceptique.

— Comment un homme aussi important s'est-il laissé dominer par l'amour ? Ils les choisissent pourtant parmi les durs.

— Si tu voyais, Alek, combien elle est devenue belle, ta fille. Et pour elle, c'est comme d'avoir gagné à la loterie. Comment vivre dans ce pays si on n'est pas du côté du manche ? Il faut demander à Czesław de t'aider. Sans lui, tu ne trouveras rien. Ils ont annoté sur ta carte d'identité les initiales *bz*[1]. Les gens ont peur d'embaucher un ancien *bé-zet*.

— Je me satisferais de n'importe quoi, je ne demande pas une chaire à l'université.

— Je te le répète, c'est impossible avec un casier judiciaire politique.

---

1. Abréviation de *byly ziemianin* : ex-propriétaire terrien.

— Je ne faisais pas de politique ! J'étais un citoyen polonais. Et puis que peut-il pour moi ?

— Il peut beaucoup. Certains camarades de Czesław sont des personnalités très importantes du gouvernement actuel.

— Donc, il sert dans le NKVD, même si maintenant cela s'appelle autrement ?

— Il fait partie du système, mais on peut dire que, quelque part, il veille sur nous.

— Si toutefois un communiste a le droit de décider par lui-même.

Voilà que Roman s'était mêlé à la conversation. Grand-Mère était irritée.

— Oh, mais qu'est-ce que tu lui reproches à la fin ? Que veux-tu qu'il fasse ?

— Qu'il change de métier ! Quand un communiste doit choisir entre la révolution ou l'amour, il choisit la révolution. Même les amoureux sont capables de se vendre mutuellement pour la cause.

— Si tu ne veux pas aller le voir à Varsovie, j'irai à ta place. Avec Bashia. Mme Pawlikowska l'aime bien, et Czesław aussi. Vous pouvez dire ce que vous voulez. Moi, je lui fais confiance. Il nous a déjà aidés à maintes reprises.

« Encore des jours sans Christian », ai-je pensé. Mais l'affaire du directeur continuait à me tracasser. Je trouverais peut-être le moment propice pour en parler à Czesław ?

Nous avons pris le train à cinq heures du matin, il était plein de soldats en permission, pas un siège de libre. Durant tout le trajet, nous étions assises dans le couloir sur une valise qui ne nous appartenait pas. Je voyais la tête de Grand-Mère heurter la paroi en fer du wagon à chaque secousse. Il était presque deux heures quand nous avons sonné à la porte de la rue Wiśniowa. J'espérais que ce serait Jadwiga qui viendrait nous ouvrir mais ce fut Mme Pawlikowska.

– On ne m'a pas avertie que vous arriviez aujourd'hui.

– Mon mari est revenu de « là-bas » ! a dit Grand-Mère et elle s'est laissée choir sur le premier siège dans l'entrée.

Je ne l'avais jamais vue aussi exténuée. Mme Pawlikowska l'a aidée à marcher jusqu'à la salle à manger où une table était dressée avec une nappe blanche damassée. Czesław était assis avec sa fille et s'apprêtait à attaquer un cou d'oie farci. Une odeur délicieuse de foie et d'oignons émanait de son assiette. Voir tant de nourriture a fait battre mon cœur plus vite. Mme Pawlikowska nous a tendu des assiettes. Il fallait que je me retienne de toutes mes forces pour ne me servir qu'un petit morceau d'oie. Grand-Mère n'a pas touché au plat.

– Prenez au moins un peu de bouillon, je l'ai fait bien gras, a insisté Mme Pawlikowska. Il a été libéré donc ? Il avait écopé de douze ans, hein ? Quand est-ce qu'il a été arrêté ? En 41 ? Qu'est-ce qu'il raconte sur ces douze ans ?

– Rien. Il n'en parle pas.

– Du tout ?

– Non, le premier jour, il a parlé sans pouvoir s'arrêter. Il a dit : « Je n'ai pas droit de vous faire un compte rendu. Le matin même de ma libération, le brigadier du camp m'a lu le communiqué : "Tu n'as rien vu, rien entendu, tu n'en parles pas. Souviens-toi que des milliers des vôtres restent et qu'on ne sait pas s'ils parviendront à vous rejoindre. Si tu ne respectes pas la règle du silence, tu les exposes à des représailles et à la mort." »

» Et depuis sept jours, pas un mot ! Ni bonjour, ni au revoir, ni merci, ni bonne nuit !

– Comment était-il avant ? Aimait-il parler ?

– Il était même très bavard et on peut dire qu'il avait le mot pour rire.

– Il a dû passer par des épreuves terribles pour changer à ce point-là. Il a vécu l'enfer, vous savez. Est-ce qu'il mange, au moins ?

– Il est maigre à faire peur. Ses os apparaissent sous la peau.

– Mais il faut qu'il mange !

– Il n'y arrive pas. Il n'a plus de dents.

– Réduisez-lui tout en purée s'il le faut, mais il doit se nourrir !

– Il boit du lait. Des litres de lait. Comme un nouveau-né.

– Ça ne remplace pas la nourriture, insistait Mme Pawlikowska.

– Karol dit que le gaver ne servira à rien, que c'est dangereux pour son estomac fragile. Il faut qu'il prenne son rythme. Il va lui administrer des vitamines. Maintenant, la priorité, c'est qu'il trouve du travail.

Grand-Mère s'est tournée vers Czesław :

– S'il y a une justice socialiste, comme vous le clamez, il doit être réhabilité. Même pour être concierge, il faut un casier judiciaire vierge. Comment allons-nous vivre s'il ne trouve pas de travail ?

Mme Pawlikowska a servi à Czesław sa deuxième assiette de *rosół*[1].

– Le processus de réhabilitation n'est pas pour demain,

---

1. Bouillon de poule aux nouilles, plat du dimanche en Pologne.

n'y comptez pas trop, belle-maman, a-t-il fini par dire en essuyant la graisse qui coulait sur son menton. Les Russes n'ont pas oublié que votre mari s'était battu contre eux.

– Mais c'était sous Pilsudski ! En 1921 ! Il avait vingt-deux ans ! Toute la Pologne s'est battue !

– C'est pourquoi toute la Pologne le paye aujourd'hui !

– Les communistes ne savent pas pardonner. Voilà ce qui arrive quand on ne croit plus en Dieu. Où est ma fille ?

– Elle dort.

Grand-Mère semblait accablée.

– Merci pour le bouillon, je vais aller me reposer un peu. Je n'ai pas fermé l'œil depuis plusieurs nuits. Et nous devons reprendre le train ce soir.

Dès que Grand-Mère est sortie, Jolanta s'est glissée sur les genoux de son père. « Comment à quinze ans peut-elle encore être un pot de colle pareil ! » ai-je pensé.

– Ta femme, pourquoi elle dort encore ? Il est trois heures.

Mme Pawlikowska a posé devant moi un strudel aux cerises. Il sentait bon la cannelle et le clou de girofle. Je n'avais rien mangé d'aussi délicieux de ma vie.

– Elle a beaucoup dansé hier, *mama*.

– Avec qui, puis-je le savoir, puisque tu ne danses pas, toi ?

– Oh *mama* ! Qu'est-ce que tu vas encore chercher ?

– Je cherche rien ! Je me pose des questions à ta place, j'ai pas le droit ? Pauvre mère que je suis ! Assise au bord de la tombe ! C'est exprès que je dis assise ; tu vois bien que je ne tiens plus debout.

J'ai regardé ses jambes, elles étaient gonflées au niveau des chevilles.

Mme Pawlikowska regardait avec amour son fils avaler son dessert.

– Et l'argent ! Pourquoi tu lui donnes toute ta paye ?

– Parce que c'est comme ça qu'ils font les Polonais, *mama*. Toi aussi, tu gérais l'argent de papa.

– Mais moi, je n'étais pas de ces femmes qui dépensent tout en rouges à lèvres et crèmes de marques étrangères. Et j'avais mon propre argent du *Gesheft*[1].

Tante Jadwiga est apparue dans l'encadrement de la porte en robe de chambre, une cigarette au coin des lèvres. Je ne savais pas qu'elle s'était mise à fumer. Elle s'est penchée et m'a embrassée. J'ai perçu une odeur d'alcool.

– Où est maman ? J'ai entendu sa voix.

– Elle t'a attendue, puis elle est allée se reposer un peu. Elle n'a pas dormi depuis plusieurs jours. Ton père est revenu.

– Je sais. Maman m'a envoyé un télégramme mais Czesław ne voulait pas que je vienne.

Jadwiga s'est assise à table, n'a pas touché aux plats et a continué à fumer. Puis elle s'est levée et a disparu dans sa chambre sans un mot. Czesław a regardé sa mère avec reproche.

– Qu'est-ce que j'ai encore dit ? Qu'est-ce qu'elle est susceptible ! Et toi, au lieu de faire ta vie avec l'une des nôtres, t'as voulu une des leurs. Et, je t'aurai prévenu, l'alcoolisme est héréditaire. Tu cours le risque qu'elle donne à son tour le jour à un ivrogne !

---

1. En yiddish : « magasin, affaire de famille ».

– Attention, tu insultes ma femme.

– Je sais bien que c'est ta femme. Mais tu sais bien, ils boivent tous, ces Polacks !

– Ne dis pas des choses pareilles devant la petite.

– Et alors ? Elle voit comment est son père !

Je me suis levée, j'ai débarrassé la table et j'ai commencé à laver la vaisselle. Jolanta m'a suivie dans la cuisine, je lui ai tendu un torchon.

– Tu aimerais avoir des enfants ? m'a-t-elle demandé.

– Je sais pas. Et toi ?

– Non.

– Pourquoi ?

– Parce que Hitler aussi a été un enfant.

– Tu étais où pendant la guerre ?

– Nous nous sommes cachés des Allemands en Russie. Et toi ?

– Nous nous sommes cachés des Russes en Pologne.

– Et ta mère ? Où est-ce qu'elle habite ?

– Je ne sais pas exactement, à Paris, il paraît. Et la tienne ?

– Gazée, à Auschwitz.

Mme Pawlikowska est entrée dans la cuisine et s'est mise à l'arpenter comme une âme en peine. Elle poussait de grands soupirs, dissertant sur la cruauté humaine en général et allemande en particulier. Et sur l'ingratitude des enfants. Elle s'était mise à raconter une histoire sans queue ni tête. Elle a commencé par la fin, fait mille digressions, s'est arrêtée soudainement comme effrayée par ses propres souvenirs.

Ses yeux décolorés par la vieillesse, ou peut-être par la souffrance, étaient d'un bleu très pâle. Elle me faisait penser à une bonne grand-mère de roman, alors que la mienne correspondait plutôt à l'image qu'on se faisait d'une institutrice. Mme Pawlikowska nous embrassait, Jolanta et moi, nous caressait les cheveux. J'aimais bien quand elle m'embrassait, c'était une sensation bien douce qui m'était inconnue. Personne ne le faisait à la maison. Surtout pas Grand-Mère, qui, je le voyais bien, évitait de me toucher.

Au moment du départ, Mme Pawlikowska a sorti de son sac un billet de vingt zlotys :

– Prends *mein schätze*. Les jeunes filles ont toujours une foule de babioles à acheter.

– Arrête avec tes yiddisheries, *mama*, on est en Pologne ! Appelle-la par son prénom : Bashia. Barbara, si tu préfères.

– *Aï vaï*, que tu deviens ombrageux ! C'est ta femme qui te rend si nerveux, dis ?

– Au contraire. Elle m'apaise, elle.

– On dirait pas.

Mme Pawlikowska a pris un air pincé, m'a regardée comme si elle voulait dire « Qu'est-ce qu'il ne faut pas entendre ! », puis s'est levée et a disparu dans la cuisine.

Czesław m'a caressé la joue. Ses mains étaient douces et sentaient bon le savon de prix. J'ai voulu aborder le sujet du directeur mais il s'est mis à parler, ce qui était inhabituel chez lui, et je n'ai pas osé l'interrompre.

– Ma mère voudrait qu'on parte en Israël, Bashia. Mais moi je ne veux pas. J'aime ce pays-ci et j'aimerais qu'il soit meilleur, tu comprends ?

– Je comprends.

– Alors pourquoi ta famille ne veut-elle pas comprendre?

– Il ne faut pas leur en vouloir, ils sont d'une autre époque. Grand-Mère a traversé l'enfer. Et maintenant, le retour de Grand-Père...

– Je sais. Je vais voir ce que je peux faire.

Puis il nous a accompagnées à la gare et s'est arrangé avec le contrôleur pour nous trouver deux places en première. J'ai déposé un baiser sur sa joue. Depuis que j'aimais Christian, tous les amoureux de la terre me devenaient sympathiques. J'en voulais presque à Jadwiga d'être si cynique avec Czesław.

Pourtant, qu'elle ne témoigne pas de respect à son mari ne m'étonnait qu'à moitié. Rares étaient les Polonaises autour de moi à montrer de l'admiration pour leur mari, trop habituées depuis l'enfance à ne compter que sur elles-mêmes.

– Il est gentil, oncle Czesław, ai-je dit quand le train a démarré. Il trouvera sûrement un travail pour Grand-Père, ne vous tracassez pas. Vous ne trouvez pas que Jadwiga a changé ces derniers temps?

– Il faut revêtir un deuxième visage et c'est très fatigant, a répondu Grand-Mère.

Moi aussi, je commençais à revêtir un deuxième visage. Personne n'allait pouvoir me séparer de Christian. J'irais à Zakopane coûte que coûte, même si je devais m'enfuir de chez moi.

Petit à petit Grand-Père retrouvait ses repères, renouait avec ses anciennes connaissances, se remettait à jouer aux échecs et au bridge, cessait de confondre les rues et j'ai enfin pu regagner un peu de liberté. Je n'avais qu'une hâte, retrouver Christian. J'ai filé sans m'arrêter jusqu'au monument du roi Ladislas et de la reine Edwige, mais sur notre banc était assise une vieille mémère en train d'émietter du pain pour les oiseaux. Je l'ai dévisagée avec défiance, pensant que nous étions espionnés, mais elle avait plutôt l'air d'une simple d'esprit, du genre de celles qui continuent de nourrir les pigeons alors que des gens meurent de faim. Déçue, je rebroussais chemin quand j'ai aperçu Christian arrivant de l'autre côté de l'allée. Nous avons foncé l'un vers l'autre comme deux locomotives. J'ai voulu crier : « Ça y est, la permission de partir à Zakopane est presque dans la poche ! Père est d'accord, et Grand-Mère le sera bientôt », mais il m'a fermé la bouche par un long baiser avide. Il m'a attirée dans un coin plus sombre, puis en observant mon chandail tricoté avec plusieurs couleurs de laine par Mme Pawlikowska, il a dit :

– Dis donc, tu n'as pas d'autres vêtements que cet accoutrement qui te donne l'air d'un épouvantail ? À moins que ton objectif ne soit de faire peur aux oiseaux ?

Mon gilet m'a paru immédiatement très laid. Malgré la fraîcheur, je l'ai enlevé. La main de Christian s'est glissée sous ma jupe et j'en avais la chair de poule. J'avais envie de me laisser caresser mais par réflexe, j'ai bloqué sa main en serrant mes jambes. Je voyais bien les passants qui détournaient la tête avec dégoût. Mais en même temps, j'avais peur de tout gâcher, je n'aimais pas quand Christian prenait l'air fâché. Lorsque je le mécontentais, il sifflotait ou il faisait la moue et je me sentais coupable. Et il était capable de disparaître de nouveau pendant plusieurs jours.

– Ouvre tes jambes, chuchota-t-il en essayant de me faire glisser sur ses genoux, sa main tripatouillant toujours sous ma jupe.

Je ne voulais pas le décourager, quelque part j'étais fière de me sentir si désirable, mais je savais qu'il s'impatientait.

– Comment doit-on s'y prendre avec toi ? Ne sois pas ridicule !

– En quoi je suis ridicule ?

– Petite sotte. Tu vas pas garder ta virginité pour ce juif qui te regarde avec des yeux de merlan frit.

– Quel juif ?

– Ton peintre raté. Celui de l'autre jour. Tu crois que j'ai pas vu comment il te regardait !

Je suis restée pétrifiée. Dans notre famille, l'antisémitisme était considéré comme un symptôme d'étroitesse d'esprit.

C'est Christian qui a rompu le silence en premier :

– Iwonka m'a dit que c'était ton petit ami depuis un an. Qu'est-ce qu'un mec peut bien faire depuis un an avec une nana ?

Dans quelle langue Iwonka avait-elle pu lui dire ça ? Elle ne parlait pas français et lui ne connaissait que deux mots de polonais.

– Bon. Je vais rentrer. Mon grand-père est revenu de Sibérie la semaine dernière. Il y a passé douze ans de sa vie dans un camp communiste.

– Qu'est-ce que ton grand-père vient faire là-dedans ?!

– Rien. C'est juste pour que tu saches : je suis la petite amie d'un juif et la petite-fille d'un ennemi du peuple. Et que tu le dises aux tiens, qu'il n'était pas là-bas en villégiature. Peut-être qu'en France, vous ne le savez pas.

J'ai rangé tranquillement mes affaires et je l'ai planté là sans un mot de plus. Il n'a pas amorcé le moindre geste pour me retenir. J'étais près de la barbacane quand j'ai réalisé que mon tricot était resté sur le banc mais je ne suis pas retournée le chercher. Au lieu de me diriger vers la maison, j'ai pris à droite vers l'église Saint-Florian. Depuis l'enfance je cherchais à l'église un réconfort que la vie quotidienne était incapable de m'apporter. Les cantiques, les hymnes, les chants dédiés à la Vierge, je les ressentais au plus profond de mon âme. J'avais tellement besoin de tout dire à quelqu'un de confiance. Le prêtre ? Je ne savais pas. Mais sinon, à qui m'adresser ? À mon journal ? Il ne pouvait pas parler, lui.

J'ai entendu la voix vipérine de Christian derrière moi mais je ne me suis pas retournée.

– Oui, c'est ça. Vas-y, va au couvent !

Sur le parvis se tenait le prêtre qui nous donnait des cours de catéchisme. J'aimais son enseignement simple et direct, sa façon de croire en nous. Il savait nous donner confiance : « Souvenez-vous de ce que disait Mickiewicz : "Chaque homme est programmé pour devenir un grand homme" », répétait-il. C'était lui aussi qui prêchait : « N'oubliez jamais, les enfants, que c'est au peuple juif que nous devons notre Jésus. » Il était bien différent de ceux qui disaient encore que les juifs avaient crucifié Jésus.

Ce jour-là, vêtu de son aube immaculée avec une étole verte, il accueillait les fidèles, leur serrait la main, puis les encourageait à prendre place dans la nef centrale. Je l'ai salué d'un « *Szczęść Boże*[1] » et il a serré ma main dans les siennes comme s'il m'avait reconnue. Son prêche n'était pas ennuyeux du tout, il a parlé de la foi et des doutes légitimes que toute personne est amenée à ressentir. Chaque mot sentait la conviction. Il parlait de la peur et de la confiance qu'il fallait avoir en soi, même quand l'avenir nous paraissait fragile et morose. Il disait qu'aucun gouvernement n'aime la foi car elle lui fait concurrence, lui enlève des adeptes.

– Et gardez l'espoir coûte que coûte, car sans espoir on ne peut pas vivre, a-t-il terminé.

J'ai senti qu'il me comprendrait. Je l'ai guetté après la messe quand il a disparu derrière le confessionnal. J'ai attendu au milieu des autres pénitents et, quand mon tour est arrivé, protégée par les parois en bois, je me suis lancée dans une confession des plus confuses :

– Mon père, je mens tout le temps. Par commodité. Et parce que je ne suis pas bien courageuse. Je me suis

---

1. « Dieu soit loué. »

embourbée jusqu'au cou. On me force à faire de la délation.

— Toi aussi ?

— Oui, parce que je suis amoureuse. D'un étranger.
D'un Français précisément, mais dernièrement, ça va pas
très fort entre nous. Il me demande des choses que je ne
peux pas, que je ne veux pas faire. Pas encore.

— Tu es en quelle classe ?

— Je passe en terminale.

— Donc tu as dix-huit ans ?

— Dix-sept. J'ai sauté une classe.

— Même une défaite peut se transformer en victoire.
Observe-le, regarde ses qualités et ses défauts, note-les sur
une feuille et fais un bilan. Mesure sa force et sa faiblesse.
Et protège les sentiments qui te lient à lui. L'amour est un
trésor. Pas un péché.

— Et mes mensonges ! Ce ne sont pas des péchés mortels ?

— Le seul véritable péché dans notre situation, c'est de
perdre espoir. Sois honnête vis-à-vis de toi-même.

— Comment savoir quand on doit être honnête et quand
on ne doit pas l'être ?

— Tu le sentiras, fais confiance à ton intuition.

— Ai-je raison d'avoir peur ? Je ne fais rien de mal. Pourtant, je crains un châtiment imminent, comme si j'avais
commis un acte irréparable.

— Remets-t'en à Dieu.

— J'ai l'impression qu'Il est un peu trop occupé. Est-ce
que saint Jude Thaddée peut faire l'affaire ? Je m'adresse
souvent à lui.

Je n'ai pas vu sa bouche, seulement ses yeux, mais on
aurait dit qu'ils souriaient.

Je suis sortie du confessionnal, sans trop comprendre pourquoi, étrangement revigorée.

La vie à la maison devenait impossible. Non seulement à cause de ce grand-père malodorant, mais surtout à cause des locataires. Ils nous cherchaient sans cesse des querelles qui nous laissaient désemparés car jamais auparavant on ne se disputait. Nous n'avions pas l'habitude de crier. La pire était Marintchia. Plus elle devenait importante dans la hiérarchie du Parti, plus elle se donnait des airs. Son regard était chargé de rancœur et chaque remarque de Grand-Mère suscitait une avalanche de propos désobligeants sur l'oisiveté des anciens seigneurs. Sans compter qu'elle utilisait nos ustensiles, nos dernières réserves de nourriture et ne faisait plus rien à la maison. Il y avait des moutons sous les lits et dans les coins, les vitres étaient si sales qu'on ne voyait pas le temps qu'il faisait au-dehors. L'évier était toujours plein de piles de vaisselle sale. La leur, car nos assiettes, nous les lavions nous-mêmes.

Ce matin-là, à la cuisine, Marintchia s'appliquait de l'oignon cru sur une ecchymose, un vieux remède de paysanne polonaise.

– Ah, *Boże, Boże ty mój*[1], se lamentait-elle.

– Qui t'a fait ça ? ai-je demandé, même si j'avais reconnu la patte de Waldek.

– C'est que j'aurai pas l'augmentation. J'ai été suspendue du Parti.

C'est ainsi que nous avons compris que la carrière de Marintchia s'est trouvée freinée. Elle, si assidue aux réunions du Parti, s'était endormie d'un bon sommeil de

---

1. Prononcer : Bogé, Bogé té mouï, « Mon Dieu, mon Dieu ».

femme de ménage. Elle s'était réveillée au moment des applaudissements et le chapelet qu'elle dissimulait sous la table et égrenait en cachette était tombé par terre à la vue de tout le monde.

– Le problème avec vous, camarade, c'est que vous êtes encore faible en dialectique, lui avait dit le secrétaire. Revenez quand vous serez prête.

– Tu vas te rattraper, l'a consolée Roman. Tu n'as plus besoin de chapelet depuis que Lénine et Staline veillent sur toi.

Nous avons ri mais Grand-Père, d'habitude avare de mots, nous a rapidement remis à notre place. Ses phrases se sont gravées dans ma mémoire :

– Un rosaire, les enfants, c'est un maillon qui nous lie à Dieu. Dans le camp, plusieurs jours de suite, j'ai confectionné un chapelet en mie de pain. Et puis un jour, n'y tenant plus de faim, je l'ai mangé. Et après, j'ai pleuré.

Je n'éprouvais guère de compassion pour Marintchia, pour ses craintes superstitieuses et primitives. J'ai regardé son visage rond comme une lune. Ses canines en acier selon l'esthétique marxiste-léniniste. Ses jambes courtes aux mollets vulgaires, ses pantoufles avachies, sa robe marquée aux aisselles de cernes humides et j'ai pensé : « Ce pays est fait pour elle, de moins en moins pour moi. »

Ce que je n'arrivais pas à faire, c'était à chasser Christian de mon esprit. J'écrivais frénétiquement dans mon cahier :

Je ne sais pas ce que je représente pour lui. Parfois il donne l'impression qu'il n'y a que ÇA qui l'intéresse. ÇA et rien d'autre ! Je ne dois plus me voiler la face : Christian ne m'aime pas comme moi je l'aime.

Alors, pour ne plus penser à lui j'ai cherché à m'abrutir de travail. À peine avais-je commencé à cirer le parquet que j'ai entendu un sifflement venant d'en bas. Mon cœur s'est mis à battre la chamade mais j'ai continué comme si de rien n'était. Peut-être étais-je le genre de fille qu'un garçon laisse tomber, mais je n'étais sûrement pas de celles qu'on sifflait. Au bout d'un bon moment, le sifflement a cessé. Je suis sortie car Grand-Mère m'avait chargée d'obtenir un bon pour le charbon auprès de l'administration. Christian a surgi de la porte cochère de l'immeuble voisin et m'a attrapé le bras. Je me suis dégagée et j'ai continué à marcher.

– Bon, je m'excuse !

– Laisse-moi tranquille.

– Je regrette, voilà ! Est-ce que c'est pas suffisant ?

– Non. Tu n'aurais jamais dû dire ce que tu as dit.

– JE REGRETTE ! Enfin merde !

Il faisait peine à voir. J'ai feint le détachement mais je rêvais qu'il me serre à nouveau dans ses bras. Après tout, ces mots blessants lui avaient peut-être été dictés par la jalousie ? Nous avons tous tendance à excuser ceux qu'on aime.

Nous sommes allés prendre une glace au café Fafik et cette glace a rompu rapidement l'autre. Comme auparavant, Christian était joyeux et désinvolte. Nous avons parlé de couple, de confiance mutuelle, de valeurs à partager. J'étais ridiculement solennelle alors qu'il était ironique et détaché. Ça crevait les yeux, cette différence de tempérament, d'éducation et d'intérêts, n'importe qui s'en serait aperçu mais pas moi. Il a dit que la fidélité était une notion bourgeoise. La monogamie une aberration. J'aurais dû déjà mesurer l'océan qui nous séparait. Mais non. Je continuais à me cramponner à cet amour comme à une bouée de sauvetage.

– Tu devrais lire Sartre, a-t-il conclu. Son essai sur la conscience et la liberté.

– Ce sont deux notions qui ne peuvent pas coexister chez nous !

– Je parle de la liberté d'échapper à l'enchaînement des causes.

Je n'étais pas sûre, une fois de plus, d'avoir compris quoi que ce soit. La seule chose que je commençais à comprendre était que ce que j'attendais de la vie n'était pas réalisable. Je m'étais imaginé qu'il tomberait amoureux de moi et qu'il me proposerait de partager sa vie. Alors je quitterais cette famille de fous pour aller vivre avec lui en France. Cet amour était absolument sans avenir mais je ne voulais pas l'admettre. « Il nous faut du temps, ai-je pensé. À Zakopane, tout s'arrangera pour le mieux, personne ne nous surveillera, personne ne nous espionnera. »

Nous nous sommes quittés dans la soirée, j'ai mis l'adresse de sa pension Biały Potok dans ma poche.

Dans trois jours nous nous reverrions là-bas.

À la maison j'assistais à des messes basses entre Grand-Mère et Grand-Père dont je ne saisissais que des bribes. Il me semblait entendre fréquemment le mot « Zboraw ».

– Sais-tu ce qu'il se trame ? ai-je demandé à Roman.

– Czesław a obtenu une autorisation de travail pour Père. Nous partons après-demain. Tu vas enfin connaître Zboraw, mais il ne faut le dire à personne.

En d'autres circonstances, j'aurais sauté de joie. Toute mon enfance, j'avais entendu Grand-Mère ou Elżbieta évoquer ce nom magique : « À Zboraw ceci, à Zboraw cela », « Voici un meuble qui ressemble à celui de Zboraw », « Un tableau de Zboraw », « La porcelaine de Zboraw ».

Mais là, s'en aller comme ça alors que Christian m'attendait à Zakopane, que Piotr partait en randonnée dans les Tatras avec un groupe d'étudiants des Beaux-Arts, que *pan* Douda s'était vu attribuer un appartement dans une pension réservée aux hauts dignitaires et qu'Iwonka avait eu tant mal à arracher une invitation pour moi ! Depuis des semaines et des semaines je simulais la fièvre pour arracher la permission d'un « changement d'air » ! Tout cela pour échouer au dernier moment ! Pour aller dans un trou perdu ravitaillé par les corbeaux et où, à tout moment, on risquait d'arrêter Grand-Père ! La colère m'étouffait.

J'étais encore bouleversée quand, dans la soirée, je me suis rendue chez Iwonka, prête à tout lui dévoiler. Mais je n'ai pas pu lui parler tout de suite. Toute la famille était réunie dans le salon – que les Douda appelaient « séjour » – et où trônait un poste de télévision. Je n'en avais encore vu qu'en photo.

– La haute technologie soviétique ! Mon père l'a rapporté de Moscou.

La voix d'Iwonka exprimait une fierté incommensurable.

Elle l'a allumé. Son minuscule écran, équipé d'une lentille faisant office de loupe, s'est zébré des lignes horizontales, puis de flocons de neige. Le son ressemblait au bruit d'une radio entre deux stations. On a eu beau tourner les trois boutons dans tous les sens, aucune autre image n'est apparue. La déception se lisait sur le visage d'Iwonka. J'avais envie de rire.

Cette nuit-là, je suis restée dormir chez elle. On s'est serrées l'une contre l'autre dans son lit, j'avais tant besoin de réconfort. En me voyant si désemparée, elle s'est mise à me donner plein de baisers sonores.

– Alors raconte. Qu'est-ce qui va pas ? Tu l'aimes donc si fort ?

– Plus que tout au monde.

– Que t'es bête, ma Bashia. Les hommes n'en valent pas la peine, alors que moi, je t'aimerai toujours. Tu me crois ?

J'ai acquiescé.

– Entre nous, ce n'est pas comme entre un garçon et une fille. Entre nous, c'est à la vie, à la mort. Jure !

J'ai juré.

– Et pas de secrets entre nous ! Le secret, c'est pour les autres. Promis ?

J'ai promis.

– Nous serons toujours les meilleures amies au monde. Jure !

Elle ne m'a pas laissé le temps de répondre. J'ai senti sa bouche sur mes lèvres, elle aspirait ma langue goulûment. J'ai failli suffoquer. Puis elle s'est redressée et a enlevé sa chemise de nuit.

– Il fait bien chaud ici.

Elle s'est blottie toute nue contre moi.

– Viens plus près. Serre-toi contre moi.

Elle a passé sa cuisse droite entre mes jambes. Je n'osais pas bouger ni respirer. Tout se mélangeait dans ma tête.

– Mais on est deux filles...

– Oui, mais... avec un petit plus... Tu sais, deux filles peuvent faire plus que s'embrasser.

Elle a soulevé ma chemise, l'a remontée et remontée encore.

– Ce n'est pas très naturel de faire ça avec sa meilleure amie, ai-je réussi à articuler.

Elle s'est mise à faire des ronds avec son index autour de mon nombril. J'étais tendue mais je l'ai laissée faire.

« On va voir où elle veut en venir », me suis-je dit.

Son doigt est descendu plus bas, puis ses mouvements sont devenus de plus en plus rapides et appuyés. Je me contorsionnais pour me libérer mais brusquement j'ai senti une immense vague remontant du plus profond de moi-même et c'était une sensation si agréable que j'ai fermé les yeux et serré les poings car tout mon corps tressaillait.

Iwonka m'a embrassée de nouveau sur la bouche, a pris ma main et l'a guidée vers ses cuisses.

— Fais-moi la même chose.

J'étais gênée mais je ne voulais pas me montrer trop gourde. Elle me tenait maintenant la main pour me montrer comment aller et venir.

— Mouille ton doigt.

Elle me l'a fourré dans la bouche. Et, guidant ma main, elle s'est mise à se caresser en cercles concentriques en poussant des soupirs.

— À Zakopane je te montrerai d'autres trucs, on va bien s'amuser, a-t-elle murmuré quand elle a arrêté enfin de couiner.

— Je ne peux pas venir à Zakopane, ai-je répondu.

— C'est pas grave. Viens dès que tu peux. Téléphone-moi et je viendrai te chercher à la gare.

— Demain, nous allons à Zboraw. Avec Grand-Père.

— C'est quoi Zboraw ? Et quel grand-père ? Tu m'avais dit qu'il était mort.

— C'est ce qu'on croyait. Mais il est revenu.

— Revenu d'où ?

— De Sibérie.

— Qu'est-ce que c'est que cette histoire ?

Je me suis lancée d'un seul trait. Je lui ai dit que ce grand-père qui était revenu de « là-bas » allait être réhabilité, qu'il avait trouvé du travail dans son ancien domaine, celui dont nous portions le nom, que ce n'était pas un poste de professeur mais de gardien ; et que ce travail, il le devait à son gendre, mais qu'il refusait d'admettre qu'il était le plus gentil des hommes et qu'il veillait sur nous. J'ai ajouté qu'il prenait Czesław pour un membre de la Bezpieka qui pratiquait la torture. Pourtant il lui avait expliqué que si Grand-Père se dégageait de ses préjugés petits-bourgeois, il pourrait devenir par la suite le régisseur du domaine tombé en ruine puisqu'il savait comment faire pour le redresser. Ils avaient trouvé des statistiques datant d'avant-guerre quand le domaine était florissant et il fallait obtenir le même rendement maintenant pour prouver que le PGR, c'était mieux que la propriété privée. Mais tout ça devait rester aussi secret que les vraies statistiques.

– Oh, que c'est ennuyeux tout ça, dormons, a dit Iwonka en bâillant.

Le jour se levait.

J'étais bien.

Je me suis endormie en écoutant le piaillement des oiseaux.

Tout est allé de travers dès le début. Nous avons pris très tôt le bus à la gare routière. C'était un vieux Jelcz bleu tout déglingué. Grand-Père et Roman se sont assis devant, Grand-Mère et moi derrière eux. Il pleuvait à verse. Tout le long du voyage, Grand-Mère n'a pas cessé de répéter : « Ce n'est pas une bonne idée, ce n'est vraiment pas une bonne idée. » Roman, très agité, se parlait à lui-même. Grand-Père s'est endormi ; sa tête branlait au rythme des secousses de la route défoncée. Moi, je ne disais rien, j'étais triste, tous mes projets tombaient à l'eau : plus de vacances, plus de Zakopane, plus de Christian. Et si jamais il passait par Cracovie, il ne saurait même pas où me trouver.

Je regardais tantôt la pluie qui ruisselait le long des vitres, tantôt la nuque rasée du chauffeur. Je voyais ses yeux dans le rétroviseur, ses petits yeux qui nous guettaient. Visiblement, il avait du mal à contenir sa curiosité. La plupart des voyageurs dans ce bus étaient des paysans. « Que font-ils là, ces bourgeois ? » devait-il se dire.

Je pensais à une fameuse prophétie que la nounou m'avait rapportée un jour. J'ai une fascination singulière pour la voyance, même aujourd'hui. Cette prédiction s'était passée avant la guerre. Une Tsigane avait frappé à la porte de Zboraw pour mendier un peu de nourriture. Grand-Mère lui avait donné ce qu'elle avait sous la main : un peu de farine, de riz, des légumes, des fruits. Quand elle avait appris que la pauvre femme était enceinte d'un sixième enfant – les cinq autres attendaient à la maison – elle alla chercher encore quelques vêtements et les ajouta au paquet déjà assez lourd. La Bohémienne s'était emparée de sa main comme pour l'embrasser, l'avait retournée et, promenant son doigt sur les lignes de sa paume, elle avait dit :

– Ta vie sera en danger, *dobra pani*[1]...Tu vas être séparée de ton mari, il vivra loin des siens...

Il paraît que Grand-Mère était devenue blanche comme un linge.

– Mais il reviendra. Lui comme pas lui. Quant à votre demeure, je vois des gens qui y habitent mais ils ne sont pas de ta famille...

– Nous n'avons nullement l'intention de vendre le manoir. Il est dans la famille depuis des générations, s'indigna Grand-Mère.

– Le manoir ne sera pas vendu, *dobra pani*, il sera pris.

– Sottises ! Qui va le prendre ! Les Allemands ? Les bolcheviques ?

– Les nôtres, les nôtres...

Dans le bus cahotant, j'ai regardé le visage de Grand-Mère. Un nouveau pli s'était formé aux coins de ses lèvres, les tirant vers le menton.

---

1. Ma bonne dame.

– Je trouve ça louche. Czesław est bien bon, mais lui aussi risque gros. Les optimistes disent qu'on va vers un dégel. Mais comment y croire, alors qu'ils arrêtent les prêtres et les religieuses ? Et ce n'est qu'un début.

– Tout ira bien, Grand-Mère. Ils disent aussi que tout le monde a droit au travail.

– Leur législation interdit aux anciens châtelains d'approcher de leurs propriétés à moins de cinquante kilomètres et ton grand-père y reçoit, comme si de rien n'était, un poste de gardien !

– Il n'y a plus de châtelains, Grand-Mère. Votre manoir est converti en administration d'un PGR. Grand-Père deviendra l'employé du PGR. Le monde tourne.

– Ça va mal se terminer, je le sens. Un tel choc, après ce qu'il a enduré, peut le tuer ! Des émotions pareilles sont mauvaises pour le cœur.

Sur le siège avant, Roman gesticulait avec ardeur, remuait les lèvres, haussait les épaules. Parfois il acquiesçait, parfois il faisait non de la tête.

Grand-Père s'est réveillé soudainement.

– Pourquoi tu parles tout le temps tout seul !

– Oh rien, j'aime de temps en temps discuter avec quelqu'un d'intelligent, s'est défendu Roman.

Le car a fini par s'engager sur une route non goudronnée qui serpentait entre des champs en jachère envahis de chardons. La pluie avait cessé.

– On n'est pas loin, a dit Grand-Père en regardant par la fenêtre.

Enfin, en pétaradant, l'autobus s'est arrêté sur la placette ombragée du village. À droite se trouvait une petite église en bois. Grand-Père y est entré à grandes enjambées, nous l'avons suivi. La messe venait de se terminer. L'odeur de l'encens se mêlait aux habits jamais lavés. Sur les prie-Dieu, des paysannes à genoux, foulard noir noué sous le menton – ce qui les rendait toutes semblables –, récitaient des prières :

> *Dieu de miséricorde,*
> *À toi nous confions notre Patrie*
> *Notre terre, nos maris, nos enfants…*
> *Ô toi, Dieu qui depuis tant de siècles protège la Pologne…*

Je me suis agenouillée à côté d'elles et j'ai prié : «Seigneur, faites que tout se passe bien, que Grand-Père ne meure pas, lui qui a si courageusement supporté la Sibérie et le reste.» Puis j'ai ajouté dans la foulée : «Faites, Seigneur, que Christian me revienne, que nous nous revoyions bientôt.»

Sur la place, à côté d'une grille entrouverte dont un battant était arraché, se trouvait une maison basse en briques. Une enseigne informait que c'était une *gospoda*[1] et qu'elle appartenait au *Gastrom WZG*, district de Kielce.

– C'est là qu'habitait Jan, notre cocher.

Un bon nombre d'ivrognes se bousculaient devant. Ils nous ont salués, sans dissimuler leur curiosité. Nous sommes entrés et aussitôt on a entendu des murmures dans notre dos. Deux plats se trouvaient au menu : une soupe aux choux aigre et des tripes.

Nous avons demandé du thé qui nous a été servi dans des verres. J'ai vu que les mains de Grand-Père

---

1. Gargotte.

tremblaient, des gouttes de sueur couvraient son front. Il était très pâle. Un boiteux que Grand-Père a reconnu comme un ancien vacher a dit à haute voix à ses compagnons :

– Désormais, fini les propriétaires, fini les exploiteurs, fini les hobereaux et les seigneurs ! Désormais tout est au peuple !

Nous avancions nos bagages à la main le long d'une allée de tilleuls qui embaumaient. Sur les côtés on voyait des machines agricoles abandonnées, certaines réduites à l'état de squelettes, recouvertes de rouille. Nous sommes passés devant une étable qui s'adossait à une ancienne orangerie. Puis nous avons longé trois bâtiments bas et lépreux où, derrière les fenêtres sales, on devinait les habitants, le nez collé aux vitres à nous scruter. Un chien, mélange de toutes races ou peut-être début d'une nouvelle, nous a poursuivis, faisant un tapage infernal. Quand il s'est approché, j'ai pensé que, comme dans l'histoire d'Ulysse, il serait le premier à reconnaître Grand-Père, mais il a seulement montré ses crocs et s'est éloigné.

On a fait un tour par le potager qui n'était plus qu'herbes folles et orties. Des taupinières surgissaient partout dans le parc. Beaucoup d'arbres avaient été coupés car on voyait des troncs et des souches abandonnés.

L'allée nous a menés à un bâtiment au perron surmonté de quatre colonnes, un semblant de manoir, le lointain reflet du *dworek* qu'il avait dû être dans un passé lointain. La façade était décorée d'un portique au-dessus duquel, sur une pierre triangulaire, une date était gravée : 1803. Le crépi découvrait par endroits des briques rouges qui me faisaient penser à des blessures sanguinolentes.

Une voiture blanche ornée d'un ceinturon bleu de la marque Warszawa M-20 stationnait devant le perron et quand j'ai vu ses initiales – MO[1] – mon cœur s'est arrêté.

– C'est un piège ! Sauvons-nous ! Ils sont venus arrêter Grand-Père !

– *Jezus Maria !*

Grand-Mère était blanche comme une morte. Roman a fait un bond, sauté en ciseaux par-dessus un muret et s'est mis à courir vers le bois.

À ce moment-là, deux miliciens sont sortis, traînant derrière eux un bonhomme dont les mains étaient liées devant par des menottes. Il se débattait mais les miliciens tenaient ferme. Il a réussi se dégager et, en se frappant la poitrine avec ses menottes, comme Conrad dans la pièce patriotique de Mickiewicz, il a poussé un cri déchirant :

– Vous pouvez me tuer, m'enfermer, me jeter en prison, jamais vous n'arracherez le communisme de mon cœur !

Un des miliciens lui a donné une torgnole en le poussant à l'intérieur, et la Warszawa a démarré.

– Qui est-ce ? ai-je chuchoté.

– Je ne sais pas, mais sa tête me dit quelque chose.

Un homme, court sur pattes, avec un ventre d'amateur de bière, est sorti du bâtiment que son enseigne désignait comme une *Administration de PGR. Établissement d'État.* Il a décliné son identité mais je n'ai pu retenir tous les titres dont il était affublé : directeur de la maison de la culture, secrétaire de la cellule locale du Parti, *sołtys*[2] du village, que sais-je encore...

1. *Milicja Obywatelska* : Milice citoyenne.
2. Maire.

– Nous avons reçu un ordre de la Centrale de Varsovie de vous engager. À vrai dire, nous sommes déjà assez nombreux ici, mais un ordre est un ordre. Entrez.

En nous voyant éberlués par la scène à laquelle nous venions d'assister, il a ajouté :

– C'est l'ancien secrétaire de la cellule du Parti. Même parmi nous, il y a des êtres cupides et profiteurs. Notre justice est efficace et on l'a démasqué à temps. On a trouvé chez lui des antiquités, des tableaux, des tapis. Abus de biens sociaux. On n'a pas le droit de confondre les biens confisqués aux anciens propriétaires avec les biens légitimes de la Pologne populaire. Entrez, entrez.

Il ne m'a pas échappé que Grand-Père a eu un moment d'hésitation avant de franchir le seuil. Nous nous sommes trouvés dans le hall d'entrée, d'où, à gauche, partait un escalier en pierre, dont l'accès au premier étage était barré par un cordon accroché à la rampe en fer forgé. À droite donnait une porte avec une enseigne en contreplaqué : *Bibliothèque ouvrière et paysanne*. Au fond une autre portait l'inscription : *Administration de la coopérative*. Sur les murs, d'immenses affiches étaient punaisées : «*Aujourd'hui, la Pologne est paysanne et ouvrière*», disait l'une. Une autre expliquait comment soigner un nourrisson. Il y avait aussi une série d'images montrant les lésions causées par les maladies vénériennes. Je n'avais pas besoin de les regarder, je savais à quoi m'en tenir : j'avais déjà lu *Candide*.

Dans l'antichambre qui devait servir de salle d'attente, des numéros récents de *Kraj Rad* et de *La Tribune du Peuple* étaient posés sur une table en formica.

Le directeur nous a conduits dans son bureau. C'était

une grande salle qui avait dû être un salon. Sur les rebords des fenêtres, des pots de fougères cachaient la vue sur le parc et l'étang. La blancheur des rideaux laissait à desirer. Les anciennes moulures avaient été éradiquées, on ne voyait plus qu'un reste d'ornements en stuc au plafond. Un linoléum usé découvrait par endroits un parquet sale. À la place des tableaux on avait punaisé des affiches de quotas de production de riz. Grand-Père les a regardées, tout remué, et a chuchoté :

– Je ne savais pas que pendant que je croupissais en Sibérie, l'humanité avait fait un tel pas en avant. Le riz se met à pousser sur nos terres ? Les communistes ont réussi à dompter l'ingrat climat de Pologne, ça alors !

Roman s'est glissé imperceptiblement devant nous. Il n'avait d'yeux que pour le piano à queue noir luisant avec en lettres dorées : STEINWAY. Il s'est approché sur la pointe des pieds, a soulevé le couvercle et caressé amoureusement les touches.

– Notre piano, a chuchoté Grand-Mère. Le ciel soit loué, ils ne l'ont pas volé.

Le gros s'est rué sur le piano et a martelé le clavier de son poing. Roman a juste eu le temps d'enlever ses doigts quand le couvercle s'est abattu, retentissant comme une détonation.

– Pas touche ! Le piano est propriété d'État ! Apposez ici votre signature et *pan* Andrzej vous montrera votre logement. Seulement, je ne sais pas où vous allez caser tout votre monde ; on pensait que vous veniez seul. Combien de temps comptez-vous rester ?

– Oh, juste quelques semaines.

« Seigneur ! ai-je pensé, je ne supporterai pas cet endroit plus de quelques jours ! »

Un paysan est entré, casquette à la main.

– Te voilà, Andrzej. Va leur montrer où dormir.

Grand-Père s'est retourné et il a blêmi aussitôt qu'il a posé le regard sur le paysan. Ses yeux se sont déplacés vers les fenêtres, puis vers le plafond. Il a levé les bras en l'air, comme s'il voulait étrangler l'homme, puis tout son corps a basculé et il s'est effondré sur le sol dans le bruit sourd d'un arbre abattu par la foudre.

L'homme a voulu le retenir mais il était encore plus pâle que Grand-Père :

– Citoyen professeur, citoyen professeur !

Il a soulevé Grand-Père du sol, l'a jeté sur ses épaules comme un sac de farine.

– Il faut l'allonger.

– Un médecin, vite ! a dit Grand-Mère.

Nous les avons suivis de l'autre côté de la cour où un dortoir tout en longueur avait été aménagé à la va-vite dans le grenier d'un bâtiment qui ressemblait à d'anciennes écuries. Un nuage de poussière s'est élevé et m'a fait tousser quand l'homme a posé Grand-Père sur un lit en fer.

– Un médecin, vite ! a répété Grand-Mère.

Quand j'ai appris qu'il n'y avait pas de médecin au village – il y en avait un à Busko-Zdrój, à une vingtaine de kilomètres, mais il était parti en vacances –, j'ai couru téléphoner à Père. Il n'était pas frais, par la faute d'un *Eiercognac* artisanal de la veille comme il me l'a expliqué, mais j'ai réussi à lui arracher qu'il viendrait par le premier bus le lendemain. J'ai aussi téléphoné à Jadwiga et j'ai entendu qu'elle faisait simultanément son rapport à Czesław, tant elle avait pris l'habitude que son mari trouve une solution pour tout. Quand je suis revenue de la poste, tout le monde parlait à mi-voix, mais Grand-Père était vivant.

Grand-Mère répétait :

– Je l'avais bien dit, le choc était trop grand.

Allongé sur son lit, Grand-Père a repris connaissance et s'est mis à gémir doucement en pressant sa main sur sa poitrine. Il respirait avec difficulté. J'ai contemplé notre logement. Au-dessous des fenêtres aux vitres cassées et obstruées par des lattes en bois, les planches du sol pourrissaient, couvertes de mousse et hérissées de clous rouillés. Des toiles d'araignées comme des hamacs pendaient aux fenêtres. Il faisait chaud, Grand-Mère a ordonné à Roman d'enlever les planches qui bouchaient les fenêtres. L'air a rafraîchi la chambre, et un essaim de moustiques s'est jeté vers l'ampoule au bout d'un fil.

La nuit tombait, je me suis endormie sur mon matelas qui sentait le foin. Cette nuit-là, j'ai rêvé de tous ces châtelains qui habitaient Zboraw jadis, des générations de mes grands-pères et arrière-grands-pères. J'ai cru entendre les portes grincer, les parquets couiner. J'ai assisté aux disputes entre patriotes du clan Potocki et membres de la *Familia* des Czartoryski, aux discordes entre les pro-Russes et les partisans de Targowica, entre les confédérés de Bar et les insurgés de Kosciuszko. Les décabristes se mêlaient aux insurgés de Novembre et à ceux de Janvier[1]. Tous se sont retrouvés déportés en Sibérie.

_____

1. Allusion aux soulèvements de 1830 et de 1863.

Ainsi ont débuté d'ennuyeuses vacances. Je me baignais dans l'étang vaseux, j'arpentais le bois. J'ai vite découvert les endroits où poussaient les fraises des bois et les myrtilles sauvages. J'allais tous les jours vérifier à la poste si, par miracle, une lettre m'était arrivée de Christian. Je savais pertinemment que c'était impossible puisqu'il ne savait pas où je me trouvais et encore moins où se trouvait Zboraw. Moi-même je l'ignorais encore quelques jours auparavant. Je lui écrivais des lettres que je déchirais aussitôt et n'osais envoyer à l'adresse de Biały Potok.

Roman, comme d'habitude, ne nous était d'aucune utilité. Il disparaissait des journées entières pour étudier les parasites dont on ne manquait pas. De temps à autre, de la musique retentissait par les fenêtres du salon du manoir, signe que Roman s'y introduisait subrepticement le soir, quand les bureaux étaient désertés, pour s'exercer à ses fugues et à ses mazurkas. Son cerveau insensé avait assimilé des milliers de notes, de partitions, des formules mathématiques, des poèmes. Grand-Mère l'écoutait avec une concentration rare.

— Je ne sais pas comment il peut jouer sans aucune partition, a-t-elle dit. Cette fugue de Chopin est l'une des plus difficiles. Comment peut-il avoir gardé toutes ces notes en tête depuis tant d'années !

Père avait peut-être raison quand il citait à son propos la théorie de Cesare Lombroso selon laquelle «Génie et folie sont apparentés». Dès que Roman se mettait au piano, son visage fin aux yeux de mage se transformait. La musique tempérait la fureur contenue dans les profondeurs de son être, il revenait apaisé et éclatait moins souvent de son rire imbécile.

Quant à notre grenier, nous l'avions nettoyé avec les moyens du bord. Il n'y avait pas d'eau courante, il fallait prendre un seau et puiser l'eau au puits dans la cour. Il n'y avait pas de toilettes, seulement une cabane avec une planche en bois percée d'un trou, et partout autour bourdonnaient de grosses mouches. De ma vie, je n'avais jamais vu tant de mouches à la fois. L'odeur était insoutenable, alors j'ai tenté de vérifier mes connaissances dans le domaine de la chimie organique, et le premier dimanche, j'ai versé dans le trou de l'acétone et du solvant que j'avais trouvés dans la remise. Jamais je n'aurais pensé que cet Andrzej de malheur s'y rendrait avec une cigarette qu'il jetterait dans le trou. Le feu s'est répandu en quelques minutes, Andrzej avait eu juste le temps de s'enfuir en courant quand l'explosion s'est produite. Le toit de la latrine a été soufflé, un quintal de merde projeté en l'air et Andrzej a abouti sur un tas de fumier à un mètre de là, pantalon sur les chevilles. La détonation s'est fait entendre jusqu'à l'église. Les paysans sont arrivés affolés, l'ancienne cuisinière Józefa fut la première, ses chaussures sous les bras pour gagner de la vitesse.

C'est elle qui par la même occasion a rendu, la première, visite à Grand-Père. Elle a saisi sa main et l'a embrassée à la manière archaïque des paysans. Grand-Père a tenté de l'en empêcher, mais j'ai vu qu'il était ému. Allongé sur son lit, il revenait doucement à lui.

– *Nou nitchiévo*[1].

– Que monsieur me pardonne, dit-elle en essuyant ses larmes. Comme monsieur a vieilli ! Quand monsieur était petit monsieur, je lui préparais son bain, et un jour monsieur a crié : «Je ne te laisserai pas longtemps me torturer ! Dans peu de temps, papa sera mort, maman sera morte, j'aurai Zboraw et je ne me laverai jamais ! »

Grand-Père a souri montrant sa bouche édentée qui s'étirait en une ligne fine.

– Tu vois ma bonne Józefa, tout s'est réalisé : mon père est mort, ma mère est morte, et je n'aime toujours pas me laver. Seulement Zboraw ne m'appartient plus.

– Et comment va *panna* Jadwiga ?

– Elle habite la capitale à présent.

– Je me rappelle encore comme elle avait soigné ma mère quand elle était malade. Et c'est madame votre mère qui avait fait construire le dispensaire. Mais aujourd'hui le bâtiment sert de magasin à la coopérative.

Puis Józefa lui a dit qu'elle travaillait à présent dans ce PGR où ils devaient faire la preuve que le rendement pouvait être plus élevé que celui des fermes qui appartenaient encore aux paysans. Elle se lamentait sur l'état actuel du domaine, les plus beaux arbres abattus dans la forêt pour servir de bois de chauffage, le parquet de chêne brûlé, les cheminées en marbre arrachées, les tuiles du toit volées...

---

1. En russe : « Ce n'est rien. »

– Regardez l'ancien *sołtys*. Il s'était approprié tous les meubles qui venaient du manoir, enfin ceux qui n'avaient pas été volés. Je les ai vus chez lui comme je vous vois. J'y fais le ménage parfois. Au début, les gens se comportaient par ici comme des fauves. Maintenant ils regrettent. Ils souhaitent le retour de l'ancien temps, a-t-elle conclu.

Puis *pan* Królik, l'ancien directeur de la poste, est arrivé. Il portait l'uniforme du facteur, ce qui a étonné Grand-Père. Ils se sont serré la main très longuement et ont évoqué le temps où ils jouaient aux échecs ensemble.

– Qu'est devenu notre ancien postier Wiktor si c'est vous qui distribuez le courrier ? C'était un brave homme.

– Il s'est inscrit au Parti et est devenu directeur à ma place.

– Et pourquoi n'êtes-vous pas inscrit, vous aussi ?

– Trop vieux jeu, *panie* Aleksander.

L'ancien jardinier avait des larmes qui coulaient sur ses joues quand il est venu lui aussi serrer la main de Grand-Père.

– Il paraît que monsieur le professeur a été déporté. Pour quelle raison ?

– Les communistes n'ont pas besoin de raisons.

– Moi, je peux dire à monsieur qui a dénoncé monsieur. C'est...

– Ne dis rien, Franek. C'est sans importance à présent.

– Monsieur se souvient de l'ancien vacher, le boiteux ? Il est commandant de la Milice maintenant.

– Enfin la justice sociale ! s'est émerveillé Grand-Père. Est-ce qu'il a appris à signer son nom au moins ?

Père est arrivé alors que Grand-Père recommençait à

marcher. Il l'a examiné et a diagnostiqué qu'il avait eu un infarctus du myocarde.

— La douleur s'est estompée ?

Grand-Père a tourné son maigre cou de poulet déplumé vers son épaule.

— Sauf là. Qu'est-ce qui fait mal comme ça ?

— Le cœur.

— Je n'ai jamais eu le cœur malade. Tu te trompes, Karol. Si j'avais le cœur malade, je n'aurais pas survécu à la Sibérie.

— À votre âge et après ce que vous avez enduré...

— J'ai cinquante-cinq ans. Au contraire ! On tient mieux !

Père lui a prescrit des anticoagulants et des sympatho-mimétiques, lui a administré de la morphine contre la douleur et lui a conseillé de garder le lit. Puis, il a bu à sa santé la moitié d'une Żubrówka, en refusant de partager avec nous la soupe aux pois cassés, car il ne voulait pas gâcher une bonne boisson avec de la mauvaise nourriture.

Dès que Grand-Père a pu marcher, il m'a demandé de l'accompagner au village.

— Tu aimes la chasse au trésor ?

Toute mon enfance j'avais entendu parler d'un trésor enfoui à Zboraw. Au cours de l'été 39, Grand-Père, comme pour conjurer le sort jeté par la Bohémienne, avait enterré quelques valeurs, de l'or, de la porcelaine, de l'argenterie, de menus objets et des bibelots. Quelques francs suisses aussi. Je nous imaginais déjà à la tête d'une fortune.

Dans une coopérative qui vendait tout et n'importe

quoi, Grand-Père a acquis un stock entier de poudre insecticide et de raticide. Puis, montrant du doigt un instrument qui lui a semblé suffisamment costaud pour faire l'affaire, il a dit :

– Et donnez-moi ça aussi.

– Pour quelle raison voulez-vous acheter une pelle ? a demandé l'employée.

– Oh, comme ça, a marmonné Grand-Père qui, visiblement, ne s'attendait pas à cette question.

– On ne vend pas de matériel agricole « comme ça ». Il faut que je puisse noter sur mon registre votre nom et la raison de l'achat.

– Alors donnez-moi celle-là et ce petit seau pour enfant. Ma petite-fille aime jouer dans le sable.

La dame m'a regardée comme si j'étais une attardée mentale.

Nous avons attendu la tombée de la nuit. Jetant un regard à droite et à gauche, Grand-Père s'est dirigé vers le verger, je l'ai suivi. La lune était presque pleine. Dans la pénombre, les troncs de pommiers peints à la chaux se détachaient comme habillés de bas blancs.

– Qui a planté tout ça ? ai-je demandé.

– Ton arrière-grand-père.

Pendant que je faisais le guet, il a compté ses pas à partir de l'arbre sur lequel nichaient les cigognes. Il s'est arrêté à un mètre du mur recouvert des framboisiers et des groseilliers à maquereaux. Puisqu'il n'avait pas d'outil, il s'est mis à quatre pattes pour piocher avec la petite pelle. De là où je me trouvais, je voyais au-dessus du sol le bout incandescent de sa cigarette qui s'agitait comme un feu follet.

Une voix paysanne s'est élevée derrière nous :

– Pas la peine de creuser.

– Qui est là ?

– C'est moi, Adamek, votre ouvrier. Quand les Russes sont arrivés, ils ont retourné la terre plusieurs fois. Ce qu'ils ont trouvé, ils l'ont emporté. Tenez, dit-il, voici tout ce que j'ai pu sauver.

Nous l'avons regardé, médusés. Au clair de lune brillait un porte-cigarettes en argent massif avec en monogramme les lettres A et Z entrelacées.

– Comment se fait-il que vous ne vous en soyez pas servi ? Vous auriez pu le vendre, s'est étonné Grand-Père.

– Je laisse ce tracas à d'autres, j'en ai eu déjà suffisamment. Pourquoi, moi, un honnête maçon, je devrais passer des nuits blanches en attendant qu'on m'arrête comme un vulgaire receleur ?

Le lendemain, il y a eu d'autres surprises. Franek, l'ancien jardinier est revenu avec sa femme et un petit paquet enveloppé de papier journal sale et gras.

– Je suis resté pour sauver ce que j'ai pu. Quand j'ai su qu'ils s'apprêtaient à retourner tout le potager, voilà ce que j'ai déterré à la hâte.

Grand-Père a enlevé le papier.

– Regarde, Frederyka, la broche que je t'avais rapportée de Paris !

– La broche à Madame, je l'avais mise dans une miche de pain, dit fièrement sa femme. Personne ne s'en doutait. Pendant toutes ces années, elle était dans la crédence.

Un sanglot s'est échappé de la poitrine de Grand-Père.

– Prends-la en souvenir, Kaśka, dit-il.

La femme s'est offusquée :

— Mais qu'est-ce que monsieur veut que je fasse avec des valeurs pareilles ! Je suis pas comme ces bourgeoises qui se font des dents en or. Quand j'ai des caries, je me fais arracher la dent et j'ai la paix.

Un autre paysan a apporté une pendule :

— Je l'ai prise au manoir quand les Allemands sont partis et que les Russes n'étaient pas encore entrés. Je me suis souvenu comme monsieur aimait cette pendule et qu'il la remontait chaque dimanche.

— Mais vous auriez pu la garder pour vous ! Comment avez-vous réussi à la cacher ?

— On a mis du foin et on l'a gardée dans le grenier avec d'autres vieilleries.

— Prenez-la pour vous, je vous la donne. Comme ça vous penserez à moi en lisant l'heure.

— Mais je connais l'heure sans regarder une horloge ! Je sais quand il faut traire la vache, quand il faut donner les carottes aux lapins. Et puis on a un coucou qui sort et qui chante les heures, comme il y a chez le secrétaire.

Un fermier sec et nerveux qui chiquait le tabac a apporté quelques livres. J'ai regardé les titres en lettres dorées : *Éloge de la folie*, *Ecce Homo*, *Faust*, *Don Carlos*, *Métaphysique des mœurs*. Grand-Père a caressé les reliures en maroquin de ses doigts noueux.

— Comme ils m'ont manqué !

— J'aurais pu les lire. Grâce aux cours du soir, j'ai terminé l'école primaire. Le premier de la famille ! a dit fièrement le fermier.

Grand-Père a souri :

– Bravo Maciek ! Et moi, je suis comme toi, le premier de ma famille qui a appris l'utile métier d'agronome.

– *Pan professor* devra s'adapter, ce n'est plus le blé qu'on sème ici, mais du riz.

– Du riz ! Qui a eu cette idée ?

– Un scientifique qui est venu spécialement de Varsovie, au printemps 51. Je ne me rappelle pas son nom, un monsieur d'un certain âge, chapeau de feutre, manteau de ville. Il m'a dit : « Tiens, tu seras le chef. » J'ai été étonné : « J'avais entendu que le riz poussait surtout en Chine. Mais pourquoi pas ? » « Maintenant il poussera chez nous, il suffit de vouloir ! » il a dit. Ils ont écrit dans la presse que le blé c'est archaïque, qu'il fallait du riz pour qu'aucun enfant polonais n'ait plus jamais faim.

– Et alors ?

– Quand je suis devenu le chef, j'ai fait faire des digues. Les gars du village creusaient, mais dans son dos, ils se tapaient le front pour montrer qu'il était toqué. Rien à faire. Ce riz, c'était sa marotte. Il faisait pitié à regarder, il venait tous les deux ou trois jours vérifier, épuisé, affamé – il n'avait même pas le temps d'aller à la coopérative s'acheter un en-cas – il courait dans les champs, regardait chaque plante, puis repartait surveiller une autre ferme expérimentale, dans la région de Kielce. En partant il disait : « Riez, riez, vous allez voir à la récolte. »

– Et il a poussé ?

– Pour pousser, il a poussé. Il a été plus haut que le blé. Maciek a montré la hauteur de sa poitrine. Seulement il n'avait pas de graines. L'ingénieur a dit que tout était ma faute, que je ne savais pas surveiller les paysans. Et que s'il voulait, il pouvait me faire coffrer pour sabotage.

– Il ne savait pas que le riz ne pousse pas sous nos climats ?

– Il a dit que les gènes s'habituaient. Il suffit d'accoutumer une plante au froid et on pouvait semer du café dans les Carpates et du thé en Mazovie.

– Mais après cet échec, ils n'ont pas abandonné ?

– Pas du tout. Nous avons aussi testé le chou d'Abyssinie, le ginkgo biloba, l'aloès et d'autres plantes mexicaines. Ils ont fait venir des étudiants de Cracovie et des lycéens de Kielce. Ils faisaient pitié, ces gosses. En mai, l'eau était encore glaciale, les filles grelottaient. Je les voyais dans l'eau jusqu'aux genoux, elles pleuraient.

– Vous n'auriez pas pu protester ? ai-je dit naïvement.

– Mademoiselle veut rire ! On perd son boulot pour moins que ça ! Tout le monde savait que le riz était imposé par le haut. Combien de temps monsieur le professeur restera ici ? Monsieur n'a pas bonne mine.

– Je suis plus robuste que je n'en ai l'air, Maciek. En Sibérie, je sciais des troncs d'arbres douze heures par jour par moins quarante. Parfois tu sciais et tu te rendais compte que la scie de l'autre côté ne tirait plus. Alors, tu t'approchais, et à la place d'un camarade, tu trouvais un mort.

– Comment avez-vous pu survivre à ça ?!

– La plupart des hommes ne connaissent pas leurs propres limites. Les scientifiques ont découvert que quand l'homme a l'impression d'être au bout de ce qu'il peut supporter, il n'a même pas atteint vingt pour cent de ses réelles capacités d'endurance. Et pour avoir la force de rester en vie, il faut tenir à quelque chose d'autre que soi.

Grand-Père m'a désignée de la tête :

– Ils étaient ma seule raison de vivre.

J'ai eu soudainement honte de mon égoïsme. Cet homme avait besoin de nous et moi, je le repoussais car son arrivée m'avait éloignée de Christian. Je ne l'aimais pas car il empestait la cigarette. Il me paraissait injuste vis-à-vis de sa propre fille car elle avait épousé un homme qui n'était pas à son goût. J'ai soudainement réalisé qu'il avait passé douze ans de sa vie à s'interroger sur la trahison de celui par la faute de qui il s'était retrouvé sur la liste du NKVD et envoyé en Sibérie sans jugement, sans procès, sans accusation précise. Et même si à présent son identité lui importait peu, il n'était pas prêt pour autant à recevoir son gendre à bras ouverts. Il préférait perdre sa fille.

J'en ai eu la preuve le dimanche suivant quand Jadwiga est arrivée, les bras chargés de cadeaux. D'un coup de houppette, elle a fait disparaître la fatigue du voyage et s'est regardée dans le miroir de son poudrier avant de s'approcher pour enlacer son père. Grand-Père l'a dévisagée sans un mot. Il n'y avait aucune tendresse dans son regard. Jadwiga a détourné les yeux comme une coupable.

– Qu'est-ce qu'il fait exactement ton mari à la Sûreté publique ? Il torture ?

Jadwiga a pâli :

– Comment pouvez-vous, Père !

– Tu sais qu'ils tuent encore même en période de paix ? Quel est son rôle exact ?

– Je ne sais pas. Czesław n'a pas l'habitude de se confier. Mais sûrement pas ce que vous venez de dire !

– Je reconnais que pour cette nouvelle Pologne, il exerce un métier utile...

À ces paroles, les yeux de Jadwiga, ces yeux verts improbables ourlés de cils noirs, se sont remplis de larmes. Mais Grand-Père n'a pas cessé pour autant :

– Est-ce que ton mari ne croit réellement pas en Dieu ou bien fait-il semblant à cause de son métier ?

– Je ne sais pas, Père. Tout ce que je sais, c'est qu'il a souffert, lui aussi.

– D'accord, il a souffert, mais il prend sa revanche maintenant. Comme ses amis.

– Czesław n'a pas d'amis.

– Évidemment, il n'est pas admis par les nôtres et il se méfie des siens. Mais il est choyé par le pouvoir en tant que pionnier du communisme.

Jadwiga a sorti une petite bouteille de son sac et bu une rasade sans se cacher de nous le moins du monde. Au bout d'un long silence, elle a repris, l'élocution saccadée :

– Tenir tête à ses geôliers, papa, ne convient qu'à la littérature. Tout homme possédant une once de raison ne s'oppose pas à cette impitoyable machine capable de vous broyer en un clin d'œil. Mon mari dit que vous devriez faire plus attention. Staline n'admettait pas d'autres théories que la lyssenkiste. Alors, pour commencer, par pitié papa, arrêtez de clamer que les caractères acquis ne sont pas transmissibles. Sinon, ils vont regretter de vous avoir relâché si tôt.

– Jadzia[1], je suis un scientifique de la vieille école, je ne peux pas écouter ces sornettes. Je peux concéder que seule la morale n'est pas héréditaire. Nous venons au monde

---

1. Diminitif de Jadwiga.

sans morale et nous l'assimilons au cours de notre vie, comme les bonnes manières, la culture ou le discernement. Chaque être humain fait le choix qui conduit sa vie...

– J'ai fait un bon choix, papa, si c'est là que vous voulez en venir.

Grand-Père s'est tu et j'ai été soulagée. Je supportais mal l'hostilité, ces mots agressifs qui nous échappent et qu'on regrette aussitôt. Je savais trop où Jadwiga irait chercher la consolation – dans la bouteille, comme ils font tous.

Ce soir-là, après le départ de Jadwiga, j'ai écrit dans mon journal :

> J'observe ma famille et je vois comme ils sont malheureux, chacun à sa façon. Chacun à notre manière, nous avons enterré l'espoir d'un avenir meilleur. Jadwiga a épousé un communiste et devient cynique. Roman s'est refugié dans le monde des insectes et de la musique. Père dans l'alcool et les femmes. Moi, je veux tout simplement quitter ce pays. Mais comment ? Et si je devenais bonne sœur ? Les religieuses peuvent une fois dans leur vie se rendre ou à Rome ou en Terre sainte. Il faut que je vérifie cela auprès de notre curé. Qui me comprendrait sinon un prêtre ? Saint Jude Thaddée, bon saint des causes impossibles, toi qui m'as déjà guidée maintes fois, aide-moi. Éclaire-moi : Christian est-il la personne à qui je peux faire confiance ?

Au retour, l'autobus était presque vide. Grand-Mère avait le même air chagrin qu'à l'aller.

– Comment l'abandonner ainsi dans ce pauvre grenier ? a-t-elle dit à voix basse. Comment va-t-il y vivre en hiver ? Il n'y a même pas de vitres. L'appartement de Lvov ou celui de Cracovie n'étaient que des lieux de passage, des haltes temporaires. Zboraw, c'est à la fois le passé, le présent et le futur. Zboraw représentait tout pour lui, tu comprends ?

– Je comprends, Grand-Mère.

– C'est là que nous nous sommes fiancés par une soirée d'hiver.

Grand-Mère avait les yeux brouillés de larmes.

– Et cette terre qui était nôtre n'est à présent la terre de personne. Jamais ces pauvres employés du PGR ne pourront l'aimer comme nous l'aimions. Et une terre dépérit sans amour de l'homme.

Roman regardait pensivement par les vitres. Une chaîne de collines et de champs se déployait à perte de vue.

– Même cela, les communistes ne l'ont pas compris ! a-t-il bougonné.

— Un jour, je vous le dis, eux aussi seront jugés, comme les nazis.

Je n'ai pas répondu. Grand-Mère se cramponnait encore à son sens de la justice d'avant-guerre, Roman se faisait moins d'illusions :

— Foutaises ! Personne ne jugera jamais les communistes pour leurs crimes, ils ont des antennes partout.

Grand-Mère a jeté un regard inquiet autour d'elle.

— Allons Roman !

J'espérais trouver une lettre de Christian en arrivant à Cracovie. Mais rien. J'ai supplié Grand-Mère de me laisser partir à Zakopane. Nous étions le 20 août, jour de mon anniversaire.

J'ai noté dans mon journal :

Aujourd'hui c'est mon anniversaire. 17 ans. Un âge de très vieux chien et de jeune arbre. Aucun vœu de nulle part. Certes, nous fêtons en Pologne le jour de notre saint patron mais comme personne ne m'avait rien souhaité le 4 décembre dernier, à la Sainte-Barbe, j'espérais secrètement un rattrapage. Et au moins un petit mot de Christian. Il a dit qu'en France l'anniversaire, c'est un jour important. Mère, même si ma naissance ne lui a pas laissé un bon souvenir, aurait pu faire un effort. Rien. Pas de carte non plus de Jadwiga. Grand-Mère est trop soucieuse pour se souvenir de telles futilités. Elle a raison. Mon anniversaire, après tout, ce n'est pas un très grand jour comme l'est l'anniversaire de la grande révolution d'Octobre qui se fête joyeusement un mois entier.

Néanmoins, j'ai mis une belle robe, celle que Jadwiga m'avait apportée à Zboraw. J'ai attaché mes cheveux avec un ruban multicolore en bas de la nuque. Comme j'aurais aimé que Christian me voie ! J'ai poudré mon nez et mes taches de rousseur, fourré une jupe, un corsage, une chemise de nuit et une brosse à dents dans un sac à dos et j'ai filé à la gare routière. Dans l'autobus qui me menait à Zakopane, j'ai senti le regard des hommes sur mon corps. Qu'est-ce qui leur plaisait en moi ? Ma jeunesse ? Ou y avait-il autre chose ? Certains me souriaient. Il y en avait un, assis sur le rang de devant, qui n'arrêtait pas de se retourner et qui a même essayé d'entamer une conversation.

Je lui ai adressé un sourire que j'ai immédiatement regretté car la leçon numéro un de l'oncle Roman m'est venue à l'esprit : «Évite toujours de t'engager dans une conversation avec quelqu'un qui t'approche de sa propre initiative. Choisis toi-même tes interlocuteurs.»

Ainsi, quand à l'arrivée il a proposé de porter mon sac et de m'accompagner, j'ai refusé fermement. Je n'avais pas pu prévenir Iwonka, tout s'était passé si vite, mais j'ai trouvé la pension sans difficulté. Iwonka était allongée sur son lit, alors qu'il était presque midi. Elle n'a pas manifesté la joie que j'espérais.

– Je m'excuse. J'ai mal au ventre.

Elle était pâle et semblait avoir perdu du poids.

– Ça va ?

– Pas trop.

Sa mère lui a apporté son déjeuner. Iwonka chipotait dans son assiette.

– Je n'arrive pas à avaler ça.

Elle m'a souri mais ce n'était pas le sourire habituel, aguicheur.

— Tu connais la pension où sont descendus les Français ?

— Je me demande ce que tu lui trouves à ton Français !

Sa voix sentait l'irritation.

— Je ne sais pas… Je suis amoureuse, voilà ce que je lui trouve.

— Il est parti hier.

— Qui ? Christian ? Parti où ?!

— Ah ! Est-ce que je sais ? En France.

Ce n'était pas possible. Christian n'avait pas pu partir sans me le dire ! Il avait dit qu'il resterait tout le mois de septembre, ses cours ne reprenant qu'en octobre. J'ai été saisie d'une angoisse indescriptible. À l'idée que je risquais de ne plus le revoir j'ai eu envie de mourir. Rien ne me rattachait plus à la vie. Je n'avais rien. Rien que cet amour… Et une vie de moucharde.

J'avais une seule idée en tête. Revenir à Cracovie au plus vite, vérifier à la cité universitaire s'il était encore là. Iwonka aurait pu mal comprendre.

Le lendemain, j'étais de retour à Cracovie où, de la gare, je me suis rendue à son *akademik*. La gardienne a fait quelques difficultés mais j'ai réussi à tromper sa vigilance. La chambre de Christian se trouvait au rez-de-chaussée, j'ai frappé, entendu sa voix : « Ouais ! » J'ai ouvert la porte. C'était une petite chambre en forme de plumier. Deux lits s'y touchaient tête-bêche. Christian était assis sur l'un d'entre eux. Et pas vraiment souriant. Je n'arrivais pas à détacher mes yeux de lui. Aucun garçon jusqu'à présent ne m'avait fait cet effet. Ses cheveux avaient poussé, il était bronzé.

— C'est toi ?

J'ai frémi des pieds à la tête.

– Tu attendais quelqu'un d'autre ?

– J'attendais personne. Tu tombes bien. J'ai besoin d'un toubib.

– Un quoi ?

– Arrête tu veux ! Un toubib ! Un médecin quoi ! Putain, ça doit pas être si difficile que ça !

– Christian, chez nous tout est difficile : se procurer un morceau de viande, du café, du sucre, une place assise dans le train, un billet pour le théâtre. Pareil pour le médecin. La seule chose que je peux faire pour toi, c'est t'arranger un rendez-vous chez mon père, mais je te préviens, il est proctologue.

– J'en veux pas de ton spécialiste du trou du cul.

– Tu ne veux pas me dire ce que tu as ?

– J'ai chopé quelque chose...

– À la gorge ?

– Quelle conne ! Non ! J'ai un bouton là.

– Où ?

– Là ! Bon, ça va, je vais me passer de ton aide. J'ai vu la plaque d'un spécialiste à côté de la gare.

– Spécialiste de quoi ?

– Oh, putain ! Il te faut un dessin ? Des maladies vénériennes, idiote.

C'est seulement à ce moment-là que j'ai compris. Ma compassion a immédiatement fait place au dégoût. Je me suis instinctivement éloignée comme s'il était contagieux à travers son pantalon. Le monde s'écroulait. Mon bel amoureux couchait à gauche et à droite. Qui était sa conquête ? « Le caniche » ? Une de ces putes qui rôdaient clandestinement à côté de la gare ? Était-il allé avec ces vieilles alcoolos à moitié folles qu'aucun Polonais ne touchait ?... Comment avais-je pu être aussi naïve ? Le directeur a raison, les Français sont des pervers.

– Joue pas les princesses. Aide-moi plutôt. Viens avec moi, il ne parle sûrement pas français ce toubib. Je ne peux pas rentrer en France avec une chtouille !

– Une quoi ?

– Ce que tu peux m'énerver ! Tu viens oui ou merde ? C'est en plein centre-ville, tu ne peux pas ne pas connaître. À côté, il y a un magasin de vinaigre !

– Christian, tu dois te tromper. Je connais Cracovie comme ma poche. Dans notre ville il n'y a aucun magasin de vinaigre.

Néanmoins, je l'ai suivi jusqu'à la rue perpendiculaire à la gare.

– Tiens, le voilà, a crié Christian en montrant fièrement du doigt le magasin d'alimentation de la rue Lubicz.

En effet, dans ce magasin d'alimentation il n'y avait plus que des bouteilles de vinaigre alignées sur les longues étagères.

Sur l'immeuble à côté, était fixée une plaque en cuivre : *Dr Adam Lewicki vénérologue.*

– Attention, Christian, c'est un médecin privé, pas comme mon père. Il faudra que tu le paies.

La salle d'attente était bondée malgré l'heure tardive. Christian s'est assis sur un tabouret. Normal, c'était lui le malade ; je suis restée debout. Le médecin portait des lunettes rondes aux verres épais comme des culs de bouteille, il était presque chauve et les rares cheveux qui restaient sur ses tempes étaient pleins de pellicules. Il m'a épargné des explications gênantes en s'exclamant que les maladies vénériennes étaient des maux typiquement français, théorie qu'il a largement développée en étalant ses connaissances historiques :

— La chaude-pisse en Pologne se nomme la *frantza* car elle est apparue avec les Français de Napoléon. Reste à savoir à quel stade vous en êtes. Ressentez-vous des douleurs ?

— Oui, quand je la touche.

— N'y touchez pas. C'est très contagieux.

Je traduisais de mon mieux, rouge de honte. Je ne connaissais pas la moitié de ces mots savants en polonais, encore moins en français. Lorsqu'il a dicté à son assistante le compte rendu de l'examen, ça ressemblait à quelques mots près à : « Un citoyen français, âgé de vingt et un ans, se présenta dans mon cabinet accompagné de son interprète, ce jour du 21 août 1953 à 17 h 30. À ce stade de la maladie, nous constatons un chancre cutané de la racine de la verge ulcéro-croûteux simulant un impétigo ou un ecthyma. Le chancre est infiltré à sa base, il a une consistance cartilagineuse et il est de couleur rouge, d'aspect inflammatoire avec sécrétion purulente. »

— On va vous faire un test de Wassermann qui permettra de confirmer mon diagnostic. Mais pour moi, il n'y a aucun doute, c'est plutôt un début de syphilis que de blennorragie.

— C'est qui, ce Wassermann ? a demandé Christian, méfiant.

— Vous irez dans un laboratoire pour demander les réactions sérologiques. Mais il y a une longue attente et vous n'aurez les résultats que dans un mois ou deux.

— Oh, putain !

Ça, je ne l'ai pas traduit.

— Il faut que je fasse une déclaration de syphilis pour vous procurer de la pénicilline.

— Qu'il le fasse tout de suite ! Dis-lui, Bashia ! On va pas attendre ce foutu Wassermann !

— Voici mes honoraires, jeune homme. Et l'ordonnance pour la pénicilline.

En voyant la note, Christian a esquissé une horrible grimace. Je n'ai pas vu combien on lui demandait exactement. Au moment de payer, je m'en suis allée d'un pas ferme et décidé. Et sans me retourner surtout.

Comme je m'étais trompée sur son compte, je n'arrêtais pas de me le reprocher. Il était évident que ça ne pouvait pas marcher entre nous. Nous étions originaires de deux planètes différentes. Le Polonais n'est pas un grand amateur de prostitution, moins par rigueur morale que par préférence pour la boisson. Les Français sont bien différents, j'en avais la preuve. Mais puisque je le savais, pourquoi est-ce que je m'obstinais tant ? Pourquoi est-ce que je continuais à l'attendre ?

Plusieurs jours ont passé sans que j'aie la moindre nouvelle de Christian. Une fois ou deux je me suis demandé à partir de quel moment il perdrait son nez, comme Candide. Était-il rentré en France ? Je n'osais interroger ses camarades, d'ailleurs je ne m'approchais même plus de la résidence universitaire.

Iwonka est revenue de Zakopane et le même jour nous sommes allées au café Fafik.

— Tu sais garder un secret ? a-t-elle demandé pendant que je m'empiffrais d'une *kremówka*.

Elle n'avait pas touché à la sienne et ne souriait pas. Elle était terriblement belle même sans user de ses fossettes. Une fois de plus j'ai ressenti une piqûre de jalousie. Pas tant à cause de son visage ravissant ni de sa peau abricot. Ni à cause de son corps épanoui ou de son bagou. Ce qui piquait ma jalousie, c'était sa facilité à toujours obtenir ce qu'elle voulait. Alors que les choses continuaient d'être toujours aussi difficiles pour moi.

Le souvenir de son comportement de l'autre nuit continuait à me troubler. Mais ce jour-là, je m'en souviens comme si c'était hier, elle avait une mine abattue. Peut-être avait-elle réellement besoin de moi ?

– Tu peux m'accompagner ? m'a-t-elle demandé.

– Où ?

– Rue Mikołajska. Au dépôt-vente.

Un bonhomme avec un verre grossissant coincé je ne sais comment sur un seul œil nous a dévisagées.

– Vous désirez ?

Iwonka a enlevé de son doigt une bague avec une petite pierre verte.

– Je veux vendre ça.

– C'est de l'or, a affirmé le bonhomme en jetant l'anneau sur une balance. Mille deux cents. La pierre ne vaut rien, juste le poids de l'or, s'est-il justifié.

Iwonka a empoché les billets sans un mot.

– Pourquoi tu l'as vendue ? ai-je demandé une fois dans la rue.

– J'ai besoin d'argent.

– Tu ne peux pas demander à ta mère ou à ton père ?

– Pas pour ça.

– C'est quoi *ça* ?

– Je peux te parler ?

– Évidemment ! Je croyais qu'on se disait tout. Depuis Zakopane je vois bien que quelque chose cloche.

– Viens, on va s'asseoir quelque part.

Nous avons marché un bon moment en silence.

– Regarde qui est là !

Le Pe-Wouniak sortait chancelant du bar malfamé Barcelona, une main tendue vers le lampadaire, l'autre cramponnée au mur de l'immeuble. Il ne faisait aucune attention aux passants.

– Maudits militaristes, connards d'impérialistes de mes deux, sionistes, et autres onanistes ! vociférait-il entre deux hoquets. Là-bas, chez eux, les trains déraillent, les fusées tombent, l'acier est de mauvaise qualité, chaque écolier le sait. Et ils osent nous défier, ces chiens de capitalistes !

– Il est complètement ivre, ai-je dit à Iwonka. Il faut le faire taire, il va avoir des ennuis.

– Laisse tomber, a répondu Iwonka.

– Il ne te plaît plus ? ai-je demandé en me souvenant de nos premiers émois face au beau lieutenant.

– Je te le laisse, a-t-elle répondu comme si elle disposait d'un jouet usé. Tu peux tenter ta chance. C'est un cœur brisé, il sera facile à conquérir. Moi, je n'en veux plus.

Elle m'a accompagnée rue Floriańska. Nous nous sommes assises sur le muret de la cour, place habituelle de notre concierge Marek, mais depuis deux jours il était chez nous, fêtant la Saint-Georges avec notre locataire Jurek Kowalski.

– Est-ce que tu te sens bien ? me suis-je inquiétée car elle ne parlait toujours pas.

Malgré son bronzage, elle n'avait pas sa bonne mine

habituelle. Au lieu de me répondre, elle regardait droit devant elle.

– Ton père est là ?

– Oui, mais si tu as besoin d'une ordonnance, il te faudra attendre jusqu'à lundi. Le dimanche, il est hors service. Tu comprends, c'est la Saint-Georges...

– Je crois que je suis enceinte.

– Oh, mon Dieu !

Puis j'ai posé la question qui me brûlait les lèvres :

– Qui est l'heureux géniteur ?

– Peu importe. Il faut que je m'en débarrasse.

– Quoi ? Tu sais que c'est un péché !

– Pas de morale s'il te plaît ! T'es pas à l'église.

– Qu'est-ce que tu comptes faire ?

– Ton père est bien médecin. Il peut m'arranger ça ?

– Jamais il ne fera cela ! Tu veux qu'il finisse en taule !

– Que t'es bête, Bashia. Ce n'est pas la première fois... Il est l'ami de toutes les filles... modernes...

Me sont subitement revenues en mémoire ces étranges messes basses entre Père et la voisine Salawowa. Je me suis rappelé la fille aînée du concierge Marek. Et l'étrange maladie de Marintchia. Et si c'était vrai ? Iwonka aurait pu avoir des renseignements par son père. Roman disait que la Bezpieka était formée par les Soviétiques et que comme le KGB, elle possédait des fiches sur tout le monde...

– Si tu ne veux pas en parler à ton père, je peux toujours trébucher dans l'escalier. Sauter d'une armoire. Il y a aussi mille recettes de nos grands-mères : prendre un bain bouillant, me procurer de la quinine. Ou carrément aller voir la dame Cholewa, rue Bracka. Mais il paraît qu'elle fait ça avec des aiguilles à tricoter, les mêmes que celles avec lesquelles elle tricote des cache-nez pour son mari.

– Qu'est-ce que tu attends de moi ?

– Que tu m'arranges ça avec ton père. J'ai l'argent s'il le faut.

– Jamais ! Jamais ! Mon père ne fait pas ces choses-là !

– Comme tu veux. Je pensais que nous étions amies. Je me suis trompée.

Son visage crispé avait perdu sa beauté. Elle s'est levée et est partie. Et je suis restée comme une idiote, là, sur ce muret, avec mes remords et mon sentiment de culpabilité comme si c'était moi qui étais enceinte.

Pendant une semaine entière j'ai essayé d'aborder le sujet de l'avortement avec Père. Peine perdue. Il se réfugiait derrière ses pirouettes habituelles, me pinçait la joue et demandait si je connaissais mes tables de multiplication comme quand j'avais sept ans. Il ne voyait pas, ne voulait pas voir que j'avais grandi. Mais peut-être était-il aussi expéditif parce qu'une autre créature était apparue dans son sillage ? Originaire de Katowice en Haute-Silésie, ville que le gouvernement polonais dans son adulation pour l'URSS venait de rebaptiser Stalinogrod. La nouvelle conquête était une blonde trop maquillée, comme le sont souvent les Polonaises. Elle est arrivée rue Floriańska perchée sur des talons aiguilles et est restée jusqu'au lendemain.

Roman a immédiatement fait un commentaire sur le rouge qui avivait ses lèvres :

– Très drapeau soviétique.

Elle m'a tendu une main molle aux longs ongles vernis d'un rouge assorti.

– Ravie de faire ta connaissance.

D'après le ton de sa voix, c'était loin d'être le cas.

« Danger ! me suis-je dit. Père ne flirte pas, il épouse. »

– Vulgaire, a constaté Grand-Mère.

– Dans le goût de l'époque, a corrigé Roman.

En présence d'une femme, Père montrait un empressement délicat mais bref. Je me demandais comment il pouvait malgré cela plaire autant.

– Les femmes cèdent toujours, il faut juste leur donner un laps de temps suffisant pour vaincre les remords.

– Alors pourquoi en changez-vous si souvent ?

– C'est leur faute. Elles vieillissent.

Le dimanche suivant, j'ai pensé à Christian durant toute la messe sans même écouter le sermon. En rentrant de l'église, je l'ai trouvé devant notre immeuble. Il avait perdu tout entrain, toute sa charmante arrogance. Il marchait les jambes écartées.

– Ça va ? ai-je demandé en évitant de toucher sa main.

– Pas très fort.

Sa voix était faible mais en colère. Il maudissait l'incapacité de la médecine polonaise, la lenteur des laboratoires, l'inefficacité des médicaments.

– Les antibiotiques n'ont eu aucun effet ! Ma verge continue de gonfler, dit-il en se grattant.

J'ai décidé d'alerter Père. Après tout, dans son métier, il avait dû en voir des vertes et des pas mûres. Je l'ai rassuré d'office : sa fille chérie n'avait pas couché avec ce dépravé de Français.

Le lendemain j'ai emmené Christian à la clinique rue Copernic. Il devenait docile comme un agneau. Dans la salle d'attente, l'infirmière lui a donné toutes sortes de formulaires à remplir puis a apporté le thermomètre de routine. Avant que j'aie eu le temps de réagir, Christian a baissé son pantalon et fourré le thermomètre dans son derrière.

— Pervers ! Que fais-tu ! a hurlé l'infirmière. Dans un pays civilisé, le thermomètre se met sous l'aisselle !

Je voulais expliquer à Christian que c'était le seul thermomètre pour tout l'hôpital mais je n'ai pas eu le temps, Père est sorti et a demandé à Christian de passer dans son cabinet. Il avait une lampe allumée sur le front qui le faisait ressembler à un spéléologue. Les patients qui attendaient leur tour depuis plusieurs heures nous ont dévisagés avec curiosité.

— Tu peux attendre un moment dans la pièce d'à côté ?

Par la porte entrouverte j'entendais les questions habituelles sur le nombre de selles. Je n'avais pas besoin de traduire, le français de Père, à part le *r* qu'il roulait, était meilleur que le mien. Après quelques secondes, j'ai entendu un rire tonitruant. J'étais horrifiée. Décidément, Père ne respectait rien alors que même Voltaire avait pitié du pauvre Candide. Je n'aurais jamais dû emmener Christian ici. C'est bien connu, les médecins perdent tout sentiment de compassion. Comme les employés des pompes funèbres après leur centième enterrement.

Père a appelé son assistante.

— *Panno* Agnieszko ! Apportez-moi un scalpel.

N'y tenant plus, j'ai crié à travers la porte :

— Vous n'allez pas l'amputer de son... !

Père riait de plus belle.

Mlle Agnieszka a émis un curieux ricanement, sans

doute impressionnée par ce que Christian lui a montré.
J'entendais la voix de Père :

– Vous voyez, mademoiselle, cette lésion nodulaire de
deux centimètres de diamètre cerclée d'une zone enflam-
mée ? C'est un banal furoncle, je dirais. Et là, en plein
milieu de la lésion, cette petite tache noirâtre d'où sourd
un peu de sérosité rosée, cela ne vous dit rien ?

En passant un peu la porte, je voyais maintenant la tête
de *panna* Agnieszka qui se penchait, ses longs cheveux
retenus par un élastique sur son dos.

– Il s'est trompé, notre grand spécialiste le docteur
Lewicki. Pas étonnant que les antibiotiques n'y aient rien
fait. Où avez-vous traîné, jeune homme ? Dans les bois ?
Vous avez passé une nuit dans une meule de foin ?

– Pourquoi ? gémit Christian comme si sa dernière
heure sonnait.

– Vous connaissez les tiques ? Vous n'en avez pas en
France ? Avons-nous de l'éther ou de la paraffine, *panno*
Agnieszko ?

– Non, docteur.

– Dommage, tout dérivé de pétrole aurait pu faire
l'affaire et m'aurait dispensé de couper la...

– Vous allez la lui couper ?

Ma patience était à bout. Père continuait à rire.

– Mais ce n'est pas ce que vous pensez, les enfants. Tant
pis, nous ferons une petite incision. Nous allons guérir ce
jeune homme grâce à une légère pression à la base de la
lésion qui va nous permettre d'extraire la tique sous anesthésie locale.

– Quelle tique ?

– C'est une larve de tique qui s'est introduite dans cet

endroit, et comme vous n'arrêtez pas de vous gratter, cela s'est enflammé.

Christian s'est mis à rire lui aussi comme un imbécile.

– Il est génial, ton père ! Combien je vous dois, docteur ?

– Je ne demande jamais d'honoraires aux amis. C'est vulgaire ! a feint de s'indigner Père.

Le dimanche suivant, pour remercier Père, Christian a apporté une bouteille à la maison. Père a lu l'étiquette – *Calvados* –, apprécié son bouchon en liège. L'ayant reniflée, il a rempli deux verres et en a tendu un à Christian.

– *Na zdroviè.*

À peine quelques minutes après, on a entendu frapper à la porte du petit salon. Notre locataire Kowalski avait un flair de limier quand il s'agissait d'alcool.

– On s'en jette un derrière la cravate et on n'invite pas les amis ? Hé, petit docteur, combien de vies vous avez sauvées cette semaine ?

Père aimait bien exagérer ses responsabilités.

– Deux infarctus, une appendicite, un viol…

– Une jeune fille ?

– Non. Un grand-père ! Non mais vraiment, je suis tombé bien bas pour être obligé de partager un si bon breuvage avec un rustre pareil.

Néanmoins hospitalier, il lui a rempli un verre.

Kowalski a levé son verre et regardé en connaisseur sa couleur. Puis il l'a dégusté à petites gorgées en claquant sa langue contre le palais.

– Pas mauvais du tout. Artisanal ? *Mamzelle* peut demander à *moussiu* qu'il nous donne sa recette ?

Christian le regardait médusé.

– C'est qui ce type ?

– Notre locataire. Tu ne trouves pas la vie en collectivité formidable ? Vous avez ça en France ?

– Non. Qu'est-ce qu'il fait dans la vie ?

– Ah, ça, personne ne sait exactement. Il paraît qu'il est ce que tu appelles syndicaliste. Et une cheville ouvrière du Parti. Tu peux le considérer en camarade, vous êtes du même bord.

Christian ne prêtait aucune attention à mes remarques caustiques et continuait à fixer Kowalski avec fascination. Celui-ci remplissait ses joues du liquide doré comme quand on se lave les dents, sauf qu'il l'avalait. Puis il se passait la langue sur les lèvres avec délectation.

– Ça cogne fort, a-t-il dit avec admiration.

Au troisième verre la peau de Kowalski est devenue olivâtre. Au quatrième, elle oscillait entre le vert pomme et le vert amande.

Père en revanche devenait livide.

– Arrêtons ce calvados. J'ai mal au foie.

Une idée alarmante m'a traversé la tête : « Il va se tuer à force de boire ainsi. »

– C'est la faute de ton Français. Nous appartenons à la culture seiglo-pomme-de-terrienne, ton copain avec son calvados n'a rien compris à nos mœurs. Sous nos latitudes, c'est du poison.

« Pourquoi boit-il autant ? ai-je pensé une fois de plus. Qu'a-t-il de si terrible à oublier ? »

– Bashia, mon trésor, demain matin j'ai deux opérations, il faut que je sois en forme. Allez m'acheter un honnête breuvage, les enfants.

– Mais c'est dimanche, les magasins sont fermés, ai-je objecté.

– Là, c'est toujours ouvert. Jour et nuit.

Il a griffonné quelque chose sur un morceau de papier et m'a tendu un billet de cent zlotys.

– Tu frappes deux coups rapides suivis d'un long.

M'opposer n'aurait servi à rien. J'ai regardé l'adresse : *pani* Lis, 15, rue Dzerjinski, rez-de-chaussée.

Pendant tout le trajet je n'ai pas adressé la parole à Christian. Mes sentiments pour lui étaient si confus que je ne savais plus où j'en étais.

L'immeuble était crasseux et sentait l'urine de chat, encore plus que le nôtre. Le palier était plongé dans une semi-obscurité, le plafonnier ne fonctionnait plus ou bien quelqu'un avait volé l'ampoule.

– Je viens de la part du docteur Zborawski, ai-je dit à travers la porte.

Une voix rauque a demandé :

– Combien bouteilles ?

– Une.

– Il est malade ? s'est inquiétée la voix que je n'arrivais pas à attribuer à un sexe plus qu'à l'autre.

J'ai vu l'œil qui nous observait à travers le judas. Puis la voix a dit :

– Qui c'est celui-là avec toi ? Je l'ai jamais vu.

J'ai fait des présentations en règle, oubliant toute l'absurdité de la situation.

– Je vous présente un ami français.

– Ma sœur aimerait faire sa connaissance. Pour cent zlotys.

J'ai failli m'étrangler. Christian a demandé de quoi il s'agissait.

– Il te propose sa sœur pour cent zlotys, ai-je réussi enfin à articuler.

– Qu'il la montre, a dit Christian.

– Mais tu n'y penses pas ! me suis-je écriée.

Au même moment la porte retenue par une chaînette s'est entrouverte et une fillette est apparue. Elle ne pouvait avoir plus de treize ou quatorze ans. Malgré la pénombre, on distinguait son rouge à lèvres et ses yeux maquillés façon Cléopâtre qui contrastaient étrangement avec son pâle visage d'enfant. Elle a esquissé un sourire à l'intention de Christian. J'étais au bord de la syncope.

– Non, *dziénkouïè*[1], a dit Christian.

La voix dans la pénombre s'est mise à vociférer :

– Il est pédé ou quoi, ton copain ! T'es pédé ? *Sukin syn*[2] ! Pédé, ce mangeur de grenouilles !

J'ai pris la bouteille, glissé les cent zlotys par la fente et j'ai tourné les talons. Pendant tout le trajet je ne me suis pas retournée. Il m'était indifférent à présent de savoir si Christian me suivait ou pas.

---

1. Merci.
2. Fils de chienne.

En septembre l'école a recommencé et avec elle ma hantise du directeur. Si je voulais passer mon bac, je n'avais d'autre solution que de retourner dans l'antre de l'ours mais je retardais ce moment chaque jour. Un matin, alors que je descendais l'escalier, il m'a coincée avec son rictus habituel :

– Alors, quoi de neuf, mon petit ? Déjà deux semaines depuis la rentrée des classes et tu ne viens toujours pas me voir ? J'aurais pourtant juré que tu aurais plaisir à me raconter tes vacances...

– J'allais le faire, monsieur le directeur, seulement il ne s'est rien passé d'intéressant.

– C'est à moi d'en juger. Toi, tu dois seulement me relater les endroits où tu es allée, ce que tu as fait et qui tu as vu.

Krostak me terrifiait et en même temps réveillait en moi une haine que je ne soupçonnais pas. Qu'est-ce qu'il se passait dans sa tête ? Pourquoi me détestait-il tant ?

Quand à la grande récréation j'ai poussé la porte de son cabinet, il était assis derrière son bureau et parlait au téléphone. La personne au bout du fil devait être très importante car il arborait un air humble qu'on ne lui voyait pas d'habitude.

– C'est ça, c'est ça, camarade, c'est ça, répétait-il.

Il buvait du thé presque noir dans un verre épais.

En un éclair de seconde une pensée a traversé mon esprit. Je pourrais l'empoisonner, personne ne me soupçonnerait. Je lui verserais de l'eau de muguet dans son thé. Il ne s'en apercevrait même pas tellement il était fort. Il suffit de tremper un bouquet de muguet pendant une semaine dans un vase, puis d'utiliser cette potion. Roman m'a confirmé que les Médicis l'utilisaient déjà pour supprimer leurs ennemis.

Krostak a raccroché et immédiatement abordé son sujet favori :

– Alors, ton mangeur de grenouilles, tu le vois toujours ?

– Pourquoi le mangeur de grenouilles ? On mange plein d'autres choses en France.

– Ne fais pas l'imbécile, tu sais bien que les *Frantzouzy* mangent des grenouilles. Pas la peine d'aller en France pour ça. Nos étangs sont pleins de ces saloperies.

– Je ne veux pas aller en France pour ça.

– Alors pour quoi ? Pour fuir le communisme ? Sache qu'il y a davantage de communistes en France qu'en Pologne. Nous avons des statistiques.

J'ai pensé naïvement l'apaiser en acquiesçant :

– Vous avez raison, monsieur le directeur. D'ailleurs, Christian Le Goff est un camarade communiste…

– Ça, nous vérifierons…

– Puis-je rejoindre la classe, monsieur le directeur ? Nous avons un contrôle d'histoire aujourd'hui, je n'aimerais pas recevoir une mauvaise note si elle doit compter pour le bac.

– Si tu ne te conduis pas convenablement, le baccalauréat, tu l'oublies.

Je me sentais pâlir. Krostak m'observait avec insistance.

– Mais ne t'en fais pas. On a déjà trop d'intelligentsia dans ce pays. Allez ! File ! Et à tout à l'heure.

Plus tard, j'ai souvent pensé à cet après-midi où je devais retourner chez le directeur et où au dernier moment j'ai préféré courir à un rendez-vous avec Christian. Une étincelle dans mon esprit s'était pourtant allumée comme lorsqu'on pressent un danger. Mais je l'ai éteinte, Christian m'attendait chez Kapusta et renoncer à lui était au-dessus de mes forces – il représentait la seule joie de ma vie.

Dès que je l'ai aperçu à travers la fenêtre j'ai éprouvé une bouffée d'amour.

Christian ne s'est pas levé comme il est d'usage en Pologne quand un garçon attend une fille. Il m'a saluée d'un hochement de tête désinvolte.

– Te voilà.

Il beurrait consciencieusement une brioche, puis la trempait dans son café au lait et la portait, toute dégoulinante, à sa bouche.

« Heureusement que Grand-Mère ne voit pas ça, elle serait horrifiée », ai-je pensé.

Sa mèche rebelle balayait son front, il dégageait autant d'énergie que d'insolence. Et de nouveau il m'a parlé de livres que je n'avais jamais lus, de chansons que je ne connaissais pas, de poèmes dont je n'avais jamais entendu parler, de films dont j'ignorais même l'existence. Je l'écoutais et je pensais : Comme les autres garçons paraissent ennuyeux à côté de lui !

L'amour est un miracle. En dépit de ma déception, j'ai eu envie de me blottir dans ses bras, peu importe ce qui devait arriver. J'ai oublié Krostak et ses menaces.

La situation dans le pays ne s'améliorait pas. En plein après-midi, alors que je passais devant l'église Saint-Florian, une scène m'a glacée de terreur : deux miliciens armés encadraient notre aumônier et le poussaient dans le panier à salade stationné juste devant. Machinalement, j'ai fait le signe de croix. Il m'a vue et m'a envoyé un sourire.

Je suis malgré tout entrée dans l'église. Comme pour me prouver que je n'avais pas peur. Que les malheurs n'arrivaient qu'aux autres.

L'église était déserte. Je ne pouvais même plus me confier à un prêtre !

Un soir, Roman a appris par sa radio clandestine que le palais épiscopal à Varsovie avait été perquisitionné. Le cardinal Stefan Wyszynski, archevêque de Varsovie et primat de Pologne, avait été arrêté par des agents de la Bezpieka et emmené on ne savait où.

— Voilà que nos bien-aimés communistes se mettent à combattre Dieu en personne comme s'il était un vulgaire rival, dit Roman. Ce qui me fait plaisir, c'est que pendant l'opération, un de ces sbires a été mordu à la jambe par le chien du cardinal. Le cardinal a été bien bon de lui faire un pansement, moi, je lui aurais mordu l'autre jambe.

– Qu'est-ce que cela signifie, Roman ? Vont-ils cadenasser les églises, nous en interdire l'accès ? ai-je demandé.

– Si une personne connaît la réponse à cette question c'est bien le père de ton amie Iwonka. C'est un grand ponte de la Sûreté publique, non ?

Malgré mes efforts de réconciliation, Iwonka me battait froid. Quand je lui parlais, elle faisait semblant de m'ignorer. Son regard hautain fixait un point au-dessus de ma tête. Je l'ai regardée à la dérobée, guettant les signes sur son ventre, comme si en ces quelques semaines écoulées je m'attendais à la voir proche de l'accouchement. Elle s'était fait couper les cheveux et cette nouvelle coiffure lui donnait l'air terriblement adulte.

« Attendons les premières dissertations, me consolais-je en moi-même. Elle aura besoin de moi pour les rédiger. »

Chaque matin, je remettais les devoirs faits aux camarades de classe et j'empochais mes zlotys devant ses yeux. Mon pactole augmentait rapidement et les thèmes étaient toujours orientés pour nous faire avaler des âneries grosses comme la nouvelle banderole tendue entre notre immeuble et celui d'en face. Sur cette banderole, une main du peuple pacifique, c'est-à-dire la nôtre, saisissait au collet les impérialistes qui nous voulaient du mal. Le premier jour où elle avait été accrochée, l'oncle Roman avait essayé de pisser par la fenêtre mais Père l'avait tiré par la ceinture.

– Arrête, petit con ! Tu veux nous faire fusiller tous ?!

– Quoi ! On fusille pour un besoin physiologique ?

– Pour une profanation, crétin des Carpates ! Mais tu n'as rien dans le crâne, ma foi !

Malgré son comportement de gamin, Roman me surprenait par ses jugements et par l'étendue de ses connaissances. Bien souvent, je le soupçonnais de jouer à l'idiot. J'ai partagé mes impressions avec Grand-Mère mais elle a coupé court :

– Si quelqu'un est incapable de s'adapter à la vie, le savoir ne lui sert à rien.

– Pour quelle raison l'oncle Roman ne s'est-il jamais marié ? S'il cessait ses rires sarcastiques, il serait même assez beau.

– Tu le trouves beau, toi ? a ricané Père.

– Bah, oui.

– C'est de ce type de beauté que tombent amoureux les homosexuels. La beauté n'est qu'une source de malheur pour un homme. Une femme, oui. Elle, elle ne souffrira jamais d'être trop belle.

Comme ils étaient différents, les deux frères ! Père, un ivrogne doux et gai, irrésistible de drôlerie, et Roman, toujours fiévreux et rouspéteur. Père, avec son aspect viril et Roman avec ses yeux myosotis aux longs cils presque féminins.

« Des yeux comme ceux-là doivent ravager le cœur des filles, ai-je pensé. Et je suis sûr qu'il ne s'en rend même pas compte... »

Le jour où nous avions pour thème : « L'effort de l'Union soviétique pour préserver la paix dans le monde », Iwonka s'est approchée de moi.

— Tu veux pas venir chez moi ce soir ? Nous pourrions regarder la télé ensemble.

« Te voilà », ai-je pensé en essayant de donner à ma voix un ton le plus neutre :

— Si j'ai le temps… J'ai une vingtaine de rédactions à finir… Cette année, je ne sais pas pourquoi, toute la classe me demande un coup de main…

Je n'avais pas exagéré. Dès le début de l'année, mes camarades avaient déclaré forfait alors qu'aucun thème ne me décourageait. J'utilisais tous les clichés des journaux. J'arrivais à trouver des éléments de critique sociale chez tous les auteurs étudiés. J'étais implacable pour fustiger les nobles et les bourgeois, le clergé, prendre la défense des paysans opprimés, mettre en valeur la classe des travailleurs.

Un jour que Roman a lu par-dessus mon épaule, il a souri avec satisfaction :

— C'est bien, ma petite Bashia. Ils ne t'ont pas encore contaminé le cerveau. Dans ce pays, il est nécessaire de posséder la ruse du renard, la souplesse du roseau et l'insensibilité d'un espion.

— Krostak, le directeur, veut justement que j'en sois un. Si je ne lui apporte pas des renseignements utiles, il me collera au baccalauréat.

— Ne t'en fais pas. Maintenant, tant d'imbéciles réussissent leur bac que toi aussi tu l'auras.

— On dirait que je suis sa cible préférée. Pourquoi s'acharne-t-il sur moi ? Particulièrement sur moi ?

— Il a été façonné pour nous détester, Bashia. Ou bien c'est un grand zélateur ou il a des raisons qu'on ignore pour se racheter aux yeux du pouvoir. Certains devancent d'eux-mêmes l'attente soviétique.

– Qu'est-ce qui pousse ces gens à travailler pour le régime ?

– Les avantages en nature : priorité de logement, obtention de postes bien supérieurs à leurs compétences. Certains donnent tout simplement libre cours à leurs penchants, l'envie de puissance est particulièrement enivrante chez les médiocres. Il faudra faire avec, ils se multiplient comme des champignons après la pluie. La Bezpieka a sans cesse besoin de chair fraîche. Mais tu sais, ils ont fait une analyse d'efficacité des agents, à peine quinze pour cent informent réellement. Ils ne vont pas t'embêter longtemps. Ils ne recrutent plus de femmes.

– Ah bon ? Pourquoi ?

– Pas un élément stable. Elles sont trop émotives, à cause de l'instinct familial. Trop vulnérables aux sentiments amoureux.

– Donc ils ne recrutent que des hommes ? Quel profil ?

– Plusieurs ! Un complexé pour commencer. Tu vois ce que je veux dire, un mec avec une gueule toute grêlée, des choux-fleurs à la place des oreilles, un bâtard. Les humiliés, quoi, qui prennent leur revanche. Ou bien un homosexuel qui se camoufle derrière une bobonne et un gosse. Ou un fils d'aristo qui doit se racheter pour faire oublier ses déplorables origines. Certains n'ont pas le choix, la Bezpieka a fouillé dans leur passé et les tient par le chantage. Mais pas toi, tu peux dormir tranquille. Si tu tiens bon, Krostak se lassera et cherchera une autre poire.

– Je tiendrai bon, ai-je répondu. Je le hais trop fort pour fléchir.

Ce soir-là, ma visite chez Iwonka a été interrompue par l'arrivée inopinée de ses parents en pleine scène de ménage. Sa mère sanglotait. Son père expliquait à sa femme ce qu'il pensait d'elle. Il s'aidait avec un poing qu'il brandissait comme une massue. Il était soûl comme une barrique, des vapeurs d'alcool s'échappaient presque de ses oreilles, de sa bouche et de son crâne dégarni. Il faisait tinter ses médailles quand il se penchait sur sa femme qui le repoussait des deux mains. J'ai pensé qu'Iwonka défendrait sa mère et j'ai dit :

– Ça leur arrive souvent de se disputer ? Il ne la bat pas au moins ?

Iwonka a fait la moue et dit :

– Ma mère s'ennuie. Elle est désœuvrée, elle n'a personne d'autre que mon père et moi à qui rendre la vie impossible.

Et moi qui lui enviais cette mère attentionnée et aimante ! N'empêche, que n'aurais-je donné à l'époque pour avoir une mère, rien que pour me rendre la vie « impossible » de cette manière !

J'ai rapidement pris congé et j'ai déguerpi. En haut de l'escalier, Iwonka a crié derrière moi :

– La semaine prochaine, n'oublie pas, c'est mon anniversaire. Dix-huit ans. On fera une fête à tout casser, mes parents seront pas là. Ah, j'allais te dire... tu ne devrais pas t'afficher autant avec ton Français, tu te compromets.

« Elle est jalouse, ai-je pensé. Elle aimerait être la seule à avoir des amoureux » mais je n'ai rien dit. J'ai esquissé un sourire entendu puis j'ai tourné les talons.

Assoiffée du moindre mot gentil, surtout après les rencontres mouvementées avec Christian, je ne résistai pas à la tentation de passer quelques instants chez Piotr. Son appartement, comme à l'accoutumée, puait la térébenthine et la peinture à l'huile. Il y régnait un joyeux désordre comme si on déplaçait sans cesse des meubles. Piotr peignait ses tableaux avec rage, chaque semaine il en achevait un nouveau. Il s'interrompait dès que j'arrivais, sortait mes gâteaux préférés, préparait un thé et je pouvais prendre autant de sucre que je voulais. Nous nous asseyions sur des coussins par terre, il m'entourait de ses bras comme pour me protéger, me caressait les cheveux. Ses paumes sentaient le dissolvant. Un jour, il a pris mon visage entre ses mains et l'a regardé comme s'il voulait en fixer l'image dans sa mémoire de peintre.

– Tu es vigilante comme une biche aux abois. Tu ne peux pas me le cacher, je connais l'inquiétude.

« Pauvre tourmenté, ai-je pensé. Que peux-tu pour moi ? Tu n'as pas de problèmes avec Krostak, toi. »

Je lui faisais pourtant confiance, mais lui avouer à quel point j'étais terrorisée par le directeur ne servirait à rien. Il n'aurait pas compris.

En dépit de sa touchante tendresse, je ne me voyais pas tomber amoureuse de lui. Même quand il peignait mes portraits, je ne me sentais pas flattée. Je ne voulais pas être sa muse ni son égérie. Il créait autour de lui un monde irréel que j'étais incapable de partager. Je ne trouvais aucune beauté dans ses toiles même si les dernières étaient plutôt mieux. Une lumière étrange y rayonnait et le point de vue aussi était différent, comme si le peintre regardait la scène qu'il représentait de haut, du ciel peut-être.

« Enfin il renonce à ces oiseaux de proie si effrayants que je m'attends à entendre leurs cris », me suis-je dit.

Le lendemain, j'ai vu que je m'étais réjouie trop vite. Il avait ajouté la touche finale.

À côté des poèmes et des pages d'amour destinés à Christian, j'ai noté dans la marge de mon journal :

Pas d'espoir de changement chez nous. Père cherche toujours la consolation dans l'alcool et les femmes, les deux lui prennent tout son temps, lui mangent le cerveau, le rendent docile. Il finit par s'accommoder de tout. Tante Jadwiga dans ses lettres ne parle de rien d'autre que des bals du Parti, décrit les dentelles, plumes et bijoux de valeur de ces épouses manucurées, décolorées, oxygénées, permanentées c'est-à-dire crêpelées. De quoi elle se plaint ! Elle qui aimait tant briller dans la société devrait être enfin comblée, elle en fait partie à présent. Oncle Roman continue sa stupide résistance à lui tout seul. Sous prétexte qu'il attend la troisième guerre mondiale, il refuse toujours de travailler et, à trente-quatre ans, se laisse entretenir par sa pauvre mère. Grand-Mère accepte tout de la part de ses enfants, c'était déjà comme ça avant Grand-Père. Maintenant à son angoisse de perdre son travail à la maison d'édition, s'ajoute l'inquiétude pour son mari. Comment peut-on être sûr qu'il est hors de danger à Zboraw ?

Tous les soirs nous parlions de Grand-Père. Était-il en sécurité ? Comment allait-il chauffer son grenier l'hiver ? Les nuits se faisaient déjà froides. Grand-Mère se forçait encore à l'optimisme, elle était la seule qui croyait que ce régime tomberait au printemps. Je lui ai rappelé qu'elle le croyait déjà au printemps dernier et avant-dernier, si mes souvenirs étaient bons.

— Les communistes finissent mal, il suffit d'attendre. Regarde Trotski, Boukharine, Béla Kun, Zinoviev, Kamenev, Yagoda, Yejov et maintenant Beria...

— Chez nous, les communistes tiendront toujours le haut du pavé.

L'oncle Roman ne pouvait jamais s'exprimer avec des mots simples. Il était de plus en plus bizarre. Le samedi précédent, tandis qu'il jouait une fugue sur son piano inexistant les yeux fermés, le front plissé, une émotion intense se lisait sur son visage. Quand les bravos ont retenti dans la radio, il s'est levé et s'est incliné devant un public imaginaire. À moins que ce ne fût devant ses puces apprivoisées car à cette heure matinale il n'y avait personne d'autre dans la salle à manger.

Fin septembre Christian devait rentrer en France. J'étais tendue comme une corde. Je m'attendais tout le temps à une catastrophe. Et puis la catastrophe est arrivée. Ou plutôt une avalanche de catastrophes.

Avouer au directeur que je voyais un étranger aurait été la meilleure manière de détourner les soupçons de notre famille, peut-être même de surmonter mes propres peurs. Mais j'avais sous-estimé sa capacité de surveillance. J'avais pensé qu'il ne pouvait pas tout savoir.

— Nous sommes au courant, dit le directeur lors d'un

nouvel interrogatoire. Tu forniques avec ce Français comme s'il n'y avait pas assez de gentils garçons polonais.

– Mais pas du tout.

– Alors pourquoi tu lis des livres pornographiques ?

– Quels livres pornographiques ?

– Tu veux que je te rafraîchisse la mémoire ? Tu as emprunté un livre d'un auteur hongrois destiné aux adultes. Vous faites quoi ensemble ?

– Rien. Que voulez-vous qu'on fasse sur un banc public !

– Ce n'est pas sur un banc public que tu as attrapé une maladie vénérienne.

– Quoi ?!

– Inutile de mentir. Tu as été vue chez un vénérologue. Il t'a fait passer le test de Wassermann et ce test a été positif. D'ailleurs, il n'y a bien que Wassermann pour te donner un plus.

Son rire gras montrait à quel point il était content de sa plaisanterie.

– Mais ce n'est pas pour moi que j'ai consulté le docteur Lewicki, vous pouvez le vérifier auprès de vos limiers, ai-je crié.

– Une garce comme toi ne va pas m'apprendre ce que je dois vérifier ou pas. Encore une insolence et tu auras une baffe, je te préviens !

Je suis tombée dans le mutisme le plus complet, incapable de répondre. Il posait des questions et répondait à ma place. Il m'accusait de délivrer des messages, de faire de l'espionnage au profit de la France, on m'avait vue à plusieurs reprises noter des instructions données par le Français.

– Mais c'est parce que j'apprends le français et parfois quand il y a un mot que je ne comprends pas, je le note pour regarder ensuite dans le dictionnaire.

– Tu te fous de moi ? Tu crois que je suis un imbécile qui pense que ces Français viennent chez nous par amour pour notre pays ? Ils sont en mission, pauvre idiote !

Je me dandinais sur mes jambes, gardant les yeux baissés pour ne pas être accusée d'insolence, et serrant les poings. Krostak s'est levé et a extrait de son tiroir les tracts, ces mêmes tracts que j'étais supposée distribuer et que Christian avait balancés dans la poubelle à la sortie de la piscine. Et là, j'ai compris que j'étais perdue.

La première baffe est partie sans que je la voie venir. Je me suis recroquevillée de douleur, tentant de protéger mon visage. J'ai serré les dents pour ne pas crier. J'ai été prise de nausées. Comme chaque fois qu'un incident se produisait auquel je n'arrivais pas à faire face. Comme si mes viscères rejetaient le mensonge et l'injustice plus que mon esprit. Comment aurais-je pu réagir autrement à des propos aussi insultants ? Aucune espèce de recours. Aujourd'hui, on s'adresserait à un psychologue, à une association, à une ONG, à Amnesty International, à un juge d'instruction, que sais-je encore.

– Tu sais, j'ai le bras long.

Le visage de Krostak n'exprimait aucune gêne, comme si la punition qu'il m'avait infligée était dans le juste ordre des choses. Comme on donne quelques coups de martinet à un petit enfant insupportable. Et que c'est sa faute.

Je touchais presque la poignée de la porte quand je lui ai lancé sur un ton de défi :

– Moi aussi j'ai le bras long. Mon oncle a un poste important au ministère de l'Intérieur. Vous pouvez vérifier. Il s'appelle Czesław Pawlikowski. Il pourrait vous faire mettre en prison !

– Qu'est-ce que c'est ces bobards que tu me racontes là !

Une main m'a saisie dans le dos tandis qu'une gifle magistrale m'a fait plier de douleur. J'ai senti la tiédeur du sang qui coulait de ma bouche. Sous l'effet de la surprise, je me suis cambrée en tentant de protéger mon visage de mon bras. Il a tiré sur la ceinture de son pantalon et comme un éclair a cinglé mes cuisses. Le troisième coup a atteint ma tête, touchant l'oreille qui s'est mise à saigner, m'arrachant un cri de douleur.

– Inutile de crier. Ce n'est pas ton ivrogne de père qui peut quelque chose pour toi. Tu n'as qu'à t'en prendre à toi-même pour tes mensonges !

Le quatrième coup m'a renversée par terre. Ma tête a heurté la porte, j'avais l'impression qu'elle allait éclater. Quelque chose me disait que ce n'était que le début, qu'il finirait par avoir ma peau.

À cette dernière seconde, comme un mourant qui va quitter ce monde, j'ai vu ma vie entière défiler devant mes yeux, des moments avec Christian – réels ou imaginaires, les deux se confondaient dans ma tête. J'ai revu son visage effronté devant le dessin de Picasso, sa main à la cafétéria quand il a frôlé la mienne. J'ai revu notre banc, puis ces maudits tracts. Toujours cette peur, que « ceci » ne soit qu'un début, que vienne un interrogatoire de la Milice et qu'il soit mille fois pire que celui de Krostak. Est-ce qu'ils

envoyaient encore les rebelles en Sibérie ? À l'hôpital psychiatrique ?

Je n'avais plus la force de me relever. J'ai vu une neige
noire tomber du ciel, puis cette neige est devenue rouge,
elle tournoyait devant mes yeux en gros flocons, tout est
devenu rouge, rouge comme le drapeau sur le bureau du
directeur, la dernière image devant mes yeux.

Et j'ai perdu connaissance.

Il me semblait que quelqu'un essuyait ma tête ensan-
glantée, posait ses mains sur mon front. J'ai pensé que
j'étais à l'hôpital de mon père et j'ai crié : « Papa, aide-
moi ! » Mais quand j'ai ouvert les yeux, il n'y avait personne. J'étais allongée sur un sofa étroit en similicuir, un
oreiller sous ma nuque. Je ne reconnaissais rien, ni la table
ni les murs. Il y avait, comme dans chaque foyer polonais,
les incontournables pots de fougères sur le rebord de la
fenêtre sans rideaux. J'ai touché mes lèvres avec mes
doigts, elles étaient gonflées mais il n'y avait plus de traces
de sang. Quelqu'un m'avait lavé le visage et avait dû me
donner à boire sans que je m'en rende compte, mon chemisier était trempé.

Dans un coin se trouvait un lavabo avec un miroir
accroché au-dessus. Je me suis levée pour me regarder. Je
m'attendais à voir un monstre défiguré, mais à part les
lèvres qui avaient doublé de volume, on ne voyait rien.

– Pas la peine de regarder, on ne voit rien, a susurré une
voix derrière moi. De là où il vient, on apprend à cogner
sans laisser de traces.

Je me suis retournée, c'était notre surveillant Woźny. Ce
même Woźny qu'aucun d'élève n'aimait, le traitant de
valet du directeur. Il s'occupait du chauffage, de la cour,

sonnait la fin de la classe. Nous avions tous peur de lui. Je me suis dit que probablement ce n'était pas la première fois. Qu'il avait dû voir passer des dizaines d'élèves comme moi qui avaient fini par rentrer dans le rang. Il connaissait visiblement la cruauté du directeur mais il avait une famille à nourrir. Depuis des années je côtoyais cet homme, mais pour la première fois, j'ai compris qu'il avait un cœur.

– Si tu ne veux pas aggraver ton cas, ne raconte pas trop ce qui t'est arrivé. Dis plutôt que tu es tombée. On ne défie pas des bourreaux de son espèce.

À la maison j'ai raconté que j'étais tombée pendant le cours de gymnastique en sautant par-dessus un cheval d'arçons. Père m'a fait une compresse d'eau froide, puis enduit les lèvres d'arnica.

Au courrier, il y avait un petit colis de Jadwiga avec une jupe en taffetas et un beau corsage fermé par une longue rangée de boutons comme des petites perles.

*C'est pour ta studniówka*[1], disait Jadwiga dans sa lettre, *pour que tu sois la plus belle. Dis à Roman de venir me voir. J'ai maintenant un piano à moi, il pourra jouer.*

Deux jours plus tard, c'était l'anniversaire d'Iwonka. J'avais mis mes beaux habits.

– Tu vas où habillée ainsi ? a demandé Grand-Mère.

– Chez les Weisman. C'est l'anniversaire du petit Szymon, ai-je menti sans ciller.

Quel plaisir de porter des vêtements neufs ! J'ai jeté un coup d'œil à l'allure que me donnait ma nouvelle tenue.

---

1. Le traditionnel bal dans les lycées polonais qui a lieu cent jours avant le baccalauréat.

Était-ce moi ? J'ai eu du mal à reconnaître dans le reflet des vitrines cette jeune femme mince et élégante.

Christian a tout de suite remarqué mon beau corsage.

– Punaise ! Il me faudra deux jours pour te déboutonner.

Si j'avais été moins amoureuse, j'aurais sans doute réfléchi davantage avant de l'amener à cette fête. Mais comme une sotte, j'étais fière et grisée par cet amour. Et puis je réalisais qu'il allait partir et que c'était notre dernière soirée ensemble.

La fête a commencé à cinq heures. On était assis à table, tous étaient déjà passablement ivres. Christian m'a tendu un verre, j'ai avalé une gorgée, la vodka était tiède et j'ai reposé le verre. Iwonka a saisi ma main en riant et m'a forcée à le vider.

– Encore un. Pour notre réconciliation.

J'ai bu un deuxième verre. Il m'a semblé voir Piotr passer devant moi avec sa tête d'enterrement puis j'ai entendu la porte claquer.

« Il m'en veut », ai-je pensé.

Un instant, j'ai envisagé de le rattraper, de le faire revenir ou de m'enfuir de cette soirée lugubre avec lui. Un étudiant grattait sa guitare en chantant une ballade en russe où il était question d'un prisonnier vagabond échappé de Sibérie.

Personne ne l'écoutait, le gramophone hurlait une mélodie différente.

Christian m'a invitée à danser. Au troisième tango la tête me tournait, il riait, je riais, tout le monde me semblait hilare. J'ai posé ma tête sur sa poitrine, j'ai senti son cœur battre. Christian m'enlaçait et de nouveau j'étais la plus heureuse sur terre. Je l'aimais, désespérément, mais je l'aimais.

– Je ne veux plus vivre dans ce foutu pays, ai-je dit.

J'ai perçu l'étonnement dans les yeux de Christian, comme s'il avait mal entendu.

– Je me suis fait frapper par notre directeur parce que je te voyais. Il nous a fait suivre.

– Il te touchera plus. Je pars demain, tu pourras lui dire.

– Tout m'écœure. Avant-hier ils ont arrêté le père Tadeusz de notre paroisse. Sans raison.

– Si on arrête des gens, on doit avoir des raisons.

Qu'est-ce que j'attendais encore ? Pourquoi est-ce que je ne suis pas partie sur-le-champ ?

– Comment tu peux dire cela ! Tu n'as donc rien compris, rien vu depuis que tu es en Pologne !

Christian a fait une grimace pour me montrer à quel point je l'ennuyais. Appuyé au rebord de la fenêtre, il s'est mis à faire des commentaires sur les filles présentes à la soirée comme un ethnologue qui aurait observé les indigènes en Amazonie. L'une avait des seins comme des pastèques, une autre des jambes poilues, une troisième une coiffure en forme de chou.

– Tu es la plus mignonne de toutes, m'a-t-il chuchoté à l'oreille, glissant en même temps la main sous mon chemisier et malaxant mes seins.

J'ai éprouvé un délicieux frisson. J'ai fermé les yeux.

« Maintenant quand il me touchera, je ne me défendrai plus. Il arrivera ce qu'il arrivera », ai-je pensé.

– Tu aimes ?

– Je t'aime.

— Je te demande pas si tu m'aimes. Je te demande si tu aimes ça.

En vérité, j'étais horriblement gênée, mais je savais que ce n'était pas la chose à dire à un garçon quand on voulait qu'il vous aime. Iwonka s'est approchée avec ses fossettes exaspérantes et deux verres de vodka à la main. Christian a bu le sien et j'ai vidé le mien en fermant les yeux.

— T'en fais une grimace. On dirait que je te donne la ciguë, a ricané Iwonka en s'éloignant vers d'autres invités.

La dernière image dont je me souviens est celle de ses jambes nues, provocantes avec ses bas transparents sans couture, luxe qu'on ne voyait que dans des magazines réservé aux actrices étrangères.

J'ai dû m'endormir sur une chaise. Quand j'ai ouvert les yeux, il n'y avait plus grand monde autour de moi. Dans un coin, un couple assis par terre s'embrassait. Je voyais les assiettes sales gisant sur la table, les cendres de cigarette sur la nappe tachée et trouée par endroits.

Il était temps de rentrer. J'étais entourée des paumés et des ivrognes qui ont peur de rentrer chez eux et contre qui Grand-Mère me mettait en garde.

J'ai commencé à chercher mon sac.

— Il y a quelqu'un ?

Personne n'a répondu.

— Iwonka ! Christian ! Répondez !

J'ai poussé une porte. Dans la lumière argentée de la lune qui entrait par la fenêtre sans rideaux j'ai vu les seins d'Iwonka, deux gros melons que les mains de Christian pétrissaient. La jupe d'Iwonka était relevée. Comme je me suis sentie stupide.

J'ai descendu l'escalier quatre à quatre. Je me suis arrêtée plusieurs fois dans la rue et j'ai attendu que le manège dans ma tête stoppe son cours. Le carrousel n'en finissait pourtant pas de tourner. Enfin j'ai vomi sur les pétunias qui bordaient les Planty, ce qui a soulagé mon estomac mais pas mon chagrin. J'aurais préféré être lobotomisée.

Je ne voulais pas rentrer tout de suite à la maison. Je me suis approchée de notre banc, ce banc cher à mon cœur, témoin de mon bonheur passé. De ce printemps doux et parfumé où nous nous rencontrions pour passer nos après-midi à l'ombre des arbres, face au monument de la jeune reine Edwige qui, forcée d'épouser le roi Ladislas, avait fini par l'aimer. La lune éclairait mon banc, une fumée de cigarette s'en élevait. J'allais faire demi-tour quand j'ai reconnu Piotr. Il m'a tendu une cigarette et je l'ai allumée.

– Je t'attendais, dit-il simplement.

Probablement avait-il compris avant moi pour Iwonka et Christian. Il savait que j'en aimais un autre et pourtant il était là et je lui en étais reconnaissante. J'ai mis ma tête sur son épaule, il a hésité avant de m'entourer de ses bras et dans son geste hésitant, j'ai senti sa déception et sa douleur. Il était la dernière personne à qui j'aurais voulu faire du mal et pourtant je l'avais blessé.

– Vas-y, pleure un coup.

– C'est idiot de pleurer.

– Pas du tout. Ça soulage.

Mais je ne pleurais pas. Ce qu'il entendait, c'étaient des larmes invisibles. Des larmes qui coulaient à l'intérieur de moi.

Ce qu'il y avait de plus douloureux, c'était cette impression que Christian avait non seulement ruiné le rêve qu'il m'avait offert, mais surtout qu'il m'avait ôté l'espoir que les choses pourraient changer un jour.

Le lendemain matin, quand Père est parti à l'hôpital, je suis entrée dans son cabinet, j'ai ouvert l'armoire à pharmacie, fouillé entre les flacons et les boîtes de médicaments. J'ai trouvé une pilule que j'ai jugée être un somnifère. Pour éviter d'aller chercher de l'eau à la cuisine, j'ai décidé de l'avaler avec une gorgée de vodka.

Je savais que Père camouflait l'alcool en le transvasant dans différents flacons. J'en ai sorti plusieurs, enlevé les bouchons, ai humé leurs différentes odeurs. Certains sentaient la Bétadine ou l'eau oxygénée. J'ai fouillé le tiroir du bureau et j'ai découvert une bouteille sans étiquette. Sûrement une gnôle artisanale, *made in Kowalski*. J'en ai bu une rasade. Doucement les scrupules m'abandonnaient. Petit à petit, l'alcool me communiquait oubli et audace. À la troisième rasade, j'ai cessé de me tourmenter au sujet d'Iwonka et Christian. J'ai senti une chaleur m'envahir et en même temps je n'arrivais pas trouver la porte ni la poignée.

Je ne sais plus ce qui s'est passé après. Coma éthylique ? Lavage d'estomac ? Il paraît que je suis restée entre la vie et la mort pendant plusieurs jours.

Quand je me suis réveillée, la première personne que j'ai vue à travers mes cils a été Père. Il était assis sur le bord de mon lit. Quand il a réalisé que j'étais consciente, il m'a soulevée, m'a attirée à lui en me serrant contre sa blouse blanche qui sentait le désinfectant. Puis il a pris mon visage entre ses deux mains et poussé un soupir à la vodka.

– Est-ce qu'un jour tu pourras me pardonner ? Comment est-il possible que je ne me sois pas aperçu que tu étais désespérée au point de te suicider ?

– Je ne voulais pas me suicider, papa. Je voulais juste dormir.

– Mais pourquoi ?

– Quand on dort on n'est pas malheureux.

– Il faut être moins vulnérable, trouver d'autres centres d'intérêt que soi-même.

« C'est facile pour lui, pensai-je. Lui, il a l'alcool et moi, je n'ai rien. »

– Un jour tu rencontreras un garçon qui sera digne de toi.

Pour tous les pères, aucun garçon n'est jamais digne de la merveille qu'ils ont engendrée. Ces paroles ne comptaient pas.

Aussi loin que remontaient mes souvenirs, j'avais été une enfant habituée à exister sans déranger, sans réclamer aucune attention. Petite, j'étais conciliante et apeurée. Je ne suis pas sûre que Père ait réalisé à quel point j'avais changé.

Acculés dans une impasse, la plupart des gens se résignent, se soumettent. Mais moi, j'étais de la race des résistants.

– Les adolescents se révoltent, cherchent leur voie, disait Grand-Mère.

Mais ce n'était pas une crise d'adolescence. J'avais trop de colère en moi.

– Après tout, tes histoires d'amour ne me regardent pas, ai-je alors dit à Père ce fameux jour à l'hôpital. Tu pouvais divorcer mais me laisser avec ma mère. Un enfant a plus besoin de sa mère que de son père ! En plus je ne sais même pas si tu m'aimes.

Père, modérément ivre, me regardait avec la compréhension d'un adulte qui voit un chiot faire une crotte sur le tapis. Fâché mais en même temps indulgent. Attendri aussi.

– Comment je ne t'aime pas ? Sans moi, tu ne serais même pas venue au monde.

– Ah oui, ces quelques gouttes de sperme…

– Je te croyais au-dessus de remarques aussi stupides. Laisse cela aux adolescents, à leur première révolte contre les parents, toi, tu as toujours eu des pensées plus élevées.

Je ne l'écoutais plus, je pensais à ma mère et à ce passé jamais élucidé. Un jour, une allusion de Mme Pawlikowska avait ranimé mes soupçons. Car elle, qui n'aimait guère notre famille, me manifestait une affection certaine. Elle arborait la mine de quelqu'un qui sait des choses mais préfère ne rien dire.

« Ta mère doit être encore plus malheureuse que toi de votre séparation », m'avait-elle dit une fois.

Alors, ce jour-là à l'hôpital, les mots si difficiles à prononcer qui depuis tant d'années tournaient dans ma tête se sont échappés, presque à mon insu :

– Papa, il faut que je sache. Comment était ma mère ? Est-ce que je lui ressemble ? Dis-moi, quand avez-vous divorcé ? Elle était d'accord ?

Père me regardait, stupéfait.

– Mais qu'est-ce que ta mère vient faire là-dedans ?

– J'ai le droit de savoir enfin ce qui s'est passé à Lvov ! Pourquoi ma mère n'est pas revenue me chercher ? C'est vrai qu'elle était juive ? Ne mens pas, Elżbieta me l'avait dit. Mme Pawlikowska affirme que jamais une mère juive n'abandonne son enfant. Les juives aiment leurs enfants par-dessus tout. Qu'est-ce qui s'est passé alors ?!

– Elle est revenue mais…

– Mais quoi ? Dis-moi !

– Je t'avais cachée. J'avais obligé Elżbieta à t'emmener dans sa chambre. Je n'aurais jamais laissé personne t'arracher à moi, pas plus hier qu'aujourd'hui. Surtout pas cet homme qu'elle disait aimer. Tu es ce qui m'est arrivé de meilleur dans la vie.

– On ne croirait pas. Quand à cette histoire d'amour, je comprends ma mère. Tu devais être ivre tous les soirs comme tu l'es maintenant et elle a bien fait de te laisser tomber !

– Tu crois savoir mais tu ne sais rien. Je ne buvais pas une goutte d'alcool à l'époque.

– Alors c'est ça, c'est un chagrin d'amour qui t'a rendu alcoolique. Tous les ivrognes de la terre disent ça, ce n'est jamais votre faute !

– Laissons cette discussion, veux-tu ? L'important c'est que je t'aime même si tu ne le comprends pas aujourd'hui.

Tout d'un coup, j'ai eu honte de m'être emportée ainsi. Comme il avait dû souffrir.

Je regardais mon père et n'éprouvais plus aucun mépris. Je commençais à comprendre toute l'étendue de son chagrin, toute la tristesse qui se cachait derrière son apparente désinvolture. Je l'acceptais comme il était.

Je ressentais enfin vis-à-vis de lui la même indulgence que Grand-Mère savait lui témoigner.

Les jours ont passé, ma douleur ne s'estompait pas. J'attendais une lettre de Christian. Elle viendrait, c'était sûr. Les mois se sont écoulés sans aucune nouvelle, pas même une carte postale. Mais il était partout. Il surgissait entre mes camarades de l'école, se glissait derrière les passants dans les rues, entre les passagers des tramways. Il me réveillait la nuit, assis sur le bord de mon lit. Je me confiais à lui, je lui murmurais mes secrets. J'imaginais sa famille. Je lui présentais ma mère. Nous visitions la France. Je lui parlais dans mes rêves, je me souvenais de sa voix, des paroles bienveillantes qu'il prononçait. Des mots d'amour.

Évidemment, mes notes au lycée continuaient de chuter. Mais je m'en moquais.

Quelques jours après la Toussaint, le professeur Kollontaï m'a retenue à la fin du cours.

– Zborawska, j'ignore pourquoi tu joues à l'imbécile mais je pense que ce n'est pas une bonne méthode. Tu veux entrer à l'université, l'examen est sévère et n'oublie pas que tu n'auras pas de points supplémentaires pour origine sociale méritante. Donc, il te faut de bien meilleurs résultats. Et pour commencer une mention au bac. Est-ce que tu réalises cela ?

Brusquement, j'ai eu honte de mon attitude.

— C'est juste une mauvaise passe, monsieur le Professeur. Mais je vais m'améliorer. En quelques semaines je rattraperai le retard.

Il a retenu ma main dans la sienne.

— Promis ?

— Promis.

Puis il m'a demandé de porter un rapport au secrétariat. J'étais si perturbée que j'ai complètement oublié de le déposer. J'étais presque arrivée à la maison quand je me suis rendu compte que le dossier était toujours dans mon cartable. Il était quatre heures de l'après-midi, la nuit tombait. J'ai rebroussé chemin, furieuse contre moi-même. Le temps se gâtait, déjà les premiers flocons tourbillonnaient dans le ciel. Les semelles de mes chaussures étaient trop minces et mes pieds trempés.

J'ai frappé à la porte du secrétariat, personne n'a répondu. Je suis entrée, il était vide. Je posais le dossier à côté des magazines *Kraj Rad* et *Droujba*[1] quand j'ai entendu un bruit de marteau dans la pièce attenante. Pensant que c'était Woźny qui était en train de réparer quelque chose, j'ai voulu le prévenir pour le dossier et j'ai poussé la porte. Ce que j'ai aperçu m'a glacée d'horreur. D'abord, j'ai vu le dos du directeur et sa veste marron. La boucle en métal de son ceinturon battait la cadence, c'était cela que j'avais pris pour le cliquetis d'un marteau. Ses mains tenaient à plat les bras tendus d'un garçonnet

----

1. En russe, « amitié ».

maintenu couché sur le bureau parmi les cahiers. La culotte du garçon était baissée, ses petites fesses nues. Je ne voyais que sa nuque rasée et le sommet de ses cheveux blonds. Krostak a tourné sa tête vers la porte. Tout cela n'a duré que quelques secondes. Comme quelques secondes peuvent peser sur toute votre vie.

J'ai couru le long du couloir désert, mes jambes me portaient à peine mais j'ai réussi à gagner la sortie. Dehors, je me suis laissée choir sur le premier banc, m'efforçant de contenir la terreur qui m'envahissait. À vrai dire, je ne me rappelle pas si j'ai mesuré immédiatement toutes les conséquences de ce qui venait de se passer, j'étais plutôt submergée de dégoût. C'est après, quand j'ai essayé de reprendre mes esprits en analysant la scène que je me suis mise à trembler. Krostak avait vu que je l'avais vu. Et j'ai compris que j'étais perdue. Jamais il ne laisserait en paix le témoin que j'étais.

Comme toujours dans les moments de peur indescriptible, j'avais la nausée. Un liquide aigre envahissait ma bouche et j'ai vomi sur le trottoir.

Je ne me souviens pas comment je suis arrivée jusqu'à la maison. Je me suis mise au lit sans un mot d'explication.

– Tu n'as pas de fièvre au moins ? a demandé Grand-Mère. Tu as pris froid ?

Elle m'a apporté du thé, i'ai été incapable de l'avaler. Incapable de parler. Tout cela etait trop terrifiant pour être partagé. Je revoyais les contorsions du corps de Krostak, aujourd'hui encore je l'avoue, ce souvenir me hante.

Grand-Mère a deviné que quelque chose de grave avait dû arriver car à aucun moment ce jour-là pas plus que les jours suivants, elle n'a cherché à savoir pourquoi je séchais les cours. Affronter le directeur aurait été au-dessus de mes forces. Mon cerveau fonctionnait à cent à l'heure, imaginait toutes les variantes. Qu'allait-il faire de moi ? Me noyer dans la Vistule ? C'était comme ça qu'on se débarrassait d'un témoin encombrant ?

Je n'ai pas confié la scène que j'avais vue à mon journal. J'ai seulement noté une question qui me taraudait jour et nuit. Qui était sa petite victime ?

J'imagine toute sa détresse, sa peur et sa douleur. Comme j'aurais aimé le serrer dans mes bras, le réconforter. A-t-il des parents, des frères, des sœurs à qui se confier ? Est-il capable de leur parler, et eux, trouvent-ils les gestes et les mots pour soulager sa peine ?

Plusieurs fois j'ai été sur le point d'en parler à Grand-Mère. Mais, accablée par les mauvaises nouvelles de l'altération de la santé de son mari et son refus catégorique de quitter Zboraw, elle aurait probablement été incapable d'assumer mes confidences. Comme toujours, elle a dû se dire que quel que soit mon problème, je le surmonterais.

Si elle m'avait questionnée, aurais-je été capable de lui décrire ce que j'avais vu ? La vérité était trop dégoûtante à exprimer. À l'époque, on ne parlait pas de pédophilie, personne ne nous mettait en garde contre de telles pratiques. Chez nous, elles n'existaient tout bonnement pas, comme il n'y avait pas de catastrophes ferroviaires ou aériennes. Nos autobus ne rentraient jamais en collision, nos bateaux ne coulaient pas. Les voitures ne renversaient pas de piétons, les pédophiles n'attaquaient pas les enfants, ou bien uniquement les prêtres. Les hommes ne violaient pas les femmes, il n'y avait pas de cambriolages ni d'escroqueries. Les voleurs, on les trouvait dans l'usine, c'étaient ceux qui utilisaient le sabotage pour renverser le système socialiste. Ou bien en Occident : les gangs à Detroit, la pègre à Marseille, la mafia en Italie...

Dix jours durant, j'ai vécu noyée dans un brouillard de crainte et de stupeur. Mais le quotidien était trop dur pour m'apitoyer longtemps sur moi-même. Il fallait soulager Grand-Mère dans les courses, l'aider à préparer les repas car Marintchia ne le faisait plus.

La Pantchiola est venue plusieurs fois rue Floriańska. Elle a attribué mon état à un chagrin d'amour.

— Il est parti, c'est cela, mademoiselle Bashia ? Et vous lui en voulez ?

— Comment je pourrais lui en vouloir, il ne m'a jamais rien promis !

— Alors ne soyez pas si désemparée. Vous vous êtes trompée sur la personne, il faut l'admettre. « C'est la vie », comme disent les Français.

— Qu'ils sont idiots, ces Français avec leur « C'est la vie » ! La vie, c'est pas ça ! On ne se soumet pas à la vie ! On lutte !

— Pas toujours, tentait-elle de me calmer.

« Elle ne comprend pas. Elle est trop vieille », ai-je pensé...

Ce que nous tenons caché est plus fort que ce que nous révélons. La sensation d'impuissance est la plus pénible.

– Il faut que je parte loin d'ici, ai-je dit quand Piotr est venu rue Floriańska, inquiet de ne pas me voir à l'école.

– Tu veux partir où ?

– À l'étranger.

– En France ?

– Oui.

– Rejoindre ton coco ?

– Pas spécialement, surtout retrouver ma mère. Elle vit en France mais il est interdit de communiquer avec elle.

– Et elle ? Elle n'essaye pas ?

Je lui ai raconté les deux étranges colis reçus cette année, sans aucune information ni adresse, contenant un pull-over trop petit, de l'orangeade en poudre et une vilaine veste fabriquée dans l'usine d'État de Łodz.

– Évidemment, tout le monde vole dans ce pays. Les douaniers, les postiers, les miliciens… Personne ne considère cela comme un vol, ils prennent, c'est tout. Et ils se font une raison. Pourquoi c'est toi qui dois porter une veste neuve et pas lui… Ta mère aurait dû le savoir.

– Krostak dit qu'elle vit avec un type qui combat notre régime. Qu'est-ce que j'y peux, Piotr ? Krostak m'a traitée de pauvre conne, il a carrément dit que je pourrais partir quand les poules auront des dents. Pour que je ne fasse pas honte à notre cher pays à l'étranger. En le calomniant.

– Krostak est une ordure. Et sa femme une grosse génisse russe. Tu l'as vu faire le toutou devant elle à la fête de l'école ? C'est pour te barrer que tu veux te faire épouser par ton communiste ?

Je n'ai pas répondu.

– Pour te marier avec un étranger, il te faut une autorisation.

– Alors quoi ? Tu me vois creuser un tunnel sous les fils de fer barbelés ? Traverser la Baltique à la nage ?

– Il te faut du pognon, Bashia. Il y a quelques individus qui peuvent te fournir un passeport mais comme le risque est grand, ils demandent beaucoup d'argent.

– Combien ? Cette année j'ai gagné 362 zlotys et de l'année dernière, j'en ai encore 247.

– Tu veux rire ! Il faut beaucoup plus ! Ça s'appelle un pot-de-vin.

– À la fin du semestre, je devrais atteindre grosso modo 800 zlotys.

– Tu rigoles ! C'est 80 000 qu'il te faudrait !

80 000[1] ! J'ai senti le désespoir m'envahir. Nous n'aurions jamais une somme pareille. Père parviendrait peut-être à l'obtenir, mais je savais bien qu'il ne m'aiderait pas. Il ne voudrait jamais que je parte. Il avait répété mille fois que jamais il ne supporterait d'être séparé de moi. De toute façon, toute sa paye passait dans la boisson. Et des beaux objets de la famille, il ne restait qu'une lampe avec son abat-jour en soie.

Le grand portrait de Franz Joseph avait disparu aussi et pourtant je savais à quel point Grand-Mère y tenait !

---

1. À titre de comparaison, le salaire mensuel moyen en 1953 était d'environ 968 zlotys (242 dollars au marché noir). Un médecin pouvait gagner entre 4 500 et 5 000 zlotys par mois, un instituteur 600.

Au bout de plusieurs semaines, j'ai bien été obligée de retourner à l'école, il n'y avait pas d'autre choix, le bac approchait. Piotr m'a attendue à la sortie. Nous avons flâné le long du canal Młynówka jusqu'à la rue Grottger mais il s'est mis à pleuvoir et nous sommes revenus à Stare Miasto.

– J'ai à te parler.

– Je vois bien. Tu veux aller au café ?

– Non, pas au café. J'ai une idée.

– Vas-y. J'ai pas envie de me faire rincer.

– On va prendre un tramway.

– Pour aller où ?

– Peu importe. Là au moins, on ne nous entendra pas. Partout ailleurs, même dans les cafés, on sait jamais s'il n'y a pas de micros cachés dans les murs.

Le crépuscule tombait, le tramway était presque vide et nous avions tout le wagon pour nous seuls. Nous nous sommes assis à l'arrière du numéro 12 sur les sièges en bois, serrés l'un contre l'autre, mais il ne parlait toujours pas.

« Mon Dieu ! Peut-être qu'il va m'annoncer qu'il

m'aime ? Qu'est-ce que je vais pouvoir répondre sans lui faire de peine ? »

On a fait deux fois le trajet Bronowice-Podgórze et il n'a pas desserré les dents. Il n'a pas cherché ma main non plus.

J'en avais marre, j'avais faim et envie de rentrer. C'est seulement devant la porte cochère, alors que je cherchais la clé, que Piotr a dit :

– Nous quittons la Pologne après-demain.

Mon cœur s'est arrêté, je manquais d'air. Il ne me regardait pas, ses yeux fixaient le bout de ses souliers.

– Nous partons pour Israël. Définitivement.

Le choc a tout effacé, Christian comme Krostak.

– Oh, mon Dieu, ai-je enfin réussi à articuler.

– Samedi, nous prenons le train pour Gdynia. Puis, on prendra le bateau. Plus tard, on essayera de s'établir aux États-Unis.

– Pourquoi pas en France ? me suis-je exclamée stupidement, comme si le monde entier ne rêvait, comme moi, que de Paris.

– Peu importe où je serai, je viendrai te chercher.

– Mais comment ? Une demande de passeport entraînerait la perte de l'emploi de ma grand-mère !

– Dis-moi seulement que tu m'attendras et moi, je trouverai le moyen.

Nous avons commencé à nous embrasser longtemps, désespérément, les yeux fermés, comme avant un départ dans deux directions opposées, avant une séparation pour toujours. Ce n'était pas comme avec Christian, c'était un peu comme si je laissais partir mon frère...

– Je préférais partir en Amérique plutôt qu'en Israël,

mais mon père dit que pour le moment c'est impossible. Peut-être qu'une fois là-bas, on nous accordera un visa pour l'Amérique.

– Tu parles anglais ?

– Oh, quelques mots. En tout cas, ne l'oublie pas, je t'attendrai, peu importe où je serai.

Durant ces années, sortir de Pologne était quasi impossible. On entendait parfois parler de cas exceptionnels, du départ d'une famille, mais il restait toujours au moins un enfant en otage. Et puis cela ressemblait plutôt à une expulsion. Et l'autorisation de quitter la Pologne était sans possibilité de retour. J'ai appris plus tard par Grand-Mère que quand l'autorisation était arrivée chez les Weisman, le délai pour partir était si court qu'ils avaient dû tout laisser derrière eux : les tableaux, les meubles, les bijoux, les sculptures, y compris celles réalisées par Mme Weisman.

L'idée que je ne verrais pas Piotr avant son départ m'était insupportable. Je voulais aller rue Casimir-le-Grand, mais Grand-Mère disait que ça devait déjà être suffisamment pénible pour eux et que la vie était faite de séparations. Alors j'ai été heureuse quand le samedi matin Mme Weisman a sonné chez nous. J'ai encore une fois été frappée de la ressemblance entre elle et Piotr alors que son frère Szymon était blond comme son père. Piotr avait les mêmes yeux sombres, ceux de Szymon étaient clairs, apeurés et constamment inquiets.

– Asseyons-nous un instant, c'est ce que font les Russes avant un long voyage, a dit Grand-Mère. Eux, qui ont connu tant de malheurs, ils ont cette coutume. Espérons que cela nous permettra de nous retrouver sains et saufs un jour.

Nous nous sommes assis autour de la table de la salle à manger en silence pendant une minute. Mme Weisman a regardé les touches de piano peintes mais elle n'a rien dit. Puis elle a tendu un paquet à Grand-Mère. Grand-Mère en a extrait un manteau en fourrure qui n'était ni du lapin ni du petit-gris. Ses poils étaient courts, noirs et brillants.

— Nous avons droit à une valise chacun. Je vous ai apporté mon manteau de vison. Portez-le ou vendez-le. Moi, je n'en aurai plus besoin. Il n'y a pas d'hiver en Israël.

Elle s'est tournée vers moi et m'a tendu un petit anneau rehaussé d'une pierre bleue.

— Ils ne nous autorisent à emporter que cinq dollars par personne. Cette petite bague avec le saphir, je te l'offre en souvenir de nous. Mais promets-moi que tu n'abandonneras pas tes dessins. Tes caricatures ont beaucoup de caractère. Tu sais, la peinture, c'est comme la musique, elle nous transporte, nous permet de tout oublier. Et on a besoin d'oublier.

— Mais je ne peux pas accepter un présent aussi somptueux !

— À quoi bon s'attacher aux biens matériels quand en un instant on peut tout perdre ? Vous le savez aussi bien que moi, vous qui avez tout perdu, *pani* Zborawska. Ce n'est pas tant la perte de notre immeuble qui m'attriste, c'est qu'il n'y a pas d'avenir pour nos enfants dans ce pays. Piotr est si doué, il ne peut pas créer... Quant à Szymon, je n'arrive plus à apaiser ses peurs. Chaque nuit il se réveille et crie, puis il reste éveillé jusqu'au petit matin à sangloter. Il ne veut plus retourner à l'école.

— Ne nous laissons pas abattre. N'oublions pas que

dans l'Antiquité, la Grèce et Rome, même occupées, ont su créer des choses admirables.

– Je n'ai pas votre optimisme, *pani* Zborawska. Je pouvais encore lutter quand c'étaient les Allemands, mais maintenant ce sont les nôtres qui nous persécutent.

Je me suis levée pour préparer le thé. Pendant que je faisais chauffer de l'eau, par la porte ouverte j'entendais Mme Weisman dire à Grand-Mère :

– Bashia est plus fragile qu'il n'y paraît.

– Je le sais et je redoute sans cesse un malheur pour elle, je n'arrive plus à trouver l'espoir dans mon cœur comme auparavant. Vous avez raison, la perte des choses matérielles n'est rien. Ce qui me fait peur, c'est que nous nous abîmons. Je n'ai jamais voulu trop protéger mes enfants pour qu'ils ne soient pas vulnérables. J'ai échoué d'abord avec Roman, il est si talentueux, et il ne sait rien faire… Et maintenant avec Bashia. Je n'ai pas su l'endurcir. Ses sentiments sont à fleur de peau, je vois comment elle réagit au moindre mot blessant, à de l'hostilité, à un regard froid. Je crains qu'ils ne la détruisent…

– Bashia m'émeut, dit Mme Weisman. Elle a le visage si fragile qu'on dirait que chaque mot entendu y laisse son empreinte. Nous, c'est pour nos enfants que nous partons.

J'ai apporté le thé, Mme Weisman n'a pas touché à sa tasse.

– Adieu, chère madame. Adieu Bashia. Il est l'heure.

– Mon mari nous a envoyé des pommes de notre ancien verger à Zboraw. Ce sont des pommes exceptionnelles, une variété déjà cultivée au XVIIᵉ siècle. Elles s'appellent « cauchetelles » et étaient les pommes préférées de la reine Marie-Casimire, la femme du roi Sobieski. Roman va vous les apporter à la gare. Les douaniers ne pourront pas vous les confisquer, ce n'est ni de l'or ni des dollars. Une fois arrivés en Israël, vous pourriez les vendre à la pièce.

Mme Weisman a regardé Grand-Mère comme si la folie qu'elle mentionnait à propos de son fils était contagieuse.

— Mais si, mais si. À quelle heure part votre train ?

— À six heures et demie.

— Nous y serons.

Nous sommes arrivés à la gare avant les Weisman. Roman poussait le landau des jumeaux Salawa, je maintenais les cageots en marchant sur le côté, ils ont failli verser à chaque dalle mal ajustée. La gare était noire de monde. On se demande pourquoi les trains en Pologne sont toujours bondés.

— Ce n'est pas tant que les gens ont la bougeotte, c'est qu'il n'y a jamais assez de wagons, m'a expliqué Roman.

Soudain, on a entendu derrière nous la voix de Piotr :

— Le train pour Treblinka, s'il vous plaît ? Est-ce que quelqu'un sait de quel quai part le train pour Treblinka ?

J'avais envie de rire et de pleurer à la fois. Piotr a lâché sa valise et m'a serrée dans ses bras.

— Tu ne m'oublieras pas ?

— Non, Piotr.

— Même dans dix ans ?

— Même dans cent ans.

— Non, ce ne sera pas aussi long.

— Je vais prier Dieu pour que nous nous revoyions.

— C'est ça, prie. Dieu aide ceux qui s'aident eux-mêmes. Promets qu'on se reverra.

– Mais certainement. Entre-temps, tu seras devenu un peintre célèbre et riche.

– C'est toi qui seras un écrivain célèbre avant moi. Ces ordures forgent des adversaires tenaces.

Pendant ce temps, Roman aidait M. Weisman à monter les cageots dans le wagon. Ils étaient tellement lourds qu'ils ont été obligés de les laisser dans le couloir, au grand dam des passagers qui pestaient en les enjambant. Mme Weisman s'excusait auprès d'eux pour la gêne. Avec la paume de sa main, M. Weisman essuyait son large front qui ruisselait de sueur. Il jetait des coups d'œil pleins de reproches à sa femme comme s'il voulait dire « Regarde dans quel pétrin tu nous as fourrés à force de fréquenter ces fous à lier ».

Dans la couchette, à part eux quatre, il y avait encore deux autres passagers. Le petit Szymon pleurait et entre deux spasmes criait quelque chose que je ne comprenais pas. Mme Weisman ne lui lâchait pas la main.

Piotr et moi restions là, devant le wagon, collés l'un à l'autre jusqu'à ce que son père nous dise :

– Allons allons les enfants. Le train va démarrer.

Je savais que nous nous quittions pour toujours.

Toujours aucune lettre de Christian. J'ai essayé de l'effacer de ma mémoire mais il revenait toutes les nuits. J'entretenais des dialogues imaginaires avec lui, je continuais à le voir parmi les passants dans les rues. Je m'endormais avec son visage, sa mèche en bataille qui lui barrait le front. Ça devenait fatigant de l'avoir constamment à l'esprit. Alors je me forçais à penser à Piotr. Quelle était sa vie à présent ? Était-il heureux dans ce nouveau pays ? Habitait-il à la ville ou dans un kibboutz ? Quelle langue parlait-il ?

Je me remémorais sa passion délicate, sa tendresse réconfortante, son absence de rancune. Il méritait d'être mieux considéré. Mais je n'y pouvais rien, derrière celui de Piotr le visage de Christian réapparaissait. Aucun ne donnait signe de vie.

Et puis, le 3 décembre, le facteur m'a apporté une lettre. J'ai regardé l'enveloppe ; sur le timbre l'image d'une joyeuse tractoriste me souriait. La lettre avait été postée de Lublin. Je ne connaissais personne habitant Lublin, j'étais impatiente de l'ouvrir.

*Salut Bashia,*

*J'ai trouvé une ruse pour t'envoyer cette lettre, elle va traverser plusieurs villes avant d'être acheminée à Cracovie. Je vais te raconter notre périple. À Gdynia, où nous avons embarqué, contrôle des papiers dans le pur style Gestapo. D'abord, les braves miliciens en uniformes accompagnés d'hommes en manteaux de cuir avec des bergers allemands. Puis les honnêtes douaniers polonais qui nous ont fouillés des pieds au sommet du crâne et surtout sous la kippa, allant jusqu'à inspecter nos derrières dans l'espoir d'y découvrir de gros diamants. Ils n'ont rien trouvé dans nos rectums alors ils nous ont obligés à avaler un puissant laxatif et au bout de deux heures ont examiné nos selles. Une femme qui avait partagé notre wagon a expulsé un beau caillou. Visiblement, c'était un morceau de verre coloré qu'on lui avait vendu pour une pierre précieuse, il n'a pas résisté à la digestion et est sorti à l'autre bout tout noir, tout oxydé. La dame pleurait pendant que les douaniers se tordaient de rire. Maman avait cousu son alliance et sa bague de fiançailles dans l'ourlet de sa jupe, mais comme ils avaient un détecteur de métaux, ils les ont trouvées et confisquées. Heureusement, ils n'ont pas mis la main sur ce que nous avions dissimulé dans le poulet rôti, pourtant il pesait son poids d'or. Mais le meilleur rendement, ça a été les pommes de ta grand-mère. Quand je pense qu'on a failli les abandonner dans le train ! C'est Szymon qui s'y était opposé. Il était assis sur le cageot et n'a pas bougé de là pendant toute la traversée. À Haïfa, dès que nous sommes descendus du bateau, mon père a préparé un panneau en hébreu et en yiddish : POMMES DE POLOGNE : 1 $ PIÈCE. En vingt minutes, on s'est retrouvés en* possession d'une petite fortune de cent dollars. De quoi prendre un taxi et payer l'hôtel. Alors, n'oublie pas de remercier ta géniale grand-mère. Le lendemain matin, mon père s'est installé face à la mer avec ses pinceaux et ses toiles, et le soir même, tous ses tableaux intitulés La Mer Baltique étaient vendus tant est grande la nostalgie de nos compatriotes pour le pays de leurs ancêtres. Comme tu vois, dans ce pays l'argent se ramasse sur le sable mais il y a aussi des subsides alloués par des organisations caritatives hébraïques. Papa dit qu'on n'est pas venus en Israël pour vivre en assistés. Tant qu'on se débrouille, on ne va pas aller leur demander un kopeck.

Je peins ton visage de mémoire, j'ai même essayé de vendre plusieurs portraits de toi. Je l'avoue, j'ai eu moins de succès que mon père avec la mer Baltique ! Tant mieux, ainsi je garderai tous tes portraits, un jour je te les montrerai.

Bashia, je sais, il n'est pas prudent de correspondre avec un étranger, encore moins avec un émigré, mais tu peux m'écrire via mes cousins de Lublin. Ils sauront comment me faire parvenir ta lettre.

Salue bien ta grand-mère.

Cześć[1] !

Piotr.

---

1. Salut !

Le 4 décembre, à la Sainte-Barbe, l'oncle Roman a été arrêté. J'ai honte de le dire mais, sur le moment, j'ai pensé « C'est bien fait pour sa gueule, il n'en a toujours fait qu'à sa tête ». J'ai imaginé naïvement qu'ils allaient lui faire peur mais que vu son état mental, il sortirait le lendemain. Surtout que Jakub Goldberg, célèbre psychiatre et ami de faculté de Père lui avait collé un diagnostic de schizophrénie, ce qui a eu pour résultat l'ouverture d'un dossier de reconnaissance d'invalidité de troisième catégorie. Mais notre espoir s'est bien vite évanoui : un nouveau fonctionnaire s'est penché sur son cas et l'a qualifié de parasitisme.

– Étant donné que les communistes ont le sens de l'humour atrophié, il ne faut pas s'attendre à ce qu'ils comprennent la façon de s'exprimer de Roman, a dit Grand-Mère. Il faut réagir vite. L'interrogatoire risque de l'enfoncer.

Père a tenté de nous rassurer :

– Je vais voir un milicien, c'est un ami de notre locataire Jurek Kowalski, tout va s'arranger. Roman sortira demain.

Mais il n'est pas sorti, ni le lendemain, ni une semaine après, ni un mois après.

— Il ne faut pas se laisser intimider, a dit Grand-Mère. Il faut faire jouer toutes nos relations.

Au bout de quelque temps il a fallu se rendre à l'évidence : personne n'interviendrait en faveur de Roman. Dans la rue, les connaissances ne s'arrêtaient plus en nous voyant comme c'est l'usage en Pologne, elles nous fuyaient. Toute attitude de sympathie ou de solidarité envers un inculpé déclenchait les pires ennuis : perquisitions, saisies de courrier, menaces d'expulsion de la ville, perte d'emploi.

Mais Grand-Mère ne se décourageait pas.

— Use de tes connaissances, Karol ! Tu as des contacts, toi !

— Oui, mais là je ne vois plus vers qui me tourner.

— Parmi tes patients tu dois bien connaître quelqu'un qui peut intervenir ! Tu as été plus d'une fois arrêté par la Milice et tu t'es toujours vanté d'avoir su en profiter pour nouer des relations utiles !

Au terme d'efforts mentaux prolongés, Père s'est souvenu qu'il connaissait un chef de la 3e division de la sécurité, le major Wałach.

— L'année dernière, je l'ai guéri d'une méchante constipation.

— Alors va le voir !

— Demain je m'en occupe.

Le lendemain arrivait, et le surlendemain, et Père ne bougeait pas. Il ne luttait jamais. Chaque démarche lui paraissait vaine, je le voyais bien. Il adoptait cette attitude défaitiste, attendre, laisser l'événement, quel qu'il fût, s'accomplir.

Grand-Mère seule continuait à remuer ciel et terre. Elle s'est rendue place Szczepanski.

– Pourquoi avez-vous arrêté Roman Zborawski ? Il a un certificat attestant qu'il n'a pas toute sa tête.

– D'abord on tient l'homme, on trouve le paragraphe après, a répondu l'officier de l'UB.

Une expression de désespoir que je ne lui avais encore jamais vue est apparue sur le visage de Grand-Mère. De tous ses échecs, elle s'était toujours relevée comme cette poupée russe aux pieds lestés de plomb, Vańka Vstańka. J'étais confiante.

Les jours suivants, Grand-Mère a continué à harceler l'administration en téléphonant et en écrivant lettre sur lettre. Elle a même écrit au Comité central, s'adressant au Premier ministre en personne. Ainsi qu'à Jakub Berman[1] et à Julia Brystigierowa[2].

– Ils vont finir par céder, disait-elle. Je suis leur mauvaise conscience.

Mais les journées passaient sans la moindre nouvelle de Roman.

– Qu'arrive-t-il à mon pays, je me le demande,

---

1. Jakub Berman était un juif polonais communiste, membre du Parti et responsable des services de sécurité intérieure. Il était considéré comme l'homme de main de Staline en Pologne, son éminence grise, entre 1944 et 1953.

2. Julia Brystiger, née Preis, appelée aussi Luna la sanguinaire, célèbre pour ses tortures sur les prisonniers, colonel dans les services de sécurité (UB). Responsable de la mainmise du Parti sur la culture et l'Église entre 1944 et 1956.

Bashia ? Qui sont ces gens-là ? Ont-ils encore la moindre idée de ce que signifient les mots justice, dignité, honnêteté ?

Je ne savais pas comment la consoler. D'habitude c'était elle qui le faisait en disant qu'à chaque situation, même la pire, il existait une issue. Au point que parfois je la croyais insensible aux innombrables vexations concoctées par notre régime. Mais à présent elle restait assise dans son fauteuil à attendre le facteur, sans bouger, les coudes appuyés sur la table, le visage dans les mains.

Le facteur passait, hochant tristement la tête.

– Pas de lettre aujourd'hui non plus, *pani* Frederyka.

Nous n'avions aucune expérience des pratiques judiciaires du nouveau régime, le seul qui s'y entendait en législation était Czesław. Il nous a expliqué qu'il ne fallait absolument pas écrire soi-même, cela pouvait aggraver la situation. Il fallait s'adresser à un avocat.

Les avocats ne possédaient aucune possibilité réelle de défendre leurs clients mais nous l'ignorions également et nous avons confié l'affaire à maître Gołąb, dont le nom en polonais signifie « pigeon ». Les pigeons, c'était plutôt nous car les sommes exigées par le camarade Gołąb étaient colossales. L'accusé ayant été décrété coupable bien avant l'arrestation, les dés étaient pipés dès le départ et tout le reste n'était qu'un camouflage.

– Trop d'ennemis cherchent à nuire à notre jeune pays, disait maître Gołąb en me lorgnant en douce d'un drôle de regard qui ne pouvait signifier qu'une chose.

« Il ne faut pas que je me trouve une minute seule avec ce bonhomme », me suis-je dit pendant qu'il continuait sa tirade :

– Les roues de la justice socialiste se dirigent inévitablement vers la vérité et cette vérité finit toujours par triompher même si ça prend du temps. Ce que j'ai appris de l'officier chargé de l'affaire est grave : votre fils disait pis que pendre de notre pays.

Maître Gołąb avait l'air véritablement affligé comme s'il ne s'attendait pas à tant de bassesse de la part de son client.

– Ces accusations sont très, très graves.

– Mais lesquelles ?

– La première porte sur l'antisémitisme.

Nous étions abasourdis. Jamais telle opinion aussi immorale que stupide n'avait existé dans notre famille.

– La deuxième sur l'homosexualité.

Là non plus, on ne comprenait rien. Roman ne sortait jamais seul de la maison, ne recevait personne, n'allait nulle part.

– Il a raconté une blague antisoviétique.

À qui, puisqu'il ne parlait à personne en dehors de la famille ?

– Il écoutait une radio occidentale.

Qui le savait, à part…

– Il répandait de fausses informations sur le massacre de Katyn, déclarait que c'était l'œuvre des Russes. C'est un délit qui va chercher dans les trois à cinq ans de prison. Il lisait des livres interdits. À la poste, il a craché sur l'effigie de notre président, il y a des témoins.

Bref, les accusations étaient très lourdes. Additionnées, Roman risquait vingt-cinq ans de prison ferme.

J'ai regardé Grand-Mère, elle s'est recroquevillée comme sous l'effet d'un coup. Elle avait à présent cinquante-cinq ans mais en paraissait dix de plus, si vieille, si usée par la vie qui ne lui épargnait aucun tracas.

Sur le chemin du retour, elle m'a dit :

– J'ai connu bien des guerres : 14-18, la guerre des bolcheviques en 21, puis celle de 39-45. J'ai traversé les deux occupations, les bombardements, la déportation de mon mari, la famine, la perte de nos terres et de nos biens... et voilà... en temps de paix, c'est ma quatrième guerre. Les Polonais contre les Polonais. Je te parle comme à la grande personne que tu as toujours été, pour que tu comprennes une fois pour toutes à quelle époque tu vis. Et qu'il n'y a qu'une solution pour éviter que ce rouleau compresseur ne te broie. Rester dans le moule, comme ton père, ou, à sa manière, comme ton amie, cette Iwonka que tu admires tant pour je ne sais quelle vertu.

– Nous ne sommes plus amies, Grand-Mère.

– Tant mieux.

Le lendemain, Grand-Mère a revêtu le manteau de vison de Mme Weisman et est sortie très tôt de la maison. «Quelle chance, ce manteau, ai-je pensé. Il fait moins vingt dehors.»

Mon cœur s'est rempli de reconnaissance pour cette sympathique famille, et au même moment, j'ai réalisé à quel point Piotr me manquait. Ma lettre était restée sans réponse. L'avait-il bien reçue ? Je l'avais adressée à ses cousins de Lublin comme il me l'avait suggéré.

Grand-Mère est revenue au début de l'après-midi sans son manteau de vison, juste habillée de son vieux chandail comme si c'était une journée de printemps. Elle tremblait. J'ai pris un plaid de laine et j'en ai entouré ses épaules.

– Merci Bashia.

À mon regard interrogateur, elle a dit seulement :

– L'homme doit trouver tout seul les limites de sa bassesse. L'avocat m'a promis de régler la paperasse au plus vite afin qu'on nous accorde le droit de visite. J'espère qu'il tiendra sa parole.

Puis, de nouveau, elle s'est tue. Et ce silence était plus dur à supporter que ses paroles.

Jeudi 24 décembre, nous avons reçu le droit de visite tant attendu à la prison de Monteluppi. Pendant que je préparais à la hâte un colis pour Roman avec ce que j'avais trouvé dans le garde-manger – un pain de seigle, de la margarine (elle se conserve mieux que le beurre), de la confiture de fraises (faite du temps d'Elżbieta), du thé (en vrac), du sucre (il n'en restait que peu), des oignons (un peu de vitamine C afin qu'il n'attrape pas le scorbut) – Marintchia a recouvert le brûleur du réchaud à gaz d'une plaque d'amiante pour obtenir une chaleur douce et régulière, rempli le faitout d'eau et y a mis les carcasés de poulet pour en faire un bouillon.

– Ne vous tracassez pas, *pani* Frederyka. J'vais m'occuper de la carpe et du reste.

Père a voulu nous accompagner mais il s'est trouvé rapidement en état d'apesanteur. Un tremblement nerveux lui agitait le corps. Il a avalé rapidement deux verres, l'un après l'autre. « Pauvre papa. Elle est là, sa forteresse ! » ai-je pensé.

– C'est l'émotion, s'est-il excusé la main crispée sur le cœur.

J'ai vu que ses yeux étaient voilés. Car même si les deux frères se chamaillaient, je suis persuadée qu'en dépit de tout, ils s'aimaient.

Grand-Mère a enfilé son vieux manteau râpé. De violentes quintes de toux ont voûté encore plus son dos. « Elle a pris froid hier, ai-je pensé. Rentrer ainsi, sans son manteau par un temps pareil ! »

— Allons-y. Peut-être qu'en route on trouvera quelque chose à acheter, me dit-elle.

La neige tombait abondamment. Rue Basztowa, les gens couraient très vite, il devait y avoir un arrivage de marchandise. Hommes et femmes se bousculaient à l'entrée du magasin de la rue Długa. J'ai engagé une discussion dans la queue pour savoir ce qu'on vendait. Personne ne savait, certains disaient que c'étaient des œufs frais, d'autres du beurre ou encore de la lessive en poudre.

Nous avons réussi à acheter quatre boîtes de conserves de poisson à la sauce tomate. Sur l'étiquette, il avait l'air dodu et appétissant, même si la vendeuse affirmait qu'il sentait le foie de morue, et nous les avons ajoutées au colis pour l'oncle Roman.

Nous avons attendu le tramway quarante minutes mais ça n'avait pas d'importance, nous étions en avance. À la prison de Monteluppi, une femme obèse et amorphe nous a conduits dans un bureau avec des barreaux aux fenêtres, après quoi elle a posé son gros derrière sur une chaise et est restée assise jusqu'à la fin de l'entretien. Un caporal en uniforme bleu-gris nous a fait asseoir, puis a prononcé très poliment un long discours sur les problèmes que la jeune justice populaire rencontrait dans ce nouveau pays qu'était le nôtre. Il y avait dans cette tirade au moins une dizaine fois les mots « jeune » et « jeunesse ».

Grand-Mère a signé toutes sortes de formulaires, cela

a duré plus d'une heure et le caporal ne nous emmenait toujours pas au parloir. Nous avons attendu encore une heure dans le couloir. Enfin il est revenu et, très embarrassé, a déclaré que le citoyen Roman Zborawski ne pourrait pas se présenter au parloir. De la prison, il avait été transporté en ambulance aux urgences de l'hôpital.

– Que lui est-il arrivé ? Quel hôpital ?

– Secret de l'instruction. De toute façon, inutile de vous y rendre. Vous ne pourrez pas le voir.

Nous avons appris par la suite que Roman avait mordu jusqu'à l'os un représentant de l'ordre. Quand des renforts étaient arrivés, il les avait roués de coups. Une mêlée générale s'était ensuivie, bref, il avait eu besoin d'un chirurgien pour lui recoudre son arcade sourcilière.

Il était bien tard quand nous sommes rentrées rue Floriańska. À la cuisine, Marintchia tirait les cartes à *pani* Kowalska et elles étaient à ce point absorbées qu'elles ont sursauté quand nous sommes entrées. Marintchia a rassemblé ses cartes, les a cachées dans son tablier. Je voyais ses grosses mains calleuses sur son ventre. Elle évitait le regard de Grand-Mère.

Ce fut le plus sinistre réveillon de toute ma vie.

D'habitude, à Noël, Elżbieta faisait cuire des pâtés, préparait du raifort râpé aux betteraves, le kouglof et le pain d'épices. Fenêtres lavées, rideaux empesés, draps changés, odeur de cire ańonçaient la fête. Rien de tout cela cette ańée. Pas de sapin, pas de cadeaux, pas même de meśe de minuit. La carpe avait un goût de vase. La forme du gâteau au pavot confectioné par Marintchia évoquait pour moi une crotte enroulée sur elle-même.

J'ai commencé à relater cette sinistre journée à Père. Il m'a écoutée et a dit :

– Demain je m'occupe de tout.

Puis il a posé délicatement son visage dans l'assiette à côté de la carpe à peine entamée et s'est endormi.

Le lendemain de Noël nous avons appris que Roman avait été transporté au centre psychiatrique de Kobierzyn.

– Tant mieux, a dit Père. Il sera plus facile de le sortir de là que de la prison.

Il se trompait.

Un autre mois a passé sans qu'on nous accorde de droit de visite. Pourtant nous avons tenté de le voir à plusieurs reprises. Le centre se composait de plusieurs petits bâtiments en briques et d'allées avec des bancs entre les arbres comme dans un jardin public. Mais il y avait des barreaux aux fenêtres et parfois j'entendais des cris.

Le docteur Goldberg cherchait à nous aider, il a émis timidement l'hypothèse d'un chromosome défaillant pouvant être responsable du comportement irrationnel du patient Roman Zborawski. Il était prêt à établir un certificat mais maître Gołąb a refusé d'utiliser cet argument pour la défense de son client, prétendant que cette thèse était en opposition avec la théorie marxiste de la responsabilité sociale.

Aujourd'hui aussi, les marxistes restent convaincus que

chaque crime trouve ses racines dans le mauvais fonction-
nement de la société.

— Or, l'entourage de ton oncle n'est pas joli à voir, a dit
l'avocat, toujours avec ce regard étrange.

Depuis l'arrestation de Roman, je restais éveillée longtemps, attentive au moindre bruit. Je revivais dans le
silence de la nuit les événements des derniers mois. Avec
tous ces tracas, Grand-Mère avait laissé passer la date
limite d'achat du charbon et maintenant, on n'en trouvait
plus nulle part. Notre bon était périmé. Je grelottais la nuit
sous mon édredon trop court avec pour seul chauffage un
radiateur de fortune, une petite résistance à peine rougie
autour d'un tube d'amiante. Quand, épuisée, je finissais
par m'endormir, mes rêves étaient des cauchemars récur-
rents. Je recevais des coups et plus je me protégeais avec
mes mains, plus les coups étaient violents. Je me réveillais
alors trempée de sueur, le cœur battant si vite que tout
mon corps en était secoué. Pour m'apaiser, je me forçais à
penser à autre chose. Je fermais les yeux et j'imaginais
Paris, ses rues lumineuses et les gens élégants qui s'y pro-
menaient sans doute. Et je me voyais, parmi eux, au bras
de mon mari.

Mais les cauchemars revenaient immanquablement.
Une nuit sans sommeil, j'ai voulu les noter dans mon
journal comme pour enfouir mes angoisses dans les mots.
Je savais que cela ne m'aiderait sans doute en rien. Sûrement pas à dissiper mes peurs. Peut-être au moins à saisir
les événements pour les analyser ensuite. Un peu comme
quand on dresse une liste de choses à faire pour ne pas
oublier et qu'on les raye au fur et à mesure qu'on a résolu
le problème.

Alors j'ai grimpé sur la cuvette des W-C, j'ai cherché à tâtons derrière la chasse d'eau. Mon cahier ne s'y trouvait plus.

Mes jambes se sont mises à trembler, j'ai failli me retrouver par terre.

Je n'ai pas revu l'oncle Roman vivant. En mars, nous avons reçu un télégramme de l'administration de l'hôpital pour «venir chercher Roman Aleksander Zborawski dans les deux jours ouvrables à partir de la mise en demeure de cette missive, sans quoi l'État se chargerait de l'enterrement».

Le sol s'est dérobé sous mes pieds. Et pourtant, la peur, je la connaissais depuis toute petite. Mais à aucun moment, elle n'a été aussi forte que ce jour là.

– Seigneur ! Pourquoi lui ont-ils fait ça ?!

Avec ce qui me restait de force, j'ai entouré Grand-Mère de mes bras. Elle s'est tassée sur elle-même secouée de sanglots silencieux.

– Bandits ! Assassins !

À l'entrée de l'hôpital, le portier dans sa guérite nous a montré un bâtiment isolé où nous devions nous rendre. Quand nous nous sommes approchés, j'ai lu la pancarte : *Kostnica*[1].

Nous avons attendu devant pendant une éternité. Enfin,

---

1. Morgue

deux hommes en bleus de travail sont arrivés. Ils n'envisageaient pas de porter le corps à moins que Grand-Mère ne leur paye une tournée. Elle n'avait pas besoin qu'on lui fasse un dessin, elle savait depuis longtemps comment parler à ce genre d'hommes. Alors elle s'est rendue dans un magasin tout proche d'où elle est revenue une bouteille de vodka à la main.

— C'est une monnaie plus sûre que les zlotys, a-t-elle soupiré.

Au bout d'une autre heure, un chariot tiré par un cheval est arrivé. Le cocher hilare et son camarade chantaient à tue-tête un couplet populaire avec l'accent de Lvov. Dans le chariot se trouvait un sac en toile de jute qui m'a rappelé ceux servant à transporter les pommes de terre, il était seulement un peu plus long.

— Le voilà.

À la vue de ce sac, Grand-Mère a reculé en titubant jusqu'au banc et s'est laissée choir avec un bruit sourd ; son cœur se brisait en mille morceaux.

— Alors mémé, tu le prends ou on repart ? On a d'autres livraisons nous.

Grand-Mère a arrêté un homme qu'elle a pris pour un médecin de l'établissement car il portait une blouse blanche.

— Ces hommes prétendent que le sac dans leur chariot contient le corps de mon fils.

— Et alors !

— Je demande une autopsie. On ne meurt pas comme ça à trente-cinq ans !

— Une autopsie ! Vous vous croyez dans un film américain ou quoi !

Grand-Mère a montré le cocher et son camarade.

– Ces hommes sont complètement ivres ! C'est une honte ! Et fous à lier en plus !

– Ce sont nos patients, a rectifié l'homme. Oh merde ! Qu'est-ce qu'ils ont, en effet ? On dirait le syndrome d'acétaldéhyde. Ils n'ont pas pu se procurer de l'alcool ! L'établissement est entouré de murs.

– Je vous répète : ils sont ivres morts !

– Si quelqu'un leur a donné de la vodka, ce n'est pas ma faute. Ils n'ont pas le droit de boire, ils sont traités à l'Antabuse. C'est un disulfirame qu'on administre aux volontaires pour les désintoxiquer. Chez les patients qui suivent ce traitement, une goutte d'alcool multiplie par dix sa concentration dans le sang. Je vous conseille de revenir avec un corbillard, madame. Nos deux hommes chargeront le défunt. S'ils ne meurent pas cette nuit.

C'est ainsi que fut enterré l'oncle Roman, suivi de peu par ses fossoyeurs.

Le lendemain, au cimetière de Rakowice, sous une pluie glacée, seuls Père, Jadwiga et moi étions présents. Grand-Mère, pour la première fois de sa vie ne faisait pas face. Nous l'avons laissée abatue, comme sans vie, murée dans son chagrin.

La bénédiction fut bâclée par un prêtre indifférent. L'oncle Roman s'enfonça rapidement dans la tombe inondée, lâché trop vite par un croque-mort pressé.

Les marronniers ont fleuri. J'ai passé le bac blanc avec succès.

Un mois après, ce serait le baccalauréat national. L'année prochaine j'étudierais à l'université. Je ne serais plus ni surveillée ni menacée par cet ignoble individu. Il fallait tenir bon.

Le directeur ne me convoquait plus dans son bureau mais la peur ne m'avait pas quittée pour autant. Je savais que l'ours dans sa tanière était là et qu'il m'observait. Je rasais les murs à la récréation, me cachais derrière des camarades quand il passait. Je savais que j'avais affaire à un fin stratège.

Quand un homme a perdu la face, il est capable des pires exactions, je n'allais pas tarder à en faire l'expérience.

Pendant le cours de mathématiques du jeudi, la secrétaire du directeur est arrivée avec un mot pour le professeur. Mlle Godziek a lu le mot puis elle a ordonné à toute la classe de se rendre chez le directeur.

L'un après l'autre, nous étions appelés à l'intérieur. Nous n'avions aucune idée du sujet de l'interrogatoire car nous entrions par le secrétariat et sortions par la porte qui donnait directement sur le couloir. À mon tour, je suis entrée dans ce bureau que je haïssais tant. Tous nos professeurs étaient présents.

Krostak était assis dans son fauteuil à haut dossier, mon cœur s'est mis à battre la chamade. Le professeur de polonais a demandé mon cartable et, très minutieusement, s'est mis à le fouiller pendant que la secrétaire vérifiait mes poches. J'ai pâli. Je me suis mise à trembler. Dans le plumier j'avais les huit cents zlotys que, depuis la disparition de mon journal, je n'osais plus laisser à la maison.

Il n'a pas mis longtemps à les trouver et à les montrer triomphalement au directeur.

– Voilà, on a trouvé le coupable !

Mlle Polony s'est jetée sur moi :

– Voleuse ! Je reconnais ce billet taché d'encre !

Elle montrait le billet de cent zlotys, le passait et repassait sous le nez des autres professeurs. Ce même billet que j'avais échangé l'année précédente à la consigne des bouteilles.

Le directeur précédait le cortège, le professeur de chimie me traînait par le bras, de l'autre côté Mlle Polony m'encadrait comme si elle craignait que je ne m'échappe. C'est elle qui a annoncé la sentence à notre classe :

– Nous avons trouvé la coupable. C'est elle qui a volé ma paye.

– Mais pas du tout ! ai-je crié. C'est mon argent ! Ces billets, je les porte dans mon plumier depuis des mois et des mois ! Beaucoup de mes camarades les ont vus ! Vous n'avez qu'à leur demander !

La classe entière s'est tue, tous avaient perdu la parole.

La plus muette était Iwonka, d'habitude si éloquente. J'ai immédiatement compris la raison de ce silence. Avouer que depuis le début de l'année aucun élève n'avait écrit une seule dissertation revenait à anéantir leurs chances au baccalauréat.

Je regardais mes camarades avec insistance, espérant que l'un d'eux au moins aurait le courage d'avouer d'où me venait l'argent. Mais posséder tant d'argent en ces temps de disette valait envie et aversion. Les quelques zlotys accumulés par-ci par-là s'étaient transformés en une belle somme à la fin de l'année, ce qui avait empli mes camarades de jalousie.

Leur silence ne présageait rien de bon. J'ai serré les dents pour ne pas crier de désespoir et attrapé les bords de la table pour ne pas tomber.

– Vous pouvez rentrer chez vous, a dit le directeur. Quant à Mlle Zborawska, elle passera cette nuit en garde à vue. En attendant le jugement du tribunal.

C'était donc ça, sa vengeance. C'était de cette façon qu'il avait décidé de se débarrasser de moi. L'indignation me faisait perdre la voix. J'ai voulu crier :

« Mon seul crime est d'avoir été témoin d'une scène que je n'aurais jamais dû voir. »

Aucun son ne sortait de ma bouche.

« Et aussi d'avoir triché avec les dissertations. Si leurs sujets avaient été moins idiots, personne n'aurait eu besoin de tricher ! »

Mais déjà on entendait le crissement de pneus si caractéristique des voitures de la Milice.

Le trajet m'a semblé atrocement long. Finalement, la camionnette s'est arrêtée. Je suis descendue entourée de deux miliciens. Ensuite ç'a été un long corridor, de grandes portes en fer qui s'ouvraient, des gardiens et des femmes en uniforme.

– Déshabille-toi, m'a dit une gardienne.

J'ai senti ses mains sur mon corps nu. Dieu que c'était humiliant ! Elle m'a obligée à faire un grand écart pour vérifier que je ne cachais rien entre les jambes. Elle a ouvert ma bouche, regardé sous ma langue, sous mes bras. Je tremblais de la tête aux pieds. Il me fallait serrer les dents pour ne pas me mettre à hurler. À la fin, elle m'a jeté une sorte de chasuble grise.

– Rhabille-toi.

N'espérant pas qu'on me rende ma culotte et mon chemisier, je l'ai enfilée directement sur ma peau nue. Elle m'a conduite devant une grande cellule commune. Quand elle a ouvert la porte et m'a poussée à l'intérieur, une odeur fétide a frappé mes narines, odeur bien caractéristique de femmes mêlée à celle, acide, de la transpiration.

Un quolibet m'a accueillie :

– Tenez, on dirait une «demoiselle de la haute». On t'a enlevé ta robe Dior ? Tu tapines où, salope ?

«Non ! C'est pas possible ! Je vais pas rester enfermée ici avec des prostituées ! »

– Ouvrez-moi ! Ouvrez-moi !

Je me suis mise à taper avec mes poings à la porte.

Une femme a tenté d'amorcer la conversation. Sa voix était douce :

– Je ne te demande pas quel crime tu as pu commettre, personne ici n'est coupable. Quel âge as-tu ?

– Dix-sept ans.

– Mon Dieu ! L'âge de ma fille. Ils s'en prennent aux enfants maintenant.

J'avais tant besoin d'apaiser mes angoisses que cette main tendue m'a paru salvatrice. Ses gestes doux m'ont mise en confiance. J'ai observé mes compagnes d'infortune. À part la jeune qui m'avait prise à partie, quatre autres femmes se trouvaient dans la cellule. L'une, au visage sans rides, murmurait une prière en gesticulant comme si elle égrenait un chapelet invisible. Ses lèvres enflées portaient des traces de coups. Une bonne sœur peut-être ? Il y avait aussi deux femmes d'âge mûr, difficile de deviner leur métier. La première pouvait être professeur, quant à l'autre ? Elles jouaient aux échecs avec des pions fabriqués dans de la mie de pain rassise. J'ai demandé comment elles avaient fait pour les pions noirs. Elles ont répondu qu'elles avaient ajouté un peu de cendre de cigarette.

Un guichet s'est ouvert au centre de la porte, une silhouette en contre-jour a versé avec une louche de la soupe qui sentait le chou. Les femmes ont tendu leurs gamelles, j'ai fait de même. Ce n'était qu'une sorte de lavasse avec des patates et quelques lardons déjà froids mais elle m'a paru délicieuse tant j'avais faim.

Puis un morceau de savon noir m'a été distribué. La fatigue a eu raison de ma résistance, je me suis endormie. J'ai été réveillée à cinq heures du matin :

– Debout, bande de flemmardes ! C'est pas une maison de vacances ici !

Après un bol de thé et une tranche de pain sec, on m'a changée de cellule, nous n'étions plus que deux. « C'est sûrement grâce à Czesław, ai-je pensé avec espoir. Les prisonniers qui ont droit aux cellules pour deux sont aidés par des membres influents de leurs familles ou alors sont eux-mêmes des personnes importantes. »

La femme dont le lit était au-dessous du mien n'était pas causante. Elle restait tournée vers le mur et n'a pas répondu à mon salut. J'avais beau essayer de me rassurer, ma peur grandissait. Le sort de Roman m'avait appris ce qui pouvait arriver aux rebelles comme moi.

Maître Gołąb est venu me voir dans la soirée. Il n'arrêtait pas de promener son regard sur mon corps en promettant que je sortirais bientôt.

– Tu n'as pas dix-huit ans, tu n'es pas majeure. Tu vas être envoyée devant une commission correctionnelle et jugée par le juge des mineurs. Au pire, tu es bonne pour la maison de redressement, mais pas pour la prison. Nous sommes dans un pays de droit !

Maître Gołąb a tenu parole, on m'a appelée le lendemain matin. La gardienne m'a jeté mes vêtements et m'a ordonné de me changer. Ensuite, elle m'a emmenée dans

une autre pièce où Père m'attendait. Il a signé des papiers
et nous nous sommes retrouvés dans la rue.

– Qu'est-ce que c'est que cette histoire de vol ? Ce n'est
pas toi qui as volé l'argent de cette sorcière, dis ?

– Bien sûr que non, papa !

– C'est ce que je me suis dit. Si tu avais besoin d'argent,
tu m'aurais demandé. Alors pourquoi tu ne t'es pas défendue ?

– Je l'ai fait mais personne ne m'a crue. Les circonstances étaient contre moi et dans cette classe, ce sont tous
des lâches.

Père a pris ma main dans les siennes. Il s'exprimait avec
difficulté :

– Ce soir-là… le soir où tu n'es pas revenue à la maison… j'ai eu très peur… Et encore plus quand j'ai appris
qu'on t'avait emmenée à Monteluppi. Viens, on va déjeuner au restaurant et tu vas tout me raconter.

Nous sommes allés chez Havelka sur le Rynek. J'étais
assez fière de marcher à côté de lui. Il m'a paru plus maigre
qu'avant, ce qui le faisait paraître encore plus grand, mais
beau comme un acteur de cinéma. Il portait un costume
bleu marine à rayures. Son pantalon impeccablement
repassé tenait son pli comme une lame de rasoir Gillette.
Ses chaussures noires brillaient.

Les serveurs connaissaient Père et ils nous ont donné la
meilleure table, près de la fenêtre.

Une côtelette à la Kiev a projeté du beurre fondu sur
mon chemisier dès que j'y ai planté ma fourchette et nous
avons bien ri. En quelques mots, je lui ai relaté toute
l'affaire, sans rien omettre. Il a écouté attentivement, le
visage tendu, les yeux remplis de larmes.

– Oh, Bashia chérie ! Pourquoi tu n'es pas venue tout de suite m'en parler ? Pourquoi ?

Je ne savais quoi répondre.

Le serveur s'est approché et a demandé, obséquieux :

– Est-ce qu'un petit rafraîchissement à base de houblon fermenté ferait plaisir à monsieur le docteur ou préfère-t-il quelque chose de plus consistant ?

– Jamais ! Je stoppe définitivement ! J'arrête ! Plus jamais la moindre goutte ! Ma fille en est témoin !

Je l'ai regardé, étonnée. Il s'est penché vers moi pour me confier :

– Ce rustre de Kowalski a tenté de m'empoisonner. Cette nuit où tu n'es pas revenue, il m'a servi un breuvage de son cru : trois litres de bière mélangée avec un litre d'alcool à 90° ! Je te jure, j'ai vu les souris grignoter les manches de ma veste.

« Pauvre papa, l'alcool anesthésie ses joies et ses douleurs. Il guérit les autres, mais il ne se guérit pas lui-même. »

– Demain je m'occupe de ce salopard de Krostak, a-t-il dit. Il crèvera en taule, crois-moi !

Une semaine plus tard le conseil de discipline s'est réuni dans notre lycée. Quand je suis entrée dans la salle enfumée, je pensais savoir à quoi m'en tenir. J'avais pris des précautions, prête à lâcher ma bombe à retardement.

J'étais loin de me douter qu'il avait fallu un rapport de soixante pages pour décrire tous mes crimes. On m'a annoncé que j'étais un élément subversif, perpétuellement rebelle, stupidement révolté, conspirateur, résistant à l'éducation en vigueur. De surcroît, dangereux pour la société. Bref, je méritais une sentence exemplaire.

Le directeur a lu le verdict : j'étais rayée des effectifs du lycée avec interdiction de me présenter au baccalauréat dans un établissement d'État jusqu'au jugement définitif du juge des enfants.

Peut-être s'attendaient-ils à des pleurs, à un évanouissement ou à des supplications de clémence. Mais je n'ai rien demandé, je n'ai pas supplié, j'ai serré les dents. Et en même temps, j'ai desserré le couvercle de la boîte de *Pulex irritans*. En reculant vers la porte, je l'ai renversée au milieu des professeurs. En guise de requiem pour l'oncle Roman.

Le mois suivant, j'ai été convoquée au tribunal d'instance devant le juge pour mineurs. En plus de lui, quatre autres personnes se penchaient sur mon dossier. J'ai aussitôt reconnu Bronisław Prorok. À la simple vue de ce juge, une violente douleur m'a déchiré le ventre. Ses yeux me scrutaient, cherchaient dans les miens une réaction. J'ai soutenu son regard, remarquant son léger trouble. Son collègue a confirmé le verdict.

Voilà, j'étais menteuse, hypocrite, voleuse. Tout était ma faute. Ce qui m'était arrivé, je l'avais mérité et même cherché.

Évidemment ! Le tribunal ne pouvait pas mettre en doute la décision de pédagogues aussi réputés. Si autant de professeurs éminents avaient signé le réquisitoire, cela excluait une erreur éventuelle ou le parti pris d'un directeur d'établissement malveillant.

— Tu récoltes ce que tu as semé. Un pareil manque de discipline et de respect de l'autorité ne peut être toléré dans un pays qui est une démocratie populaire. L'Occident faisandé avec sa fausse démocratie peut se le permettre, mais pas nous qui sommes en train de construire un avenir meilleur.

Le greffier a noté la sentence. Le juge l'a lue à haute voix :

« Devant le cas d'extrême gravité que présente la dénommée Barbara Karolina Zborawska, seul un séjour dans une maison de redressement permettra de la remettre sur la difficile route de la resociabilisation. »

Et, circonstance aggravante, il a mentionné « le niveau élevé d'intelligence de l'accusée ».

C'était une décision définitive et sans appel. Fini l'université. Fini les études et les rêves.

Un immense chagrin m'a serré la poitrine, mes jambes se sont dérobées sous moi, je me suis tenue de toutes mes forces au pupitre de la salle d'audience. Grand-Mère m'avait appris à sauver la face à tout prix, à faire une victoire d'une débâcle.

J'ai cherché des yeux le propriétaire du moulin à café mais celui-ci pinçait distraitement les poils de sa moustache. Sur son visage se lisait le dégoût d'avoir voulu partager le café avec un élément aussi criminel que moi.

Aujourd'hui je me dis que si je n'ai pas écopé de la perpétuité, c'est peut-être à lui que je le dois. Au moment du vote, il a baissé la tête et fait semblant de noter quelque chose d'urgent dans son dossier. Qui devait être le mien tant il était épais.

Mon envoi en maison de redressement devait avoir lieu dès la fin des cours.

Alertés par Grand-Mère, Czesław et Jadwiga sont arrivés d'urgence à Cracovie. Nous étions assis autour de la table de la salle à manger, celle avec les touches de piano de Roman que personne n'avait eu le cœur de décaper.

— Il existe une seule possibilité pour partir légalement de ce pays…, a dit Czesław avant de faire une pause.

Nous l'avons regardé avec espoir.

— Tu vas faire une demande de passeport et tu déclareras que tu es juive. Je ne devrais pas vous le dire, mais il y a peut-être une brèche de ce côté-là. La Pologne ne veut pas passer pour un pays antisémite aux yeux de l'opinion internationale. En te faisant passer pour une juive du côté maternel, tu as peut-être une petite chance de partir pour Israël. De là, tu verras si tu peux obtenir un visa pour la France où ton ami pourra t'aider.

Personne n'a dit mot. Chacun évitait le regard de l'autre. Plongé dans un état d'hébétude par manque d'alcool, Père avait une mine patibulaire. Ses mains tremblaient anormalement. Grand-Mère regardait vers la fenêtre sans bouger. C'était comme ça depuis la mort de Roman. On aurait dit une momie. Brisée, si faible, elle qui avait été si forte durant toute sa vie.

Puis Jadwiga s'est levée et a déposé un baiser sur le haut du crâne de son mari, là où il n'y avait presque plus de cheveux roux. Czesław l'a enlacée avec une certaine appréhension, habitué qu'il était à être repoussé. Mais cette fois-ci, Jadwiga ne s'est pas dérobée. Ce geste de tendresse si inhabituel chez sa femme l'a ému. Il s'est raclé le fond de la gorge et a dit :

— Vous pensez que je peux beaucoup. Mais moi aussi, j'ai des comptes à rendre.

— Je sais, Tcheshio, dit Jadwiga. Mais sauve au moins Bashia. Aide-la. Elle ne peut pas aller là-bas. Tu connais ces maisons. C'est pire que des prisons. Elle va y laisser sa peau.

En attendant des nouvelles des démarches de Czesław, je n'osais pas sortir de la maison.

Un soir, vers dix heures, la sonnette a retenti.

— Qui ça peut être à cette heure-ci ? ai-je demandé.

Devant la porte se tenait Iwonka. Je l'ai regardée, elle a baissé les yeux. J'ai voulu lui claquer la porte au nez mais elle m'a devancée :

— Tu as une minute ?

— À cette heure-ci ?

Elle a regardé ma chemise de nuit.

— J'ai quelque chose d'important pour toi. C'est une lettre de l'étranger.

Elle m'a tendu une lettre en descendant l'escalier.

— Comment tu l'as eue ?

— Peu importe, je l'ai eue, c'est tout.

– Mais comment ?

– Disons qu'elle est passée par les mains de mon père.

J'ai examiné attentivement l'enveloppe. La lettre ne semblait pas avoir été ouverte. Mais pouvais-je en être sûre ? Roman disait qu'ils ouvraient les enveloppes à la vapeur. Sur l'enveloppe : mon nom, mon adresse. Le tampon de la poste de Rennes indiquait la date du 3 octobre 1953. Ciel ! Huit mois auparavant.

*J'ai beaucoup à me faire pardonner. Quel imbécile j'ai été ! Tu t'es construite toute seule, personne ne t'a aidée. J'admire ça. Tu sais, je me suis souvent montré cassant avec toi mais c'était, je crois, pour me cacher à moi-même que je commençais à t'aimer. J'étais venu en Pologne pour m'amuser, pas pour le grand amour. Encore moins pour me marier. Mais je ferai tout pour te faire venir ici. J'espère réparer ma faute et me rendre digne de toi.*

À moi, qui ne pleurais jamais, ces mots ont arraché des larmes à n'en plus finir.

Devant l'aéroport international de Varsovie, plusieurs chauffeurs de taxi tentent de s'emparer des bagages des passagers.

— Ça fait plaisir de voir jouer la concurrence, dis-je en souriant au propriétaire d'une Skoda toute neuve.

Le chauffeur pousse un soupir, comme s'il se souvenait d'un lointain passé à jamais révolu :

— À l'époque, je disais à mes collègues : « Vous allez voir les gars, un jour viendra où c'est nous qui allons faire des courbettes aux clients ! Mais personne ne m'a cru. »

Décidément, les Polonais ressemblent aux Français. Ils ne seront jamais satisfaits de ce qu'ils ont. Tout le long du trajet, c'est une nouvelle Varsovie qui défile, à peine reconnaissable, devant mes yeux. La Bourse, temple du capitalisme, a pris la place du siège du Parti communiste au coin de l'allée de Jérusalem. Tout le long de la rue Nowy Świat aux façades bien ravalées, Benetton, Max Mara, Hugo Boss, Escada, Société générale et divers sushis bars ont succédé aux tristes devantures des magasins d'État, Galux, Bar Mleczny, Gastrom…

En pénétrant dans l'hôtel Bristol, devenu Le Méridien, rue Krakowskie Przedmieście, je regarde ma montre. C'est bien, j'ai le temps de prendre un bain et de me changer. Plusieurs pensées se mêlent dans ma tête. Est-ce que je vais le reconnaître ? Et lui, il me trouvera sûrement bien vieille. Je commence à regretter. Non, ce n'était pas une bonne idée de se revoir après tant d'années, de remuer les souvenirs. Je n'aurais jamais dû accepter ce rendez-vous.

À vingt heures pile je pénètre à l'intérieur du restaurant, très années trente, de l'hôtel. La salle est à moitié vide. Personne ne vient à ma rencontre. Un pianiste joue un air languissant. En attendant le maître d'hôtel, je regarde les clients. Un homme en costume gris retient mon attention. Est-ce lui ? Non, Piotr était plus petit, plus chevelu. Plus mince aussi. Pourtant, je suis sûre que celui-là, je le connais, mais ma mémoire ne parvient pas à le situer. L'homme lève les yeux sur moi, je ne sais pas s'il faut l'encourager avec un sourire ou pas. Il s'apprête à s'approcher quand, au même moment, j'entends derrière moi :

– Tu seras toujours plus rapide que moi. J'ai voulu te faire une surprise et je suis allé te chercher à l'aéroport mais tu as filé plus vite qu'un éclair.

Je le regarde, il faut que je cache mon embarras, je ne l'aurais sûrement pas reconnu. Il a le teint hâlé et une sérieuse calvitie. Il porte une minuscule boucle à l'oreille droite, une barbe de deux jours, une chemise en lin un peu trop ouverte à mon goût sur la poitrine. Mais il est aussi direct et chaleureux qu'autrefois. Il me prend dans ses bras et m'embrasse. Sans me rendre compte de ce que je fais, je l'étreins comme si j'avais attendu cet instant depuis des années. Nous sommes émus. J'ai l'impression de savoir tout de lui. J'ai lu tant d'articles dans les journaux. Quelle célébrité, ce Piotr Weisman qui expose à Tel-Aviv, à Londres, à Los Angeles, à New York ! Je ne pensais pas que je le reverrais un jour en Pologne.

Nous commandons deux carpaccios et une bouteille de barollo rouge.

– Tu es marié ? Tu as des enfants ?

– Oui, quatre. Deux avec ma première femme, deux avec la seconde. Et toi ?

– J'ai deux enfants, je suis divorcée. Tu te rappelles Christian ?

– Ce Français coco qui était venu à ma fête et nous cassait les oreilles avec ses idées communistes ? Tu l'as donc épousé ?

– Les obstacles, c'est bien connu, exacerbent les passions jusqu'à l'obsession.

– Comment est ta vie ? Raconte.

Il me regarde en souriant.

– Tu manges toujours aussi vite qu'à l'époque.

Je souris à mon tour. Je me rappelle que Grand-Mère me faisait la même remarque parce que je considérais les repas comme une perte de temps, pressée de retourner à ma lecture interrompue.

Je repose la fourchette et le couteau sur l'assiette.

– Mais dis-moi Piotr. Tu as ressenti le besoin de revoir le pays où tu as été malheureux pendant dix-huit ans ou il y a une autre raison ?

– Si nous ne parlions pas de ce qui nous est arrivé

d'affreux et qui nous a fait basculer ? Ça serait peut-être mieux pour nous deux ?

— Alors parlons d'autre chose. Qu'est devenu ton petit frère ?

— Szymon ? Il est psychanalyste à New York. Spécialiste du *sexe abuse*. Il a écrit beaucoup de livres, sur la résilience. Il aide les gens à se reconstruire après un traumatisme vécu dans l'enfance. Il sait de quoi il parle, il a subi lui-même...

Soudainement une image atroce, enfouie depuis tant d'années dans ma mémoire, me revient. Le garçon blond étalé sur le bureau du directeur...

— Oh, mon Dieu ! Piotr ! Ne me dis pas qu'il a été violé par...

— Si ! J'attends toujours de régler mes comptes avec lui. Même si aujourd'hui il a plus de quatre-vingts ans.

— Mon père s'en est chargé. Krostak a été limogé et a disparu de la circulation. Selon mon père, expédié en Mongolie-Extérieure à un poste subalterne.

— J'aurais préféré le savoir en train de crever en taule ou de subir une honnête castration. Mais qu'est-ce que ton père a à voir là-dedans ?

— À ma sortie de prison, je lui ai raconté l'affreuse scène à laquelle j'avais assisté peu de temps avant d'être arrêtée. Un après-midi, il n'y avait plus personne à l'école, je suis entrée par le secrétariat pour déposer un dossier. J'ai poussé la porte du bureau attenant et là, j'ai été le témoin inopportun d'une scène que je n'aurais jamais dû voir et qui a scellé mon sort.

— Tu l'as vu et tu ne m'as rien dit !

— Je ne savais pas que c'était ton frère ! Je n'ai pas

distingué son visage. Mais vous, si Szymon vous a raconté ce qui lui était arrivé, pourquoi vous n'avez rien fait ? Pourquoi vous n'avez pas porté plainte ?

– Nous étions déjà en Israël quand on l'a appris. Qu'est-ce qu'on pouvait faire à distance ? Alerter l'ambassade, le consulat ? Tu oublies qu'à l'époque les membres du Parti ne pouvaient être ni pédés ni pédophiles. Les pédés et les pédophiles étaient prêtres ou impérialistes. Mais assez, parlons de toi. Pour moi, la page est tournée. C'est un autre pays. J'ai envie de revoir Cracovie. Je ne me sens bien nulle part. Dans toutes les villes où j'ai habité, je me suis constamment senti étranger. Tu es retournée à Cracovie, toi ?

– Seulement l'année dernière pour la première fois. Tu sais, je n'ai même pas pu assister à l'enterrement de mon père. Même avec mon passeport français et même si on m'avait accordé le visa, le risque était trop grand dans ces années-là. Franchement, je n'aurais jamais espéré qu'un jour je verrais la chute du communisme.

– Moi non plus. On récupérera peut-être nos biens.

– Pas tous. La succession de Zboraw n'est toujours pas réglée même si les PGR n'existent plus. Et à Cracovie, il faut d'abord pouvoir expulser ceux qui se sont installés à notre place. Tu te souviens de la rue Floriańska ?

– Et comment ! Je me souviens de ta grand-mère, de ton oncle cinglé, même de votre bonne ! Il y a encore quelqu'un de ta famille qui habite là-bas ?

– Je suis entrée dans notre ancien immeuble l'année dernière. J'ai regardé longuement la liste des habitants. Il n'y avait que des noms inconnus. Plus de traces de l'ancien appartement communautaire. Tout ou presque respirait la nouvelle richesse du pays. La cage d'escalier a été fraîchement repeinte ainsi que la porte cochère. On a installé un ascenseur. Les locataires sont visiblement devenus les propriétaires. Même le gourbi du concierge Marek est à présent une boutique. Il n'y avait que deux noms que je connaissais, Tomek Salawa, l'un des jumeaux de notre voisine, je pense, et sur la porte de notre appartement, le nom de Waldemar Snopek. Tu te rends compte ? Le fils de Marintchia ! Celle qui nous espionnait et nous dénonçait probablement ! Et toi, tu as récupéré votre immeuble de la rue Casimir-le-Grand ?

— Un avocat s'en occupe. Mais attends, commence par le début. Comment tu as réussi à sortir du pays ?

— Avec l'aide de Czesław Pawlikowski. À l'époque, il était marié avec ma tante Jadwiga.

— Je m'en souviens. Le rouquin. Il m'intimidait beaucoup.

— Les timides intimident toujours, dit-on. C'était un chic type malgré tout.

— Tu crois qu'il y avait des « chics types » parmi eux ?

— J'en sais rien. Lui en tout cas, il m'a aidée. Et ça lui a coûté son poste.

— Qu'est-ce qu'il est devenu ?

— En 56, après la chasse aux juifs de notre cher gouvernement, il a perdu son travail au ministère de l'Intérieur et a émigré en Israël. Je suis allée le voir une fois à Haïfa. Tu comprends, j'avais une dette envers lui. Il vivait dans une petite maison sur les hauteurs avec vue sur la mer. Il a monté une société de surveillance. Sa mère est morte quelques mois après leur installation là-bas. Sa fille a épousé un hassid très pieux. Lui-même a terriblement vieilli. Ses cheveux roux sont devenus blancs, d'un blanc un peu jaune. Il a beaucoup demandé des nouvelles de ma famille, il n'était pas au courant de la mort de sa belle-mère ni de son beau-père. Il n'a pas une fois mentionné Jadwiga. Il a dit que la Pologne lui manquait terriblement. Et que la nuit ses souvenirs le hantent.

– Et ta tante ? Elle était si belle.

– Elle a émigré aux États-Unis où elle a eu trois maris, tous plus riches les uns que les autres. Et Iwonka ? Tu sais ce qu'elle est devenue, toi ?

– Elle a obtenu son diplôme de marxisme scientifique, section journalisme. En 1975, elle a émigré aux États-Unis. Et en 81, elle a été la première à faire une interview de Lech Wałęęsa et d'autres de Solidarność en se faisant passer pour une dissidente. Je l'ai rencontrée à New York. Elle vivait avec une femme.

– Ça ne m'étonne pas.

– Elle m'a beaucoup parlé de ses sentiments pour toi, et aussi de ton enfance malheureuse.

– Oh, tu sais, Piotr, l'enfance malheureuse ou difficile, ce n'est qu'un prétexte que les psychologues invoquent pour servir d'excuse à tout bout de champ.

– Tu ne me dis pas comment s'est passée la rencontre avec ta mère.

– Elle vivait dans une telle aisance en comparaison de ce que j'ai vécu moi que je ne savais pas quoi lui dire de toutes ces années où nous avions été séparées.

– Elle aurait dû le comprendre.

– Le dialogue était difficile.

– Tu sais, les souvenirs font mal...

– C'est drôle, moi qui ai tant rêvé de quitter mon pays,

je me suis rendu compte que rares étaient les émigrés heureux. Et en France, cela prend du temps pour se faire accepter.

— Et ici, qui a réussi à survivre parmi les tiens ?

Je ne réponds pas tout de suite. Le pianiste joue encore, je crois reconnaître la fugue de Chopin, celle que Roman aimait tant.

— À vrai dire, personne. Je crois que je suis la seule de la famille à avoir joué ma fugue jusqu'à la dernière note.

— Tu vas en faire un nouveau livre ? Encore un, hélas, que je ne lirai pas. Je ne parle toujours pas français.

— Peut-être. J'ai pensé entreprendre une nouvelle histoire de la Pologne, différente de tous ces livres qu'on a écrits jusque-là, où les Polonais se présentent trop souvent comme des victimes et oublient qu'ils ont parfois joué le rôle de persécuteurs. L'année dernière, la petite-fille de notre ancienne cuisinière de Zboraw m'a retrouvée à Paris. Elle m'a apporté un paquet. À l'intérieur se trouvait une chemise en carton pleine de feuilles mobiles, remplies recto verso d'une écriture que j'ai reconnue, dense et sans une seule rature. Elle m'a dit : « C'est ce que votre grand-père écrivait en secret les derniers mois de sa vie. Ma grand-mère n'a pas pu le lire mais elle savait que c'était important. Alors elle l'a caché chez nous, elle m'a fait promettre que je ferais tout pour vous retrouver et vous le remettre en main propre. »

— C'est quoi, ce document ?

— Rien et tout à la fois. Une douloureuse autobiographie bien polonaise, qui s'explique par une malchance historique ou plutôt géographique.

Piotr prend ma main.

– J'aimerais me promener encore une fois avec toi dans les Planty. Aller dans le quartier de Kazimierz, comme autrefois. Comme j'ai pu rêver de cet instant ! Et si on y retournait ensemble ? Recommençons là où nous nous sommes arrêtés.

– Peut-on recommencer à notre âge ?

– On peut recommencer à tout âge, Bashia.

– Alors, d'accord. Nous irons demain après-midi. Le matin, j'ai rendez-vous avec le directeur de l'IPN[1]. Il faut absolument que je sache ce qu'on nous reprochait au juste.

– Et qu'est-ce que ça va t'apporter ?

– Je n'en sais rien. J'ai besoin de mettre un nom sur la personne qui nous espionnait, qui nous dénonçait. J'ai besoin de comprendre dans quel but elle l'a fait.

– C'est ça, va réclamer justice. Et supposons qu'elle soit encore en vie, tu veux la voir se repentir ? Qu'elle se frappe la poitrine, pleure et te demande pardon ?

– Alors quoi ? Je dois oublier, selon toi ?

– Tu es sûre d'être assez solide pour affronter la vérité ? Notre société n'est pas assez forte pour assumer son passé car c'est un lourd fardeau. Il est difficile de regarder en face les mille et un compromis au prix desquels nous avons survécu. Il est plus simple de se dire que nous avons été des victimes. Et il est également difficile de regarder en

---

1. Instytut Pamięci Narodowej : l'Institut de la mémoire nationale, fondé après la chute du communisme et chargé d'enquêter sur les crimes commis contre la nation polonaise. Il est composé de trois branches principales : 1) une division enquête avec la poursuite de crime au pénal (crimes communistes, crimes de guerre, crimes contre l'humanité, génocide) ; 2) un bureau d'éducation publique ; 3) une section archives et documentation.

face le fait que, directement ou indirectement, nous avons fait fonctionner une dictature. Cherche plutôt ceux qui l'ont supervisée.

– Non. Même à l'époque on avait le choix. On a toujours le choix.

Piotr me sourit avec une infinie compréhension.

– Tu es incorrigible, Bashia. Tu veux une fin comme dans un film américain. Les Américains tiennent à ce que les drames finissent de façon morale par la punition des coupables et le dédommagement des victimes. Ne remue pas les fantômes, Bashia.

Une voix venue de l'intérieur de moi me dit : « Il a raison. Laisse tomber, ne va pas là-bas. À force de volonté, tu as réussi à effacer de ta mémoire les gens qui t'avaient abîmée. Restes-en là. À quoi bon exhumer le passé ? »

Je regarde le visage grave de Piotr en écoutant les derniers accords de la fugue de Chopin.

Piotr me tend la main.

– Viens.

Devant mon hésitation, il sourit :

– Tu vois, nous avons reçu la même éducation. Nous avons tous les deux cette façon bien polonaise de considérer le sexe comme une source de mauvaise conscience.

Pendant que nous nous dirigeons main dans la main vers l'ascenseur de l'hôtel, je me dis que c'est lui que j'aurais dû aimer, pas Christian. L'amour devrait toujours procurer un tel sentiment de paix, celui que j'avais éprouvé pour Christian ne m'avait apporté que du tourment.

Plusieurs dossiers cartonnés gris-bleu délavé m'attendent dans la salle de lecture des Archives, rue Towarowa. Mon nom est inscrit en lettres capitales : ZBORAWSKA BARBARA KAROLINA à côté de nombreux tampons et divers numéros d'actes.

Sur la première page une phrase soulignée au stylo rouge sonne comme un regret : *Candidate peu probable au recrutement.*

Au fur et à mesure de la lecture, j'apprends que moi, Barbara Zborawska, née le 20 août 1936, fille de Karol Zborawski, médecin, et de Helena Radzimska, exilée, condamnée par contumace, suis soupçonnée d'action subversive, anticommuniste, de haute trahison et d'espionnage au profit de la France.

Ce n'est pas tout ! Dans le dossier se trouvent des pages éparses de mon journal ! Mon Dieu ! Comment ont-elles abouti là ? Ainsi que mes dessins et mes caricatures !

Il y a des photos en noir et blanc prises dans un café que je reconnais comme étant le Fafik et un autre, le café Warszawianki. Une photo sur le banc avec Christian, une autre devant notre immeuble, une autre sur notre balcon. Il y a

413

des photos de moi à l'école, pendant le défilé du 1er Mai, à la patinoire et à la piscine. Avec Iwonka, à la chorale et encore moi, « *la troisième sur la gauche* ». On trouve les horaires de mes rencontres avec Christian : l'heure d'arrivée et l'heure de départ. L'itinéraire. Les titres des livres que j'ai empruntés à la bibliothèque rue Krowoderska. Le nombre des tracts jetés à la poubelle. Les vêtements que je portais. Je n'arrive pas à croire que cela ait pu avoir un quelconque intérêt.

18 juin : manteau de pluie. Note des renseignements sur la serviette du café et la glisse subrepticement dans son sac.
29 juin : jupe rose, chemisier blanc aux manches brodées.
1er juillet : partie en pull-over de laine bariolée, revenue sans.

Que nous étions naïfs ! Nous étions espionnés jour et nuit sans le savoir, et surtout sans imaginer que nous pouvions présenter le moindre intérêt. Tout est précisé, chaque parcours de Grand-Mère et de Roman. Ils n'avaient pas hésité à simuler des travaux d'électricité dans la rue pour brancher des micros dans notre appartement !

Je ferme les yeux et fais défiler dans ma mémoire ce jour où ils avaient installé un échafaudage devant notre immeuble et les panneaux annonçant la durée du chantier. Quel professionnalisme ! L'un de ces « ouvriers » était venu vérifier l'installation électrique chez nous ! Comme il était poli ! La trouvant vétuste, il avait proposé de le signaler au Bureau du logement, ainsi elle serait remplacée aux frais de la municipalité ! Et comme Grand-Mère l'avait remercié ! Voulant même lui donner un pourboire, si soulagée, la pauvre, de n'être pas obligée de débourser une somme considérable de sa poche. Comment pouvait-on imaginer que l'UB était en mesure de dépenser autant d'argent pour espionner une famille aussi insignifiante que la nôtre ?

Plusieurs feuilles mobiles glissent sous mes doigts : une copie maladroitement rédigée dont l'écriture enfantine pouvait être celle de notre locataire Kowalski ou peut-être de Marintchia. Parmi des lettres privées interceptées, six de Christian !

Je regarde les enveloppes, elles ne portent aucune trace d'ouverture et pourtant le contenu de chaque lettre est là, devant moi, tapé à la machine à travers le papier carbone. L'original et sa traduction.

Pourquoi, puisqu'ils connaissaient le contenu des lettres, ne les ont-ils pas laissées rejoindre ma boîte ? Sadisme ? Vengeance ? Punition ?

À quoi leur servaient donc ces renseignements si anodins ? Se pouvait-il qu'entre les mains de la Bezpieka ils se soient transformés en arme mortelle au moment voulu ?

À l'intérieur du carton, je trouve aussi un dossier sur nos voisins et leurs enfants, le facteur et le laitier, le concierge et ses filles, la vendeuse du kiosque à journaux et la dame de la consigne des bouteilles, celle dont le mari avait été déporté en Sibérie !

Et sur tous les membres de ma famille :

Frederyka Zborawska, née von Kränzer.
Née 17 janvier 1899 à Vienne (Autriche).
Malgré plusieurs avertissements, continue à fréquenter des

étrangers (le consul Honoré de Kérouadec, Graf Matouchka, la baronne Konopka et bien d'autres).
La garder encore quelque temps à son poste tant qu'on n'a pas trouvé de remplaçante.

Aleksander Zborawski.
Né 7 février 1898 à Zboraw (district de Kielce).

En lettres cyrilliques avec mention « *strictement secret* » un oukase n° 6/4/9174 :

Le professeur Zborawski, âgé de quarante-quatre ans,

À *déporter* souligné en rouge

Motif : mal disposé envers l'Union soviétique.
Juin 1941 : arrêté et condamné selon les termes de l'article 58 à 15 ans de travaux forcés en Sibérie.
Signé par le chef adjoint du 3e bureau N.K.G.B. U.R.S.S., capitaine de la Sûreté de l'État, Zelnicki.

Un cachet oblong.

Juin 1953 : libéré au bout de 12 ans.

Une note sur papier à en-tête du ministère de la Sécurité portant la mention URGENT accompagne le dossier :

14 juillet 1953, Kraków, réf. n° 17/7/153-04
Outre les prêtres, nous avons, dans notre département, une autre verrue attachée au clergé comme on en voit tant sur le territoire de Cracovie. Il s'agit de cette famille Zborawski :

l'édition emploie, au détriment des nôtres, Frederyka Zborawska, née à Vienne, qui n'est donc pas une vraie Polonaise mais qui se prend pour telle. Récemment son mari est revenu d'Union soviétique et elle a déposé une demande pour sa réhabilitation. Selon elle, il serait innocent, aurait été arrêté injustement et envoyé aux travaux forcés en Sibérie. Elle a déposé une requête pour se rendre à Zboraw qui leur appartenait avant la guerre. Il serait nocif de répondre positivement à cette demande.

Colonel Matuszczak

Août 1953 : retourné en qualité de gardien de PGR à Zboraw.

*À surveiller.*

Roman Aleksander Zborawski, né le 3 octobre 1919 à Lvov. Personne nuisible et inutile à la société. À arrêter sous n'importe quel prétexte.

Il y a un dossier sur ma mère. Et ce n'est pas un rapport de routine, le dossier est épais :

Helena Zborawska, née Radzimska.
Née le 8 août 1919 à Lvov, fille de Władysław Radzimski et Julia Oldberg.
Mariée à Karol Frederyk Zborawski (TW).
Remariée avec Henryk Hertzen (HH), journaliste à Radio Free Europe.

Un détail attire mon attention : les autorités vérifiaient à plusieurs reprises, et à travers différentes sources, si les cibles de leur surveillance n'avaient pas des origines juives.
À quoi cela pouvait-il leur servir ?

Chaque déplacement de ma mère en France est consigné, ce qui veut dire qu'ils avaient un agent équipé pour la surveiller même à Paris.

Je n'en reviens pas.

Le dossier concernant mon père est plus épais encore et porte une mention :

*STRICTEMENT CONFIDENTIEL. À USAGE INTERNE UNIQUE-MENT.*

Karol Frederyk Zborawski (TW)
Né le 20 mars 1918 à Lvov
Études : École des cadets à Lvov, école de médecine à Lvov, école de médecine à Cracovie, spécialisation : chirurgie.

Il y a sa photo et sa description :

Visage ovale, yeux bleus, cheveux châtains coiffés en arrière.
Signes particuliers : néant.
Confession : catholique.
Langues pratiquées : français courant, allemand courant, russe courant, anglais : notions.
Recruté en novembre 1952 : IB.

Des lettres capitales soulignées au feutre rouge sont apposées en paraphe, encore ces mystérieuses lettres : *TW*.

D'autres rapports sont joints. Certains signés : *Lolek, Doktor* ou *TW*.

– Monsieur, pouvez-vous m'aider ? Que signifient exactement ces abréviations à côté des noms ? Ce TW par exemple ? Ou cet IB ?

– Vous ne savez pas ? IB pour informateur bénévole. TW pour *tajny współpracownik*, en français « collaborateur secret ».

– Et là ? C'est signé *KZ*. On dirait que c'est la même écriture qu'ici : *Doktor, Lolek, Zbór* ?

– Vous avez raison. C'est une seule et même personne.

– Quel est son nom ?

– Nous avons réussi à l'identifier. Il est mort en 76. Il s'appelait Karol Zborawski. Je crois qu'il était médecin à Cracovie. Madame Le Goff, vous allez bien ? Vous êtes toute pâle. C'est quelqu'un que vous connaissiez ? Madame Le Goff ! Madame Le Goff ! Vite ! Un médecin !

# REMERCIEMENTS

Mes vifs remerciements à Hanna Bakuła, Beata Tyszkiewicz, Renata Lubomirska, Haïka Lewicka, Marek Potocki, dont les souvenirs et les anecdotes complètent ceux conservés par ma famille.

Mes remerciements aussi pour leurs précieux conseils à Roland de Chaudenay, Emmanuel de Waresquiel, Hubert Heilbronn, Valérie Bonnier, Thanh-Van Ton-That, au professeur Stanisław Burkot, au docteur Jean-Fred Warlin ainsi qu'à Nadège Déclérieux, ma première lectrice.

## DU MÊME AUTEUR

LE NAIN DU ROI DE POLOGNE, Plon, 1994 (prix de l'Académie du Maine).

LES PASSIONS D'UNE PRÉSIDENTE : ELEANOR ROOSEVELT, Perrin, 2000.

LE ROMAN DE LA POLOGNE, Éditions du Rocher, 2007.

Composition IGS-CP
Impression CPI Bussière en mars 2013
à Saint-Amand-Montrond (Cher)
Éditions Albin Michel
22, rue Huyghens, 75014 Paris
www.albin-michel.fr